W9-BBJ-089

rowohlt

Stefan Klein

ALLES ZUFALL

Die Kraft, die unser Leben bestimmt

Rowohlt

Internet-Seiten zum Buch stehen unter
www.alles-zufall.de
Dort finden Sie Hintergrundinformationen
und können sich mit anderen Lesern austauschen.
Informationen über den Autor erhalten Sie unter
www.stefanklein.info

2. Auflage August 2004

Lektorat Uwe Naumann
Schautafeln Peter Palm, Berlin
Satz aus der Galliard PostScript PageMaker
bei Pinkuin Satz und Datentechnik, Berlin
Druck und Bindung Clausen & Bosse, Leck
Printed in Germany
ISBN 3 498 03519 3

INHALT

Für Dora, die kein Zufall ist

«Wie leben ohne vor sich ein Unbekanntes?»
René Char

EINLEITUNG

Haben Sie sich je gefragt, warum Sie der Mensch wurden, der Sie sind?

Ich zum Beispiel bin Kind einer Firmenpleite, eines verschlafenen Sonntags und des ersten Autos meines Vaters. Es war ein hellblauer VW Käfer 1200, und eigentlich wollte mein Vater den Wagen gar nicht. Er kam nur dazu, weil mein Onkel ein gutes Geschäft witterte. Ein Händler hatte ihm den Käfer billig angeboten, unter der Bedingung allerdings, dass er zwei davon nähme. So erhielt mein Vater, damals ein junger Chemiker ohne großes Gehalt, eines Tages Besuch von seinem Bruder, der ihm einen Vertrag unter die Nase hielt: «Ich habe für dich ein Auto gekauft. Du musst nur noch unterschreiben. Hier.»

Im gleichen Jahr brach in Tirol ein Unternehmen zusammen. Die Webstühle, die es herstellte, genossen Weltruf, aber niemand wollte sie mehr haben – 1959 eroberten Nyltesthemden den Markt. Eine fällige Zahlung ließ auf sich warten, die schon angeschlagene Firma war nicht mehr flüssig, die Banken verloren die Geduld. Als das Geld nach ein paar Tagen doch noch eintraf, war es zu spät: Im Haus des Fabrikanten klebte der Kuckuck auf den Möbeln. Nach dem Bankrott zählte jeder Schilling, und so verließ die älteste Tochter, noch Studentin, das Haus. Sie hatte in München eine bezahlte Assistentenstelle gefunden.

Eine Bekannte erzählte ihr von dem jungen Mann mit dem blauen VW. Auch er pendelte zwischen seiner Arbeitsstelle in München und Innsbruck, wo seine Familie lebte. Jeden Freitag holte er fortan die junge Frau ab und chauffierte sie nach Tirol, sonntags traten sie die Rückfahrt an. So ging es Jahre, ohne dass romantische Gefühle in der Fahrgemeinschaft aufkeimten. Doch eines schönen Herbsttages verschlief meine Mutter nach einer durchfeierten Nacht, und ihre Freunde brachen ohne sie zu ihrer verabredeten Bergtour auf. Draußen strahlte die Sonne. Spontan rief sie bei ihrem Käferfahrer an: Ob er etwas mit ihr unternehmen wollte? Er wollte. Ein Jahr später waren sie verheiratet.

Ich habe mich oft gefragt, wie es gekommen wäre, hätte sich auch nur eine dieser Begebenheiten anders zugetragen: Wenn der Autohändler meinem Onkel nicht dieses seltsame Angebot gemacht hätte; wenn das Geld rechtzeitig bei meinem Großvater eingegangen und ihm der Konkurs erspart geblieben wäre; oder wenn an jenem Septembertag 1963 Wolken die Alpen eingehüllt hätten – würde es mich heute geben? Können es wirklich solche Kleinigkeiten sein, die in keinerlei Zusammenhang zu stehen scheinen, denen wir unser Leben verdanken – und die seinen Lauf bestimmen?

Solche Fragen fesseln uns und lassen uns zugleich schaudern. Dieses zwiespältige Gefühl muss auch der Philosoph Johann Gottfried von Herder empfunden haben, als er den Zufall «einen der beiden großen Tyrannen der Menschheit» nannte (der andere war für ihn die Zeit).[1] Die Naturwissenschaftler erschraken ebenfalls vor dem Chaos im Universum, als sie entdeckten, wie wenig die Natur unseren Vorstellungen gehorcht. Noch im Jahr 1970 beschrieb der französische Molekularbiologe und Nobelpreisträger Jacques Monod den Menschen als einen Glückstreffer im großen Lotteriespiel der Natur, der sich seine Verlorenheit endlich eingestehen sollte: «Der Mensch weiß nun, dass er seinen Platz wie ein Zigeuner am Rande des Alls hat, das für seine Musik taub und gleichgültig ist gegenüber seinen Hoffnungen, Leiden oder Verbrechen.»[2]

Im Laufe der letzten Jahre jedoch hat sich die Wissenschaft so intensiv mit dem Unvorhersehbaren beschäftigt wie nie zuvor – und dabei eine ganz neue Sicht des Zufalls entwickelt: Das Schaudern ist dem Staunen gewichen.

Was verbirgt sich nun hinter dieser seltsamen Erscheinung, von der manche behaupten, sie sei nichts als eine Illusion? Mathematiker haben bewiesen, dass der Zufall sogar dort auftritt, wo alles streng nach Regeln verläuft; Physiker untersuchen, wie das Unvorhersehbare entsteht und warum es vor ihm kein Entrinnen geben kann; Evolutionsbiologen begreifen zunehmend, in welchem Maß Menschen dem Zufall ihr Dasein verdanken. Groß angelegte psychologische Studien zeigen, wie unvorhersehbar die Entwicklung einer Persönlichkeit und nicht zuletzt die Wege der Liebe verlaufen. Hirnforscher und Philosophen schließlich klären auf, warum es uns dennoch so schwer fällt, mit dieser schöpferischen Kraft Frieden zu schließen. Ihre Arbeiten begründen, weshalb uns der Glaube an ein Schicksal, einen höheren Plan, so tief eingeprägt ist.

Der Zufall ist mächtiger, als wir es uns je vorgestellt haben. Seine Erforschung rührt an die großen Rätsel der Wissenschaft, wie die Frage nach dem Aufbau der Welt und nach der Entstehung des Lebens, und betrifft zugleich im Kleinen den Lebensweg eines jeden von uns. Und doch ist es nicht der Dämon der Unordnung, den der Aufklärer Herder verwünschte, der hier sein Gesicht zeigt. Die englische Sprache betont von jeher die freundlichen Züge des Zufalls: *Chance* bedeutet eben auch «Möglichkeit», ja sogar «Glück».

Auch die Wissenschaft hat diese Seite des Zufalls erkannt – und lernt jetzt, ihn zu nutzen. Empfindliche Systeme wie elektronische Schaltungen lassen sich durch seine Wirkung stabilisieren; auch unsere Gehirne funktionieren so.[3] Und der Zufall, so zeigt sich, ist nicht nur Motor der Evolution, sondern ebenso aller menschlichen Kreativität. Selbst unsere menschlichsten Züge – Altruismus, Mitgefühl, die Fähigkeit zur Moral – würde es nicht geben, wenn unser Handeln stets vorhersehbar wäre.

Allerdings bezahlen wir für diese Errungenschaften einen Preis: Unsicherheit. In unsicheren Situationen aber fühlen sich die meisten Menschen unwohl. Deshalb vermeiden wir sie, wo immer es geht – und berauben uns damit vieler Chancen.

Wie können wir mit dem Stress der Unsicherheit besser fertig werden? Gibt es Strategien, aus Überraschungen den größten Nutzen zu ziehen? Kann man lernen, ein Glückspilz zu sein?

Dieses Buch will Sie mit dem Phänomen «Zufall» vertraut machen. Weil das Unvorhersehbare alle Bereiche unseres Handelns, Fühlens und Denkens durchdringt, kann es ihm nur in einer umfassenden Sicht gerecht werden. Zufälle haben eine Menge mit unerwarteten Zusammenhängen zu tun. Es wäre daher sinnlos, nur einen Aspekt herauszugreifen. Erst im großen Bild, in der Zusammenschau ist zu verstehen, wie der Zufall unser Leben bestimmt.

Im ersten Teil werden Sie erfahren, was Zufälle sind und wie sie entstehen. So viele Gestalten sie auch annehmen mögen, lassen sich doch erstaunlicherweise alle Erscheinungsformen – ob beim Glücksspiel, im Reich der Physik, in der menschlichen Gesellschaft – auf nur zwei gemeinsame Ursachen zurückführen: Komplexität und Selbstbezüglichkeit.

Diese Gedanken führen zu dem Problem, ob Ereignisse, die uns zufällig erscheinen, wirklich keiner Gesetzmäßigkeit folgen – oder ob wir diese Regeln lediglich nicht erfassen können. Dahinter verbirgt sich nichts anderes als die uralte Frage: «Zufall oder Schicksal?»

Die Kapitel 3 und 4 in diesem ersten Teil sind die anspruchsvollsten des Buches, denn sie behandeln das grundlegende Rätsel, woher Zufälle kommen. Ich habe versucht, Ihnen den Weg durch die Gedankengänge der Physik so leicht und anschaulich wie möglich zu machen. Wer nicht so tief in die physikalischen Hintergründe einsteigen will, kann diese Kapitel auch überspringen. Das Verständnis des Folgenden hängt nicht davon ab.

Der Zufall als Schöpfer ist Gegenstand des zweiten Teils, der Sie mitnehmen will auf eine Reise von den Anfängen des Lebens auf der Erde bis zur Entwicklung des Computers, von der Entstehung des Menschen bis zur Entfaltung der Persönlichkeit eines jeden von uns. In welchem Maß bestimmt der Zufall, wie sich unser Charakter herausbildet, wie wir leben, wen wir lieben?

Nur durch Zufall kommt Neues in die Welt. Dieser Abschnitt soll deshalb auch aufzeigen, wie wir zu unseren Ideen finden. Allerdings setzt sich nicht jeder gute Einfall durch. Es braucht Glück und Raffinesse, einer Neuerung zum Erfolg zu verhelfen, und wie in jeder

Konkurrenz siegt oft derjenige, der sich unvorhersehbar verhält. Zufall ist in vielen Fällen die beste Strategie.

Normalerweise entgeht uns, wie viel wir dem Zufall verdanken. Unser Gehirn ist darauf programmiert, *nicht* an Zufälle zu glauben. Damit wir uns in der Welt orientieren können, spiegelt es uns oft mehr Gewissheit vor, als wir haben. Der dritte Teil des Buches behandelt unseren Umgang mit Zufällen und Unsicherheit; er ist eine Wanderung durch das Reich der Illusionen. Eine der gefährlichsten davon ist, sich zu sicher zu fühlen – oder zu glauben, es könne vollkommene Sicherheit geben. Gerade dann nämlich gehen wir unkontrollierte Risiken ein und erleben häufig ein böses Erwachen.

In einer zunehmend unübersichtlichen Welt müssen wir ständig entscheiden, ohne im Besitz aller dafür nötigen Informationen zu sein. Der vierte Teil zeigt Wege, sich vor verhängnisvollen Fehlschlüssen zu schützen: Wir können unser Handeln so ausrichten, dass es uns auch dann nützt, wenn sich die äußeren Bedingungen überraschend verändern. Dadurch machen wir uns den Zufall zum Freund. Das Spiel mit dem Unerwarteten eröffnet zudem Strategien, Ideen zu entwickeln und systematisch günstige Gelegenheiten zu schaffen.

Allerdings gibt es diese Chancen nicht umsonst. Wer von ihnen profitieren will, muss von einem beliebten Trugbild Abstand nehmen: dass wir unser Leben restlos planen können. Sich mit dem Zufall zu beschäftigen lehrt Bescheidenheit.

Im Grunde wissen wir, wie oft wir uns Sicherheit nur einreden. Wenn wir uns näher mit dem Phänomen Zufall beschäftigen, weichen solche Trugschlüsse dem Vertrauen auf das Unverhoffte – und dem Selbstbewusstsein, aus Überraschungen das Beste machen zu können. Den Zufall zu kennen beruhigt. Wenn wir uns auf das Ungewisse einlassen, werden wir viel öfter von ihm beschenkt, als wir es erwarten. Mit Wundern ist zu rechnen.

TEIL I **ENTSTEHUNG**

KAPITEL 1 EIN GOTT MIT ZWEI GESICHTERN
Wie uns der Zufall begegnet

Barry Bagshaw verlor seinen Sohn aus den Augen, als der Junge fünf Jahre alt war. Damals diente Bagshaw als Soldat der britischen Armee in Hongkong. Seine in England zurückgebliebene Frau konnte das Alleinsein nicht ertragen. Nach Monaten der Einsamkeit verliebte sie sich in Bagshaws besten Freund und zog mit dem Kind zu ihm. Als Bagshaw nach seiner Rückkehr dort anrief, wollten weder seine Frau und sein Freund noch sein Sohn etwas von ihm wissen. Verbittert brach Bagshaw jeden Kontakt zu seiner Familie ab. Als er diesen Schritt nach Jahren bereute und sich auf die Suche machte, war es zu spät: Er konnte seinen Jungen nicht mehr ausfindig machen.

Während eines Einsatzes in Nordirland verwundete ihn eine Bombe; Bagshaw musste den Armeedienst quittieren und nahm eine Stelle als Taxifahrer im Seebad Brighton an. Am Abend des 7. August 2001, mehr als drei Jahrzehnte nach der Trennung von seiner Familie, wird er zu einem Motel bestellt. Ein Paar steigt ein. In der Dunkelheit kann Bagshaw die Gesichter kaum ausmachen. Nachdem er den Motor angelassen hat, hört er, wie sich die Frau über den ungewöhnlichen Nachnamen auf der Taxilizenz wundert. Dann fragt eine männliche Stimme: «Ist Ihr Vorname Barry?»

Bagshaw zögert. «Woher wissen Sie das?» Schweigen. An der nächsten roten Ampel dreht er sich um. Da sitzt ein gedrungener Mann, Mitte dreißig vielleicht: «Mein Vater hieß so.»

«Und Ihre Mutter Patricia.» Der andere nickt.

«Sie sind Colin Bagshaw.»

«Ja.»

Barry bringt kein Wort mehr heraus. Er fährt weiter. Plötzlich hält er an, läuft um den Wagen, reißt die Autotür auf und umarmt den Fahrgast. «Lass uns etwas trinken gehen.»

In einem Pub gehen die beiden die Namen aller Verwandten durch, die ihnen einfallen. Nein, da kann kein Zweifel bestehen: Der Kunde ist Bagshaws verlorener Sohn. Jetzt erst erfährt Barry, dass Colin nach Südafrika ausgewandert und erst vor wenigen Wochen zurückgekehrt ist. In einem Hotel in Brighton hat er Arbeit als Manager gefunden – nur ein paar Straßen vom Haus seines Vaters entfernt, den er für tot hielt. Hat eine Ahnung ihn in diese Stadt geführt? Und vor allem: Wieso schickte die Zentrale unter hunderten anderen an diesem Abend gerade Barrys Taxi zu dem Motel?[1]

Alles Zufall? Geschichten wie diese faszinieren uns und hinterlassen uns ratlos. Ein Wiedersehen wie das von Vater und Sohn Bagshaw, über das sogar die BBC berichtete, ist dermaßen unwahrscheinlich, dass selbst skeptische Zeitgenossen kaum anders können, als dahinter eine höhere Absicht zu vermuten.[2] Gibt es da eine Macht, die es gut mit uns meint?

Schon der Alltag gibt oft genug Anlass zu solchen Fragen. Die Freundin ruft genau in dem Moment an, da man an sie denkt. Menschen werden zusammengeführt, weil der eine von ihnen eine Flaschenpost oder einen Luftballon ausgesandt hat – wie der Hamburger Wolfgang Staude, der in der Silvesternacht 2002 an einem gelben Gasballon eine Karte mit seiner Telefonnummer aufsteigen ließ. Hundert Kilometer entfernt ging die Botschaft nieder – ausgerechnet im Apfelbaum eines Freundes aus Kindertagen, zu dem Staude längst den Kontakt verloren hatte.[3] Und jeder Liebende zweifelt ohnehin daran, dass allein der Zufall ihn mit seinem Partner zusammengebracht hat.

Für Barry Bagshaw hatte das Taxi schon einmal sein Leben verändert. Zwei Jahre vor dem Wiedersehen mit seinem Sohn schickte ihn die Zentrale bei einer Französin vorbei, die zum Flughafen fahren wollte. Die Frau war in Tränen aufgelöst: Sie musste zur Beerdigung ihrer Mutter in die Heimat reisen. Auf den sechzig Kilometern nach Gatwick gab ein Wort das andere, und am Ziel verriet sie Bagshaw ihre Telefonnummer. Als die Dame aus Frankreich zurückgekehrt war, rief er an. Die beiden gingen essen, und nach ein paar gemeinsamen Abenden verloren sie ihr Herz aneinander. Wenig später heirateten sie. Die Jahrzehnte der Einsamkeit sind für Barry Bagshaw vorbei.

«Zufall ist das Pseudonym Gottes, wenn er nicht selbst unterschreiben will», hat der Dichter Anatole France einmal behauptet.

Die Willkür des Schicksals

Einen Sinn in dem zu sehen, was uns zustößt, tut uns wohl. Nach einem solchen Halt sehnen wir uns umso mehr, wenn unerklärliche Begebenheiten uns nicht ein freudiges Wiedersehen oder Liebesglück bescheren: Zufälle haben auch die Macht, unsere Existenz zu zerstören.

Am Abend des 10. September 2001 räumt Felix Sanchez sein Büro im Südturm des World Trade Center. Sein Traum von der Selbständigkeit wird ihm am kommenden Tag das Leben retten. Sanchez hat seine Arbeit bei der Investmentbank Merrill Lynch gekündigt, um sein Geld fortan als freier Finanzberater für seine Landsleute aus der Dominikanischen Republik zu verdienen, wie Reporter der *New York Times* später recherchierten.[4] Die Geschäfte laufen von Anfang an glänzend; genau zehn Wochen später macht er sich auf den Weg in seine Heimat. So besteigt er am 12. November die Morgenmaschine der American Airlines nach Santo Domingo, Flugnummer 587 – das Flugzeug, das gleich nach dem Start über dem New Yorker Stadtteil Queens abstürzt und aus dem niemand lebend entkommt.

Unter den 258 Passagieren ist auch die Serviererin Hilda Mayor.[5] An dem Vormittag des 11. September, als die beiden entführten Jets in die Wolkenkratzer rasten, hat sie in einem Restaurant im ersten Stock des World Trade Center bedient und ist dem Inferno entkommen. Nun stirbt auch sie in der Unglücksmaschine nach Santo Domingo – über einer Wohngegend von Queens, in der viele Feuerwehrleute leben. Die Trümmer des Airbus stürzen in die Gärten von Eltern, die ihre Söhne bei den Rettungsversuchen des 11. September verloren haben.

Es ist schon gespenstisch genug, dass New York binnen weniger Wochen zweimal von Katastrophen heimgesucht wurde, in denen Flugzeuge eine wichtige Rolle spielten – auch wenn die Ermittlungsbehörden versicherten, Ursache für den Absturz der American-Airlines-Maschine sei ein technisches Versagen gewesen, wie es jederzeit und überall auftreten könne. Dass Menschen wie Sanchez und Mayor aber scheinbar durch ein Wunder von einem Desaster verschont bleiben, nur um kurz darauf einem anderen zum Opfer zu fallen, übersteigt unsere Vorstellungskraft.

Unserem Wesen entspricht es, zielgerichtet zu denken und zu handeln; wir können und wollen nicht glauben, dass sich das Universum so offenkundig sinnlos verhält. Oder sollte der chinesische Philosoph Laotse Recht gehabt haben? «Die Himmel erachten die Menschen als Heuhunde», schrieb er. Zu Zeiten Laotses flochten die Gläubigen Hunde aus Heu und stellten sie vor ihre Altäre, um das Unglück abzuwehren. War das Ritual vorüber, wurden die Heuhunde auf die Straße geworfen und von den Passanten zertrampelt.

Zwei Arten von Zufall

Viele Menschen zweifeln insgeheim, ob es Zufälle wirklich gibt. Sie haben das Gefühl, dass alles, was ihnen zustößt, einem Plan folgt, einer Vorsehung. Und nicht wenige sind überzeugt, diesem ihrem Schicksal in die Karten schauen zu können, indem sie Horoskope befragen oder einen Wahrsager zu Rate ziehen. Selbst ein Staatschef wie François Mitterrand, ein Intellektueller, pflegte vor wichtigen Entscheidungen seine Astrologin zu konsultieren.

Aber sollte uns tatsächlich ein Schicksal an seinen Fäden führen wie Marionetten, welche Rolle spielt dann der Zufall in unserem Leben? Nennen wir einfach nur solche Begebenheiten zufällig, die zwar einem Plan folgen, der uns in unserer Unwissenheit aber verborgen bleibt? Wovon reden wir überhaupt, wenn wir «Zufall» sagen?

«Zufälle sind Vorfälle, die unversehens kommen», schreiben die Brüder Grimm in ihrem Wörterbuch der deutschen Sprache lakonisch und setzen hinzu: «Der Zufall bezeichnet das unberechenbare Geschehen, das sich unserer Vernunft und unserer Absicht entzieht.»[6] Genau in dieser doppelten Weise verwenden wir diesen Begriff: Als Zufall erscheint uns ein Vorkommnis, hinter dem wir entweder keine Regel erkennen oder das keiner geplant hat.

Die erste Bedeutung ist die einfachere: Zufällig ist, was wir nicht anders erklären können oder wollen. In zufälligen Abständen prasseln die Regentropfen aufs Fenster; wir können keine Ordnung dahinter sehen. So gebraucht auch die Wissenschaft dieses Wort. Wenn Sie Milch in Ihren Kaffee gießen, bildet sie zufällige Schlieren, bevor sie sich in der ganzen Tasse verteilt. Das ist für einen Physiker eine typische Wirkung des Zufalls, denn er kann die Strukturen, die bei diesem Mischvorgang entstehen, nicht genau berechnen. Davon können Sie sich leicht überzeugen: Jedes Mal, wenn Sie von neuem Milch in den Kaffee geben, werden die Muster etwas anders aussehen.

Die zweite Bedeutung von «Zufall», die wir oft im Alltag verwenden, ist komplizierter. «Was für ein Zufall!», sagen wir, wenn Ereignisse so zusammenfallen, dass wir darin einen Sinn sehen, obwohl dieses Zusammenfallen offenbar niemand angestrebt hat. Dies nennt man Koinzidenz; wir könnten auch von «unglaublichen Zufällen» sprechen. So fragen wir uns, ob nicht doch eine lenkende Hand im Spiel ist, wenn die Freundin gerade in dem Augenblick anruft, da wir an sie denken – oder wenn ausgerechnet Barry Bagshaw mit dem Taxi vorfährt, um seinen verlorenen Sohn abzuholen.

Eine solche Begebenheit erscheint uns umso bemerkenswerter, für je weniger wahrscheinlich wir sie halten. In diesem Sinn des Wortes ist ein «Zufall» also ein auffälliges Geschehen, das sich nicht so recht aus dem gewohnten Lauf der Dinge heraus erklären lässt.

Was wir als erstaunlich empfinden, hängt allerdings von unserer

Perspektive ab. Wer eine dringende Nachricht von seiner Freundin erwartet, wird kaum Telepathie vermuten, wenn sie sich prompt meldet. Es sind also nicht die Ereignisse selbst, die uns bemerkenswert erscheinen, sondern die unbeabsichtigten Zusammenhänge, die wir darin sehen. Sie bringen uns mitunter zum Grübeln, ob sich dahinter nicht doch tiefere Gründe verbergen. Denn unser Gehirn ist, wie wir sehen werden, darauf programmiert, nach verborgenen Plänen zu suchen.

Weil Zufall eine Frage des Blickwinkels ist, fällt es oft gar nicht leicht, sich darüber zu verständigen. Was dem einen höchst verblüffend vorkommt, findet der andere banal. Der Münchner Komiker Karl Valentin nimmt das aufs Korn, wenn er über einen aus seiner Sicht unglaublichen Zufall philosophiert: «‹Denkens Ihnen nur, ich und der Anderl gehen gestern in der Kaufinger Straße und reden grad so von einem Radfahrer – im selben Moment, wo wir von dem Radfahrer sprechen, kommt zufälligerweise grad einer daher.› ‹Und, weiter, was hat er getan?›, fragt sein Gegenüber, der Kapellmeister. ‹Gar nichts! Weitergfahrn is er wieder.› ‹Also, das ist doch nichts Besonderes, wenn da in der Kaufinger Straßn a Radfahrer daherkommt! Da kommt fast alle Meter wieder a anderer Radfahrer daher!› Der Kapellmeister ist entgeistert, Valentin bleibt ungerührt: ‹Ja, aber net, wenn man davon redt!›»[7]

So könnten sie sich ewig streiten, denn Recht haben beide: Der Kapellmeister meint Zufall in der ersten, der Komiker in der zweiten Bedeutung des Wortes.

Hoffen und Bangen

Ob regelloses Ereignis oder ungewollter Zusammenhang – Zufälle faszinieren uns, weil sie sich offenkundig unserem Einfluss entziehen. Allerdings betrachten wir sie mit gemischten Gefühlen: Positive Überraschungen sind wunderbar, doch nicht zu wissen, was die Zukunft bringt, kann uns sehr belasten. Unsicherheit ist Stress.

Ohnehin beschäftigen uns Risiken mehr als Chancen. Die Evolution hat Angst als Signal hervorgebracht, um uns vor Gefahren zu schützen; wenn wir gleich viel Anlass zu Furcht und Hoffnung haben, überwiegt daher immer das negative Gefühl. Oft ist die Sorge sogar dann stärker, wenn wir objektiv mehr Gründe zur Vorfreude haben. So hat uns die Natur konstruiert.[8]

Deswegen haben die Menschen schon immer versucht, auf höhere Mächte Einfluss zu nehmen – meist, um sich vor Miseren zu schützen, manchmal auch, um ihr Glück zu befördern. Dreimal auf Holz geklopft, einen Talisman an den Schlüsselbund gehängt, der Muttergottes eine Kerze gestiftet: Wenn es schon nicht nützt, wird's auch nicht schaden, und zur eigenen Beruhigung dienen solche Vorkehrungen auf jeden Fall. Aber gibt es wirklich Instanzen, die sich auf diese Weise umstimmen lassen?

Selbst die nüchternsten Menschen sind in dieser Frage so rettungslos ambivalent, wie es der dänische Nobelpreisträger Niels Bohr war, der als Vater der modernen Atomphysik dem Zufall in der bis dahin streng mechanistischen Naturwissenschaft Geltung verschaffte. Trotzdem hatte er über der Tür seines Ferienhauses ein Hufeisen hängen, wie Kollegen berichten. Wenn Physiker auf Besuch anmerkten, dass gerade er es doch besser wissen müsste, pflegte Bohr lächelnd zu erwidern: «Es hilft auch, wenn man nicht daran glaubt.»[9]

Eine unsichere Welt

Viele Menschen haben das Gefühl, ihnen wachse über den Kopf, was um sie geschieht. Denn die Welt ist so unübersichtlich und vor allem unkalkulierbar geworden, dass wir uns immer öfter als Spielball des Zufalls empfinden. Zwei Drittel aller Westeuropäer glauben, die nächste Generation werde in einer weniger sicheren Welt leben als heute.[10]

Noch für die mittlerweile Sechzigjährigen war es absehbar, wie ein Leben verlaufen würde. Wer im Nachkriegsdeutschland tüchtig war, konnte sich auf Wohlstand und Arbeit bis zur Pensionierung verlassen. Heute ist so etwas wie Karriereplanung beinahe Makulatur. Hoch qualifizierte Angestellte, gerade noch für viel Geld als Hoffnungsträger eingestellt, treffen sich auf dem Arbeitsamt wieder – weil in der Firma die erwarteten Aufträge ausblieben, der Job einer undurchsichtigen Fusion zum Opfer fiel oder auch nur die Stimmung im Vorstand sich gedreht hat.

Natürlich waren die Menschen schon immer Risiken ausgesetzt. Aber in der Vergangenheit waren die Feinde meist bekannt: Krankheiten rafften Schwache dahin, Missernten ließen Bauernfamilien hungern, Frauen starben im Kindbett. Und mitunter machten Naturgewalten die Anstrengungen von Jahrzehnten zunichte: Lawinen verschütteten Alpendörfer, bei Sturmfluten an der Nordseeküste war für die Bewohner der Halligen Land unter. Und doch lebten die Betroffenen in einer überschaubaren Welt. Jeder Mensch wusste, was er zu befürchten hatte – und worauf er hoffen durfte. Schließlich waren auch seine Möglichkeiten, das Leben zu gestalten, begrenzt, ebenso die Menge der jungen Männer oder Frauen, die als Ehepartner in Frage kamen.

Das hat sich geändert. Wir treffen Menschen aus allen Teilen der Erde, verlieben uns auf Reisen und führen Fernbeziehungen über Kontinente hinweg. Technische Neuerungen wie das Internet wälzen rasend schnell die Arbeitswelt um. Innerhalb von nur fünf Jahren wachsen die Unternehmen der «neuen Wirtschaft» heran – und brechen noch schneller wieder zusammen, die Hoffnungen Hunderttausender Menschen mit ihnen. Zuvor unbekannte Seuchen wie SARS oder Aids breiten sich aus. Die Mauer fällt, über Nacht bekommen Deutschland und Europa ein neues Gesicht. Und was am 11. September 2001 geschieht, ist für die meisten Menschen bis heute unfassbar.

Selbst Experten sind heute damit überfordert, Prognosen auch nur für die nähere Zukunft abzugeben. Denn der stürmische Fortschritt der Technik, die Mediengesellschaft mit ihrer Flut neuester Meldungen von überall her und die immer stärkere globale Verflechtung von Unternehmen und Staaten haben Entwicklungen unüberschaubar gemacht. Zunehmend scheinen kleine, zufällige Ereignisse den Lauf der Geschichte zu bestimmen. Wen hätten die Deutschen zu ihrem Bundeskanzler gewählt, wäre nicht im Sommer 2002 die Elbe über die Ufer getreten? Wie wäre die Geschichte verlaufen, hätten die Fluglehrer der Al-Qaida-Piloten Verdacht geschöpft? Und wie sähe die Welt heute aus, wenn nicht ein paar hundert Rentner in Florida bei der Präsidentschaftswahl 2000 ihren Wahlzettel missverstanden hätten?

Ungewissheit birgt Chancen

Wir sehen dem Zufall ins Gesicht wie niemals zuvor. Bei allen Klagen über die Risiken unserer vernetzten Welt übersehen wir jedoch leicht, welche Chancen sie bietet. Zum Beispiel kann eine arbeitslose Sozialarbeiterin schlagartig zu märchenhaftem Reichtum gelangen, weil sie für ihren Sohn zur richtigen Zeit die richtige Geschichte aufgeschrieben hat. Niemand mochte Joanne K. Rowling einen solchen Erfolg voraussagen – schon gar nicht die Fachleute in all den Verlagen, die ihren ersten «Harry Potter»-Roman abgelehnt haben.

Und hätten Sie im Jahr 1988 darauf gewettet, wie bald Deutschland wieder vereinigt sein würde – ganz ohne Gewalt? Das entscheidende Ereignis verdanken wir einem Zufall. Am 9. November 1989 verliest das Ostberliner Politbüromitglied Günter Schabowski vor laufenden Kameras verwirrt und gegen die Absicht seiner Regierung einen Zettel, den ihn jemand zugesteckt hat: Ab sofort dürfe ausgereist werden. Blitzschnell verbreitet sich die Nachricht, vor den jubelnden Massen räumen die Grenztruppen das Feld.

Wer sich in einer so komplexen Welt zurechtfinden und heimisch fühlen will, tut gut daran, sich mit dem Phänomen Zufall zu befassen. Denn Sicherheit ist nirgends mehr garantiert. Wer aber das Unvorhersehbare zu erkunden sucht, wird erkennen, dass Zufall alles andere als Chaos bedeutet. Auch das offenbar Planlose folgt Gesetzen. Um sie zu durchschauen, müssen wir den Zufall näher kennen lernen. So finden wir nicht nur Antworten auf Fragen, vor die uns unglaubliche Begebenheiten immer wieder stellen, sondern fühlen uns auch den Wechselfällen des Lebens weniger ausgeliefert. Nur wer mit den Prinzipien vertraut ist, die hinter Glücksfällen wie dem Wiedersehen von Vater und Sohn Bagshaw – und dem von Millionen Deutschen – stehen, kann die Chancen unserer Zeit nutzen.

KAPITEL 2 DIE GESETZE DES ZUFALLS

Warum wir mit dem Außergewöhnlichen rechnen müssen

Ein Mann geht im Sturm an einem Baukran vorbei. Auf dem Kran, der leicht schwankt, fährt gerade eine Palette Ziegel nach oben. In diesem Moment lösen sich ein paar Steine aus dem Verbund. Ein Ziegel trifft den Mann am Kopf. Aber weil vor einer Zehntelsekunde jemand von der anderen Straßenseite seinen Namen gerufen hat, wendet er sich um. So schrammt ihn der Stein nur leicht an der Schläfe, und er kommt mit einer Platzwunde davon.

Zufall? Wie gesagt, nennen wir Ereignisse zufällig, die wir nicht anders erklären können. Das Glück im Unglück unseres Helden aber können wir scheinbar begründen: Es ist möglich, jeden einzelnen Umstand nachzuvollziehen, der zu dem gefährlichen Zwischenfall führte. Dass ein Freund gerade des Weges kam und den Mann ansprach, rettete ihm vermutlich das Leben. Andererseits: Hätte er nicht gerade in diesem Moment unter dem Kran gestanden, hätte der Stein ihn überhaupt nicht getroffen. Und hätten es die Bauarbeiter mit den Sicherheitsvorschriften genauer genommen, wäre der Ziegel gar nicht erst ins Rutschen geraten.

Diese Koinzidenzen erklären alles – und nichts. Schließlich können wir das Spiel weitertreiben: Warum ging der Mann just in diesem Augenblick hier vorbei? Weshalb waren die Arbeiter so schlampig? Und hatte nicht auch der Sturm seinen Anteil an dem Verhängnis? So erfahren wir immer mehr Details der Geschichte. Der Mann passierte den Kran ausgerechnet in dieser Sekunde, weil er kurz vorher auf der Straße eine Kollegin getroffen und sich mit einem Schwatz aufgehalten hatte. Der Arbeiter, der den Kran beladen hatte, galt zwar als sorgsam, war aber an diesem Morgen mit seinen Gedanken woanders – vielleicht bei seiner Frau, die zur selben Zeit ihr erstes Kind auf die Welt bringen sollte. Und den Sturm hatte ein über dem Atlantik entstandenes Tiefdruckgebiet mitgebracht.

Wer noch mehr nachforscht, wird sich in eine schier unendliche Folge von Ursachen und Wirkungen verstricken. (Weshalb flanierte der Freund auf der anderen Straßenseite entlang? Wieso hatten sich über dem Ozean Turbulenzen zusammengebraut?) Aber wie viele Details wir auch sammeln mögen – es lässt sich im Nachhinein keinerlei Zwangsläufigkeit finden, warum ausgerechnet unserem Helden auf dieser Baustelle ein Unglück geschehen musste und er doch mit einer leichten Verletzung davonkam. Noch weniger hätten wir den Unfall voraussagen können – selbst dann nicht, wenn wir schon zuvor gewusst hätten, dass eine Kollegin den Mann aufhalten, ein Bauarbeiter an diesem Morgen schludrig arbeiten und ein starker Wind gehen würde.

Die Handschrift des Unerklärbaren

Etwas zu erklären heißt ganz allgemein, einen komplizierten Zusammenhang auf eine einfachere Formel zu bringen. Damit scheitern wir bei unserer kleinen Geschichte, da sie zu viele und zu komplexe Zusammenhänge enthält. Wir können das Geschehen nicht schlüssig erklären, selbst wenn wir beliebig viele Einzelheiten kennen.

In der mathematischen Informationstheorie nennt man einen Sachverhalt «zufällig», wenn er sich nicht weiter vereinfachen lässt. Vergleichen Sie einmal die beiden Zahlenreihen 2 – 7 – 12 – 17 – 22 – 27 – 32 – 37 und 5 – 9 – 14 – 18 – 32 – 38 – 20 – 8. Das eine ist der Fahrplan der U-Bahn, die von meinem Berliner Büro zum Alexanderplatz fährt; das andere sind die Gewinnzahlen des Mittwochslottos vom 1. Oktober 2003 mit Zusatz- und Superzahl. Die Abfahrtzeiten können wir uns auch einfacher merken: zwei nach der vollen Stunde, dann alle fünf Minuten. Wenn wir das noch kürzer, nämlich als 2 + 5 schreiben, genügen ganze drei Zeichen, um die mehr als hundert Abfahrten eines ganzen Tages auszudrücken. Bei den Lottozahlen gibt es eine solche Kurzformel nicht. Um sechs ein- oder zweistellige Gewinnzahlen samt Zusatz- und Superzahl anzugeben, benötigen wir jede einzelne Ziffer. Genau das ist das Merkmal einer Zufallszahl: Es gibt keine kürzere Form, sie auszudrücken, als durch die Ziffer selbst.[1]

Nicht anders verhält es sich im Alltag. Um ein regelhaftes Ereignis zu erzählen, genügen wenige Worte. Wollen Sie beispielsweise mitteilen, welche Haltestellen Sie auf Ihrer U-Bahn-Fahrt vom Bahnhof Zoologischer Garten zum Alexanderplatz gesehen haben, sagen Sie einfach: «Ich habe die U2 genommen.» Die Namen der Stationen und deren Aussehen kann sich dann jeder Ortskundige zusammenreimen. Interessiert sich Ihr Gesprächspartner hingegen dafür, wer auf dieser Fahrt alles zufällig in Ihren Waggon ein- und ausgestiegen ist, werden Sie ihm eine Liste mit Dutzenden von Personenbeschreibungen zusammenstellen müssen.

Sie mögen einwenden, dass Sie mit einigem Nachdenken vielleicht doch eine Regel finden könnten, um die obigen Lottozahlen kürzer auszudrücken. Tatsächlich lässt sich dies nie sicher ausschließen. Wie der amerikanische Mathematiker Gregory Chaitin gezeigt hat, existiert im Allgemeinen kein Kriterium, um festzustellen, ob es zwischen scheinbar willkürlichen Daten nicht doch einen inneren Zusammenhang gibt. Chaitins Erkenntnis ist alles andere als eine mathematische Spitzfindigkeit: Aus ihr folgt, dass wir nie wissen können, ob eine Verkettung von Ereignissen, sei es eine beliebige Zahlenfolge oder ein beinahe tödlicher Unfall unter einem Kran, wirklich zufällig zustande gekommen ist. Man kann den Zufall nicht beweisen.[2] So gesehen hat immer Recht, wer in einem Ereignis nicht den Zufall am Werk sehen will, sondern nach tieferen Begründungen sucht.

Die magische Zahl Sieben

Unser Gehirn kann von der Jagd nach Erklärungen ohnehin nicht lassen, denn das Gedächtnis ist auf Ordnungen angewiesen. Warum das so ist, können Sie sich leicht am Beispiel des U-Bahn-Fahrplans und der Lottozahlen klar machen. Vielleicht sind Ihnen die Abfahrtszeiten nicht mehr gegenwärtig, doch Sie werden sich schnell daran erinnern, dass es immer um die Minuten zwei und sieben ging. Aber wie lauteten die Gewinnzahlen vom 1. Oktober 2003? Weil wir in ihnen kein System erkennen, ist es fast unmöglich, sie im Gedächtnis zu behalten. Die darin enthaltene Information lässt sich eben nicht auf eine einfache Regel reduzieren. So müssen wir die ganze Folge auswendig lernen. Das kostet Mühe, und die Wahrscheinlichkeit, Fehler zu machen, ist hoch. Darum tun wir uns so schwer mit unübersichtlichen Situationen: Je weniger Bedeutung wir darin erkennen, desto mehr Wachsamkeit und Speicherplatz im Gedächtnis brauchen wir, um sie verarbeiten.

Denn die Aufnahmefähigkeit des Gehirns ist begrenzt. Der Flaschenhals, den alle Informationen passieren müssen, ist unsere Aufmerksamkeit – genauer gesagt das Arbeitsgedächtnis. Dieses System im Gehirn jongliert gewissermaßen mit verschiedenen Sinneseindrücken zugleich und hält diese Informationen für den aktuellen Denkvorgang parat. In den 1950er Jahren zeigte der amerikanische Psychologe George Miller, wie wenig Daten das Arbeitsgedächtnis verarbeiten kann: nämlich sieben +/– zwei voneinander getrennte Informationen.[3] Geht die Vorstellung von der magischen Zahl Sieben, die überall in der Kulturgeschichte von den sieben Wochentagen über die sieben Todsünden bis zu den sieben Weltwundern auftaucht, also auf die Beschränktheit unseres Gehirns zurück?

Millers Experimente zur menschlichen Merkfähigkeit wurden immer wieder auf die Probe gestellt, die Theorien über die Funktion des Gehirns immer weiter verbessert, doch die Ergebnisse des Psychologen hielten stand. Allenfalls ist die Zahl Sieben nicht ganz wörtlich zu nehmen: Neuere Untersuchungen kommen zu dem Schluss, dass die Kapazität des Arbeitsgedächtnisses sogar noch etwas geringer ausfallen könnte. Aber es kommt nicht sehr darauf an, ob das Gehirn mitunter schon mit fünf neuen Informationen ausgelastet sein könnte – entscheidend ist, dass der Flaschenhals in das menschliche Bewusstsein sehr eng ist.[4]

Zufälle, unerwartet und regellos wie sie kommen, sperren sich der Vereinfachung. Deshalb sind sie wie Widerhaken für die Datenverarbeitung im Kopf. Letztlich jedoch ähnelt das Durcheinander des Lebens mehr einer wirren Zahlenfolge als einem Fahrplan. Kein Wunder, dass unser Gehirn seine Schwierigkeiten damit hat.

Regeln gegen die Datenflut

Zu viel und zu komplizierte Wirklichkeit können wir nicht ertragen. Um die Übersicht in einer verwirrenden Welt zu bewahren, versuchen wir deshalb, unsere Beobachtungen in Regeln zu gießen. Merksprüche bringen zufällige Daten in eine eingängige Form («Sieben fünf drei kroch Rom aus dem Ei»); Sprichwörter sollen die Vielfalt menschlichen Verhaltens («Stille Wasser sind tief») und Bauernregeln die Launen des Wetters begreiflicher machen («Im August, beim ersten Regen, pflegt die Hitze sich zu legen»). Selbst im Sinnlosen noch versuchen wir mit meist wenig aussagestarken Weisheiten eine Gesetzmäßigkeit zu erkennen. («Ein Unglück kommt selten allein.»)

Natürlich wissen wir – meistens –, dass die Welt nicht so einfach ist, wie wir sie uns zurechtschustern. Aber wir haben gar keine Alternative, als uns ein grobes Schwarzweißbild unserer Umgebung zu machen. Mehr Realität würde das Aufnahmevermögen des Gehirns übersteigen und wäre oft nicht einmal nützlich.

Wenn ich Ihnen sage, dass ein Mann braune Haare und Augen hat, aus derselben Familie wie ich stammt und zur selben Schule gegangen ist, ebenso wie ich buschige Augenbrauen hat und seine Stimme der meinen ähnelt, mag das einen Haufen Information über diesen Menschen bedeuten, aber nützlicher ist es doch zu erfahren, dass dieser Herr mein Bruder ist. Nicht alle Informationen haben dieselbe Qualität. Mit einer Regel können wir mehr anfangen als mit einem Durcheinander von Daten. Sie beansprucht nämlich nicht nur erheblich weniger Speicherplatz im Gehirn, sondern erlaubt es auch, Voraussagen zu treffen. Wenn Sie wissen, dass ich knapp 1,90 Meter messe, werden Sie vermuten, dass auch mein Bruder kein Zwerg sein dürfte – tatsächlich ist er kaum zwei Fingerbreit kleiner als ich.

Aber eine Regel nützt nur, wenn sie einen Sachverhalt wirklich auf einen einfacheren Nenner bringt. Das leistet sie dann, wenn sie weniger Worte benötigt als die Erzählung der ganzen Geschichte. Andernfalls wird die Sache nicht erhellt, sondern eher vernebelt, und wir fahren besser, wenn wir bei der Begründung «zufällig» bleiben. So hat schon der Philosoph Leibniz argumentiert: «Wenn eine Regel extrem komplex ist, halten wir das, was aus ihr folgt, für regellos.»[5]

Wir können also die Wirkung des Zufalls nur dann ausschließen, wenn sich der Hergang eines Ereignisses durch ein einfaches Muster beschreiben lässt. Sehen wir hingegen den Zufall am Werk, ist das Wechselspiel von Ursache und Wirkung keineswegs aufgehoben – nur vermögen wir die Ursachen des Geschehens nicht vollständig zu erklären.

Forschung am Spieltisch

Bis vor historisch nicht allzu langer Zeit haben sich die Menschen und auch die Wissenschaft mit dieser Erkenntnis zufrieden gegeben. Man fand sich damit ab, dass die meisten Ereignisse eben nicht zu verstehen sind. Selbst eine wissenschaftlich orientierte Kultur wie die Gesellschaft der griechischen Antike nahm an, Ordnung sei nur im ewigen Lauf der Gestirne zu finden. Über die Erde dagegen regierten die Götter, und deren Ratschluss sei unergründlich.

Diese resignierte Einstellung der Menschen zum Zufall begann sich erst vor 500 Jahren zu ändern. In der Renaissance wurde das Glücksspiel salonfähig, und was Mathematiker mit seiner Hilfe über den Zufall herausfanden, gehört bis heute zu den größten Leistungen der modernen Zivilisation.

Denn die Bedeutung ihrer Erkenntnisse geht weit über das Zocken hinaus. Ob Würfeln, Kartenspiel oder Roulette – jedes Glücksspiel ist ein stark vereinfachtes Modell des Lebens. Wie im Alltag bestimmen unkontrollierbare Einflüsse das Geschick: Die Roulettekugel wird durch den Kessel geschleudert, und niemand kann sagen, welche Zahl fallen wird. Allerdings haben Menschen in der realen Welt nahezu unbegrenzt viele Möglichkeiten, Entscheidungen zu treffen; praktisch unendlich viele Lebenswege sind möglich. Beim europäischen Roulette hingegen muss eine der Zahlen zwischen 0 und 36 fallen. Anders als das Leben sind Glücksspiele übersichtlich – und darum perfekt geeignet, das Wirken des Zufalls systematisch zu untersuchen.

So erkannten Pioniere wie der französische Mathematiker Pierre Fermat und der Mailänder Arzt Girolamo Cardano, dass sie sich ins Glücksspiel stürzen mussten, um «das vertraute Gesetz in des Zufalls grausenden Wundern» zu entdecken, wie Schiller es ausgedrückt hat. Vor allem dem Universalwissenschaftler Cardano dürfte das nicht schwer gefallen sein. «Ich habe nicht wenig Trost im unentwegten Würfelspielen gefunden», bekannte er und warnte vor Zeitgenossen, «die Karten mit Seife einschmieren, damit sie leicht gleiten und die eine mit der anderen mitrutscht».[6] Fermats Kollege Blaise Pascal, der sich nach einem mondänen Pariser Leben ins Kloster zurückgezogen hatte, soll in seiner Zelle sogar mit einem Vorläufer des Roulettes experimentiert haben.

Um dem Zufall auf die Spur zu kommen, fand Cardano ein genial einfaches Verfahren – zählen. Nehmen wir das primitivste Glücksspiel überhaupt: eine geworfene Münze. Wie das Geldstück in der Luft rotiert, lässt sich kaum vorhersagen. Und da wir diese Bewegung nicht kennen, können wir auch nicht wissen, ob am Ende «Wappen» oder «Zahl» fallen wird. Darum hat jeder einzelne Münzwurf ein zufälliges Ergebnis. Und doch ist die Annahme sicher vernünftig, dass alle Würfe ähnlich verlaufen. Die Münze bleibe ja immer dieselbe, argumentierte Cardano. Wäre es darum nicht klug, immer wieder zu werfen und zu sehen, wie häufig jede Seite oben liegt? So entdeckte der manische Spieler Cardano das Gesetz der Wahrscheinlichkeit: Wenn es zwei gleichermaßen wahrscheinliche Möglichkeiten gibt, sorgt der Zufall dafür, dass die eine auf Dauer ungefähr so häufig wie die andere eintritt – «falls es ein ehrlicher Wurf ist», wie Cardano nie hinzuzufügen vergaß.[7] Für «Wappen» wie für «Zahl» stehen die Chancen 50 zu 50. Die Wahrscheinlichkeit für jede der beiden Möglichkeiten beträgt also ½.

Muss demgemäß nach einer Folge von dreimal «Wappen» ein paar Mal «Zahl» kommen, damit die Bilanz wieder ausgeglichen ist? Das ist ein weit verbreitetes Missverständnis. Wenn dem so wäre, könnten wir ja das Ergebnis des vierten Wurfs vorhersagen – und damit den Zufall austricksen. Um einem solchen Irrtum aufzusitzen, war Cardano jedoch ein viel zu erfahrener Spieler: Aus gutem Grund sprach er von «ungefähr» und «auf Dauer».

Was dies genau zu bedeuten hat, erklärte gut 170 Jahre nach Cardano der Basler Mathematiker Jakob Bernoulli: Wahrscheinlichkeiten erlauben keine Prognose über einzelne Ereignisse. Sie geben nur einen Anhaltspunkt dafür, wie die Resultate bei sehr vielen Wiederholungen ausfallen. Wenn also eine Münze hundertmal in die Luft geworfen wurde und 54-mal auf die Zahl, 46-mal auf das Wappen gefallen ist, dann können Sie daraus nicht schließen, wie das 101. Experiment ausgehen wird. Wohl aber können Sie annehmen, dass sich nach den nächsten hundert Würfen ein ähnliches Verhältnis von «Zahl» zu «Wappen» einstellen wird. Und je mehr Würfe in Ihre Statistik eingehen, desto weniger fällt die Differenz der Ergebnisse ins Gewicht. Das hat Bernoulli bewiesen. Nach 1000 Würfen werden Sie also vielleicht bei 511 zu 489 liegen – auf das geringe Übergewicht von 11-mal «Zahl» kommt es bei so vielen Würfen nun wirklich nicht an.

Mit dem Wirken des Zufalls verhält es sich ein wenig so, als würden Sie aus Steinen einen Hügel aufschütten. Schichten Sie nur wenige Brocken auf, werden Sie kaum eine regelmäßige Form erreichen. Tragen Sie dagegen viele Steine zusammen, verunstalten zwar noch immer viele Zacken und Klüfte die Oberfläche Ihres Hügels.

Doch wenn Sie das Gebilde nun aus der Ferne bewundern, erkennen Sie die Unebenheiten nicht mehr: Sie sehen einen wohlgeformten Kegel. Genauso verschmelzen viele einzelne Zufälle beim Blick aus der Distanz – also beim Betrachten sehr vieler gleichartiger Ereignisse – zu einem ebenmäßigen Ganzen.

Das Gesetz der großen Zahl

Je öfter Sie etwas versuchen, desto mehr Treffer werden Sie landen. Diese Einsicht Bernoullis mag banal klingen, doch bei Ereignissen, die naturgemäß selten auftreten, hat sie erstaunliche Konsequenzen, die uns oft nicht einleuchten wollen.

Vergleichsweise wenig wundert uns, dass fast jede Woche ein Lottogewinner eine Millionensumme nach Hause trägt und mehrmals im Jahr besonders glückliche sogar den Jackpot knacken. Dabei ist die Chance, 6-mal die Richtigen aus 49 Kästchen anzukreuzen und auch noch die korrekte Superzahl zu haben, gerade 1 zu 140 Millionen – 14-mal geringer, als im Lauf seines Lebens vom Blitz erschlagen zu werden. Dass es dennoch jedes Jahr ein paar Dutzend Lottomillionäre, aber kaum Blitztote gibt, liegt allein daran, dass es unterschiedlich viele Menschen auf den Versuch ankommen lassen. Bei Gewitter traut sich kaum jemand ins freie Gelände, während Millionen Menschen Woche für Woche ihre Lottoscheine abgeben. Zwar beträgt die Wahrscheinlichkeit, dass *gerade Sie* oder ich den Jackpot knacken, nur besagte 1 zu 140 Millionen. Doch da wöchentlich 18 Millionen Scheine bei der Lotterie eingehen, im Jahr also fast eine Milliarde Scheine, sind 1 Milliarde : 140 Millionen = 7,1 Hauptgewinne zu erwarten. Dass also *irgendjemand* reich werden muss, ist so gut wie sicher. Im Jahr 2003 machte die Lotterie «6 aus 49» denn auch 72 Menschen zu Millionären.

Schon eher bemerkenswert finden wir zweiköpfige Kälber. Wo eine solche Missgeburt im Stall steht, vermuten wir sogleich schädliche Umwelteinflüsse als Erklärung. Nehmen wir an, dass durchschnittlich jedes zehnmillionste Rind zufällig mit zwei Köpfen auf die Welt kommt. Folglich wird kein Bauer damit rechnen, einem solchen Monster auf seinem Hof zu begegnen. Doch allein in Deutschland werden jährlich mehr als vier Millionen Kälber geboren, in allen Ländern der Europäischen Union zusammen dürften es weit mehr als zehn Millionen sein. Wenn die Wahrscheinlichkeit für die Geburt eines zweiköpfigen Kalbes eins zu zehn Millionen beträgt, dann ist also in der EU in jedem Jahr mindestens ein zweiköpfiges Kalb zu erwarten (10 Millionen Geburten mal 1 : 10 Millionen Wahrscheinlichkeit = 1).[8] Ein Bauer sollte also nicht darauf wetten, dass nächstes Jahr in seinem Beritt ein zweiköpfiges Kalb zur Welt kommt, der Landwirtschaftskommissar der Europäischen Union hingegen sehr wohl.

Dieselbe Gesetzmäßigkeit erklärt das frohe Wiedersehen von Vater und Sohn Bagshaw. Zwar ist die Wahrscheinlichkeit verschwindend gering, unter allen Menschen auf der Welt zufällig auf einen bestimmten zu treffen, mit dessen Leben es sonst keine Berührungspunkte gibt – etwa seinen verlorenen Sohn. Betrachtet man aber eine hinreichend große Zahl Menschen, summieren sich die Chancen, dass irgendeinem von ihnen ein solch glückliches Ereignis widerfährt. Bei der enormen Menge von sechs Milliarden Menschen auf der Welt ist es so gut wie sicher, dass ständig solche Ereignisse geschehen.[9] Am 9. August 2001 haben eben Colin und Barry Bagshaw das große Los gezogen.

Ins Tragische gewendet gilt Gleiches für die Opfer des 11. September. An diesem Unglückstag hielten sich etwa 40 000 Menschen in den Türmen des World Trade Center auf. Die Wahrscheinlichkeit, dass kein einziger von ihnen in der Unglücksmaschine nach Santo Domingo sitzen sollte, die einige Wochen später über dem New Yorker Stadtteil Queens abstürzte, ging gegen null. Statistisch betrachtet war es also alles andere als ein Mysterium, dass einige Menschen, die den Einsturz der Twin Towers knapp überlebt hatten, in diesem Jet saßen – wie in allen anderen Flugzeugen auch, die in jenen Tagen in New York abhoben. Nur konnte niemand im Voraus wissen, welche der Überlebenden das Unheil schließlich doch noch einholen würde.

Dennoch schockiert uns eine solche Verkettung tragischer Umstände. Unheimlicher allerdings müssten wir es finden, wenn derartige Merkwürdigkeiten überhaupt nicht auftreten würden. Denn genau das wäre, wie wir gerade sahen, äußerst unwahrscheinlich – und damit Anlass zu zweifeln, ob alles mit rechten Dingen zugeht. «Der erstaunlichste Zufall von allen bestünde in der völligen Abwesenheit aller Zufälle», schreibt der amerikanische Mathematiker John Allen Paulos. Oder wie es Charlie Chan, der Held einer Hollywood-Krimireihe aus den 1930er und 1940er Jahren, auszudrücken pflegte: «Sonderbare Ereignisse gestatten es sich nun einmal einzutreten.» Nichts anderes verlangt das von Jakob Bernoulli entdeckte Gesetz der großen Zahl.

Die Regeln des Zufalls bestimmen also, dass unglaubliche Begebenheiten manchen Menschen zustoßen. Sie sagen aber nichts darüber aus, wem dies passiert. Diese Feinheit übersehen wir leicht. Wenn – zufällig – wir selbst die Betroffenen sind, meinen wir ein schicksalhaftes Zeichen erkannt zu haben und erschauern: Warum gerade ich? Barry Bagshaw und sein wieder gefundener Sohn würden sich kaum mit der Begründung zufrieden geben, dass allein das Gesetz der großen Zahl an ihnen seine Wirkung gezeigt habe. Doch mit Wahrscheinlichkeiten endet die Erforschung des Zufalls auch nicht – sie waren gerade einmal ihr Auftakt.

KAPITEL 3 KOSMISCHES CASINO
Wie der Zufall in die Welt kommt

Mitunter lässt sich der Zufall überlisten. Doyne Farmer versuchte es mit einem Computer im Schuh und hatte Erfolg. So trat er an, die Spielbanken von Las Vegas zu sprengen; er und eine verschworene Gruppe von Freunden waren die einzigen Menschen, die jemals auf Dauer mehr Geld vom Roulettetisch nach Hause trugen, als sie verloren.

Farmer war kein professioneller Zocker, sondern Kosmologe. An der Universität der kalifornischen Küstenstadt Santa Cruz erforschte er die Entstehung von Galaxien, ansonsten vertrieb er sich seine Zeit mit Motorradfahren, seiner Bluesharfe und unzähligen Joints. Das war 1975, zur Spätzeit der Hippie-Bewegung. Als ihm die Einstein'schen Gleichungen und Schwarzen Löcher langweilig wurden, begann er, Motorräder nach Mexiko zu schmuggeln.

Ein Freund weckte sein Interesse am Pokerspiel und führte ihn in den Casinos von Las Vegas ein; Farmer sah seine Chance. «Geld ist Freiheit», lautete sein Credo. Natürlich wusste er, dass alle bekannten Systeme für das Roulettespiel nur die Bank reich machten. Entweder empfehlen diese, nach jedem Verlust den Einsatz so stark zu erhöhen, bis irgendwann ein Gewinn alle Einbußen ausgleicht – leider geht der Spieler vorher fast immer pleite. Oder die Systemspieler hoffen, aus früheren Ergebnissen auf die Zukunft schließen zu können. Das schlägt noch öfter fehl, denn wie jede einzelne Runde ausgeht, wird vom Zufall bestimmt – und der orientiert sich nun einmal nicht am vorherigen Geschehen: «Neues Spiel, neues Glück.»

Aber wie entsteht eigentlich der Zufall? Beim Roulette offensichtlich durch den Lauf von Kugel und Rad. Diese und nicht die Zahlen der Vergangenheit müsste man beobachten, überlegte Farmer. Wer aus der Bahn der Kugel berechnen könnte, wohin die Reise geht, bräuchte nur rechtzeitig vor dem «rien ne va plus» auf diese Zahl zu setzen. Womöglich lag Fortunas Geheimnis in dem, was Farmer gelernt hatte: Physik.

Mit einem Tonband in der Plastiktüte brach er ins Spielcasino auf. Immer wenn die Kugel einen festen Punkt auf dem Kessel passierte, klopfte er auf das Mikrophon. Dann verglich er die Geräusche auf dem Band mit den notierten Ergebnissen: Wirklich, es gab ein Muster. Farmer kündigte den Job an der Uni, investierte 2000 Dollar und kaufte ein Roulette. Nach kurzer Zeit war sein Haus in ein Physiklabor verwandelt und von Freunden bewohnt, die er mit der Begeisterung für sein Projekt angesteckt hatte. Die «Projektoren», wie sie sich stolz nannten, vertieften sich in Bewegungsgleichungen, die Luftreibung von Roulettekugeln, die Programmierung von Mikroprozessoren. Bald, so hofften sie, würden die Tage der Freiheit anbrechen, Dollars aus Las Vegas über die Kommune regnen, und jeder bekäme seinen Arbeitseinsatz überreich ausgezahlt.

Nach dem Einwurf rotiert eine Roulettekugel völlig regelmäßig am oberen Rand des Rades. Doch weil der Luftwiderstand sie bremst, sinkt die Bahn der Kugel immer tiefer in den Kessel; der Croupier verkündet sein «Nichts geht mehr». Erst jetzt kommt der Zufall ins Spiel: Die Kugel trifft auf eine der Rauten im Kessel, prallt ab, springt ein paar Mal hin und her, um beim amerikanischen Roulette schließlich in eines der 38 Nummernfächer zu fallen.[1]

Aber auch das tut sie nicht regellos. Den Schlüssel zu seinem Erfolg hatte Farmer schnell entdeckt: Wer abschätzen kann, gegen welche Raute die Kugel zuerst schlägt, kann ziemlich zuverlässig sagen, in welche Zahlenfächer sie *nicht* fallen wird. Weil sich aber die Kugel bis zu diesem Zeitpunkt gleichmäßig bewegt, lässt sich der erste Aufprall leicht berechnen, wenn man die Geschwindigkeit der Kugel gestoppt hat und den Luftwiderstand kennt. Um die entsprechenden Zahlenfächer auf dem Rad zu finden, muss man dann nur noch dessen Drehgeschwindigkeit berücksichtigen. Nach einer Zeit der Laborversuche konnte Farmer den Weg der Kugel ziemlich sicher voraussagen – so, wie ein Fußballprofi aus der Flugbahn des Balls schließen kann, wo ein Flankenschuss eintreffen wird.

Doch ein Casino ist kein Labor. Ein Besuch dort wäre schnell beendet, würde ein Spieler mit Messgeräten und Computern anrücken, um den Lauf der Kugel zu berechnen. So schneiderten sich die Projektoren Kleider, in denen die Elektronik bei Männern unter der Hüfte, bei Frauen an den Brüsten verschwand. Dann wurden Füße trainiert und Körper verkabelt, denn die Computer waren mit einer Tastatur an den Zehen zu bedienen. Eine Spielbank zu sprengen ist Teamarbeit, darum standen die Rechner aller Projektoren in einem Casino über versteckte Antennen im Funkverkehr und gaben ihre Vorhersagen durch schwache Elektroschocks über Hautkontakte bekannt. Als ein defekter Computer einer Projektorin die Brust versengte, verkleinerte Farmer die Geräte noch weiter und baute sie in Schuhsohlen ein. In der Anfangszeit der Mikrocomputer war das eine enorme technische Leistung.

Zu Neujahr des Jahres 1978 nahm das Team sein System in Las Vegas in Betrieb. Nach ein paar Probeläufen und vielen Besuchen auf der Toilette, um die widerspenstige Technik zu bändigen, begannen sich vor Farmer die Chips aufzutürmen. Dass er immer wieder vom Tisch aufsprang wie von einer Wespe gestochen, weil die Elektronik ihm einen Streich spielte, machte den Croupier zwar misstrauisch, doch die Erklärung, nach einer Mexikoreise plagten ihn entsetzliche Durchfälle, wirkte besänftigend. Nach gut vier Stunden musste Farmer seinen Coup beenden: Die Computer, vom Schweiß der Aufregung durchfeuchtet, hatten aufgegeben.

In den folgenden Jahren gewannen die Projektoren Tausende Dollar. Durchschnittlich bekamen sie für jeden Dollar, den sie einsetzten, pro Spielrunde 1,40 Dollar ausgezahlt. Ihr Vorteil gegenüber der Bank war also gewaltig – im Schnitt hat ein Spieler beim amerikanischen Roulette nach einer Runde von einem Dollar nur noch 95 Cent übrig.[2]

Reich wurde Farmers Team trotzdem nicht. Denn die Technik,

ständig kaputt, verschlang Unsummen. So löste sich der Freundeskreis auf – die Projektoren mussten sich wieder Arbeit suchen, statt dank phantastischer Gewinne in der erträumten Freiheit zu leben. Doch die Leistung von Farmer und seinen Freunden bleibt unbestritten: Nicht nur hatten sie das bis heute einzige brauchbare System erfunden, den Zufall beim Roulette zu überlisten, sondern sie waren zugleich ungewollt Pioniere der Chaosforschung geworden, von der später in diesem Kapitel die Rede sein soll.

Als das Unternehmen bekannt wurde, warfen die Casinos sofort alle Spieler hinaus, die im letzten Moment vor der Absage setzten – darauf beruhten schließlich die Erfolge der Projektoren. Überdies erließ der Staat Nevada ein Gesetz, das den Einsatz von Computern im Casino verbot.[3]

Farmer betreibt seine Methoden heute in größerem Stil. Er hat seiner Hippie-Vergangenheit Lebewohl gesagt, ist zum Professor avanciert und hat in der Goldgräberstadt Santa Fe ein Unternehmen namens «The Prediction Company» gegründet (Die Vorhersagegesellschaft). Die Firma mit 150 Angestellten sucht mit Millionen von Dollars einer Schweizer Großbank an der Börse ihr Glück. Wie seine vom Computer gesteuerten Spekulationen funktionieren und welche Gewinne sie abwerfen, darüber schweigt Farmer sich aus. Doch den Vertrag hätten die Schweizer schon zweimal verlängert.[4]

Die Welt als Uhrwerk

Warum konnten die Projektoren mit ihrer Technik Gewinne einheimsen, aber kein Vermögen machen? Und wie weit lässt sich der Zufall jenseits der künstlichen Welt des Casinos im Alltag beherrschen?

Farmers Erfolge waren der Triumph einer Physik, mit der vor gut dreihundert Jahren eine neue Epoche der menschlichen Erkenntnis begann. Angeblich als ihm in seinem Garten in Cambridge ein Apfel auf den Kopf fiel, hatte sich der Bauernsohn Isaac Newton gefragt, ob im Himmel und auf der Erde nicht dieselben Naturgesetze gelten könnten: Dann wären es die gleichen Kräfte, die den Lauf der Gestirne und den Fall eines Apfels bestimmen – natürlich auch das Rotieren einer Kugel am Spieltisch. Und die Mechanik aller Dinge des Alltags ließe sich mit derselben Präzision vorhersagen – und wäre so wenig zufällig wie Aufgang und Untergang von Sonne und Mond.

Wie im Himmel, so auch auf Erden – das war für die Naturforschung im Jahr 1666 ein unerhörter Gedanke. Damals hingen die Gelehrten, und erst recht die Laien, der Auffassung des Aristoteles an. Der große griechische Philosoph und seine Anhänger hatten zwar zugegeben, dass der ewige Lauf der Gestirne vorhersehbar und sogar berechenbar sei, doch auf der Erde galten ihrer Meinung nach ganz andere Gesetze. Hier seien äußere Kräfte nicht von Belang; worauf es vielmehr ankomme, sei ein Drang, der allen Dingen innewohne. Ein Apfel fällt nach dieser Weltsicht nicht deswegen auf die Erde, weil er von der Schwerkraft angezogen wird, sondern weil er im Herbst auf den Erdboden gehört. Ist von Fallobst die Rede, mögen wir über solche Ideen lächeln; aber in vielen anderen Fragen des Alltags denkt mancher heute noch ähnlich. Wenn wir fest davon überzeugt sind, dass nach einer Folge von dreimal Rot beim Roulette nun endlich Schwarz kommen *müsse* – zeigt sich in einer solchen Erwartung nicht ein tief sitzender und unausgesprochener Glaube daran, die Dinge würden schon von selbst für ihre Ordnung sorgen?

In Newtons Welt gab es für solche Vorstellungen keinen Platz. Unzählige Versuche haben seine Gesetze der Bewegung bestätigt, die ihn zum Vater der modernen Physik machten: Danach können nur Kräfte den Lauf der Welt ändern. Äpfel fallen vom Baum und abgeschossene Kanonenkugeln auf Städte, weil die Erdanziehung wirkt; Raketen nehmen, vom Feuerstrahl getrieben, Geschwindigkeit auf. Wo aber keine Kraft ausgeübt wird, ändert sich nichts, denn Massen sind träge.

Newtons Welt ist ein Uhrwerk. In ihr existieren kein Zufall und erst recht kein unergründliches Schicksal. Gleichungen regeln die Bewegung aller Körper. Wer den heutigen Stand der Dinge und sämtliche Kräfte kennt, kann die ganze Zukunft vorhersagen – sei es der Lauf einer Roulettekugel oder der Monduntergang am 26. Oktober des Jahres 3004.

Welch ein Umsturz diese Ideen bedeuteten, war schon Newtons Zeitgenossen und Schülern bewusst. Der französische Mathematiker Joseph-Louis Lagrange etwa nannte die damals neue Physik die größte aller Ausgeburten des menschlichen Geistes; auch die Öffentlichkeit nahm mit Begeisterung die Kunde auf, dass die Welt logisch sei. In Frankreich hatte Voltaire mit einem populären Buch über Newton als Wissenschaftsautor Erfolg, in Italien fand ein Werk mit dem Titel «Newtonismus für die Dame» reißenden Absatz, und englische Kinder wurden mit einem Buch «Newtons System der Welt, angepasst an die Fähigkeiten junger Gentlemen und Ladies» beschenkt.

Der Optimismus, dass nun nicht nur die Gesetze der Physik, sondern auch des Lebens erkannt seien, hatte kaum Grenzen. Mehr noch, Newtons Lehre nährte die Hoffnung, dass Zufälle und Überraschungen auch im gesellschaftlichen Miteinander bald der Vergangenheit angehören könnten. Bücher über Newton'sche Umgangsformen und über Staatsführung gemäß Newton erschienen.[5] Der schottische Philosoph David Hume übertrug schon 1748 den Newton'schen Determinismus auf das menschliche Verhalten; andere Philosophen versuchten, allgemein gültige Regeln eines Zusammenlebens zu finden, in dem es so aufgeräumt wie in Newtons Mechanik zugehen sollte – eine soziale Physik. Und als der Kaiser Napoleon sich wunderte, warum in dem vielbändigen Werk des Astronomen Pierre-Simon Laplace über die Newton'sche Himmelsmechanik mit keinem Wort der Urheber des Universums, Gott, genannt wurde, soll der Wissenschaftler den berühmten Satz erwidert haben: «Sire, diese Hypothese brauche ich nicht.»

Wissen ist Ohnmacht

Laplace, der Napoleon für kurze Zeit als Innenminister diente, hat so deutlich wie kein anderer erkannt, dass in einer Newton'schen Welt alles vorherbestimmt ist. Wer die Zukunft voraussagen will, müsse nur sämtliche Zeichen der Gegenwart richtig erkennen. Dies könne eine perfekte Intelligenz leisten, die «breit genug wäre, alle Daten einer Analyse zu unterziehen. (...) Für sie wäre nichts ungewiss, und die Zukunft ebenso wie die Vergangenheit wäre in ihren Augen gegenwärtig. Der menschliche Verstand (...) stellt ein schwaches Abbild dieser Intelligenz dar.»[6] Dieses gedachte Überwesen wurde bald als der Laplace'sche «Dämon» bekannt.

Zufälle gibt es Laplace zufolge nicht wirklich, weil jede Dynamik einfachen Gesetzen gehorche. Darum könne der Dämon, wie es der Evolutionstheoretiker Karl Sigmund ausgedrückt hat, «aus einem einzigen Standfoto den gesamten Ablauf der Geschichte des Universums herleiten».[7]

Nach dieser Auffassung erleben wir Überraschungen nur, weil unsere Intelligenz eben nicht «breit» genug ist, um den Plan der Welt in all seinen Einzelheiten zu verstehen. Laplace hat sich diese Analyse übrigens für sein eigenes Leben mehr zu Herzen genommen, als es seiner politischen Karriere bekam. Napoleon bemängelte an seinem Innenminister eine schwer erträgliche Pedanterie und entließ ihn nach sechs Wochen: «Er suchte überall Spitzfindigkeiten (...) und trug den Geist des unendlich Kleinen bis in die Verwaltung hinein.»[8]

Dabei hatte der Astronom selbst erkannt, vor welcher Schwierigkeit die von ihm erträumte Intelligenz des allwissenden Dämons stehen würde: «Alle Daten einer Analyse zu unterziehen» ist selbst für ein Superhirn nicht so einfach. Daran scheiterten letztlich auch Doyne Farmer und seine Freunde, denen der Computer im Schuh nie zu einem Vermögen verhalf. Zwar rollen und springen die Kugeln in Las Vegas streng nach Newtons Gesetzen, sodass sich ihre Bahn im Prinzip beliebig präzise vorausberechnen lässt. Doch um sicher vorauszusagen, in welchem Nummernfach die Kugel landen wird, hätten die Projektoren mit geradezu überirdischer Genauigkeit herausfinden müssen, wo und wie schnell die Kugel anfangs im Kessel rotiert. Denn die kleinste Ungenauigkeit vergrößert sich beim Aufprall auf die erste Raute und erst recht, wenn die Kugel danach im Kessel umhergeschleudert wird und gegen weitere Rauten schlägt – ungefähr so, wie beim Spiel «Stille Post» jedes kleine Missverständnis nach einer Weile zu einer ganz anderen Botschaft führt. Trifft die Kugel nämlich nur um einen zehntel Millimeter versetzt auf die Raute, wird sie in einem anderen Winkel zurückgeworfen, und diese Abweichung vervielfacht sich noch, wenn die Kugel auf ihrem Weg zur nächsten Raute die gekrümmte Achse im Inneren des Kessels hochläuft.

Wie aber die Kugel vor dem ersten Aufprall (oder gar die Hand des Croupiers beim Abwurf) so genau verfolgen, wie es für eine exakte Prognose nötig wäre? Weil sie diese Schwierigkeit kannten, haben die Projektoren gar nicht erst versucht, eine einzelne Zahl vorherzusagen – sie gaben sich damit zufrieden, bestimmte Abschnitte der Ziffernscheibe mit einiger Wahrscheinlichkeit ausschließen zu können. Schon das verschaffte ihnen einen gewaltigen Vorteil gegenüber allen anderen Spielern am Tisch, die blindlings auf beliebige Zahlen setzen mussten. Doch selbst diese Prognose war fehlbar. Oft landete die Kugel nicht in dem erwarteten Abschnitt – irgendwelche Ungenauigkeiten hatten sich gegenseitig so sehr aufgeschaukelt, dass alle Rechnungen aus der Schuhsohle Makulatur waren.

Wenn ein System Gesetze befolgt und selbst wenn wir all diese Gesetze genau kennen, heißt das noch lange nicht, dass wir sein Verhalten beliebig genau vorhersagen können. Denn unser Blick ist oft nicht scharf genug und kann es nicht sein. Wissen führt nicht immer zu Erkenntnis: Diese Einsicht bedeutete für die optimistischen Wissenschaftler nach Newton eine Überraschung.

Farmer und seine Freunde mit ihren Schuhcomputern gehörten zu den Ersten, die Versuche über ein Phänomen anstellten, das Jahre später als «deterministisches Chaos» Schlagzeilen machte: Einerseits verhalten sich Dinge von Naturgesetzen vorherbestimmt, also deterministisch. Weil wir dennoch keine brauchbare Voraussage treffen

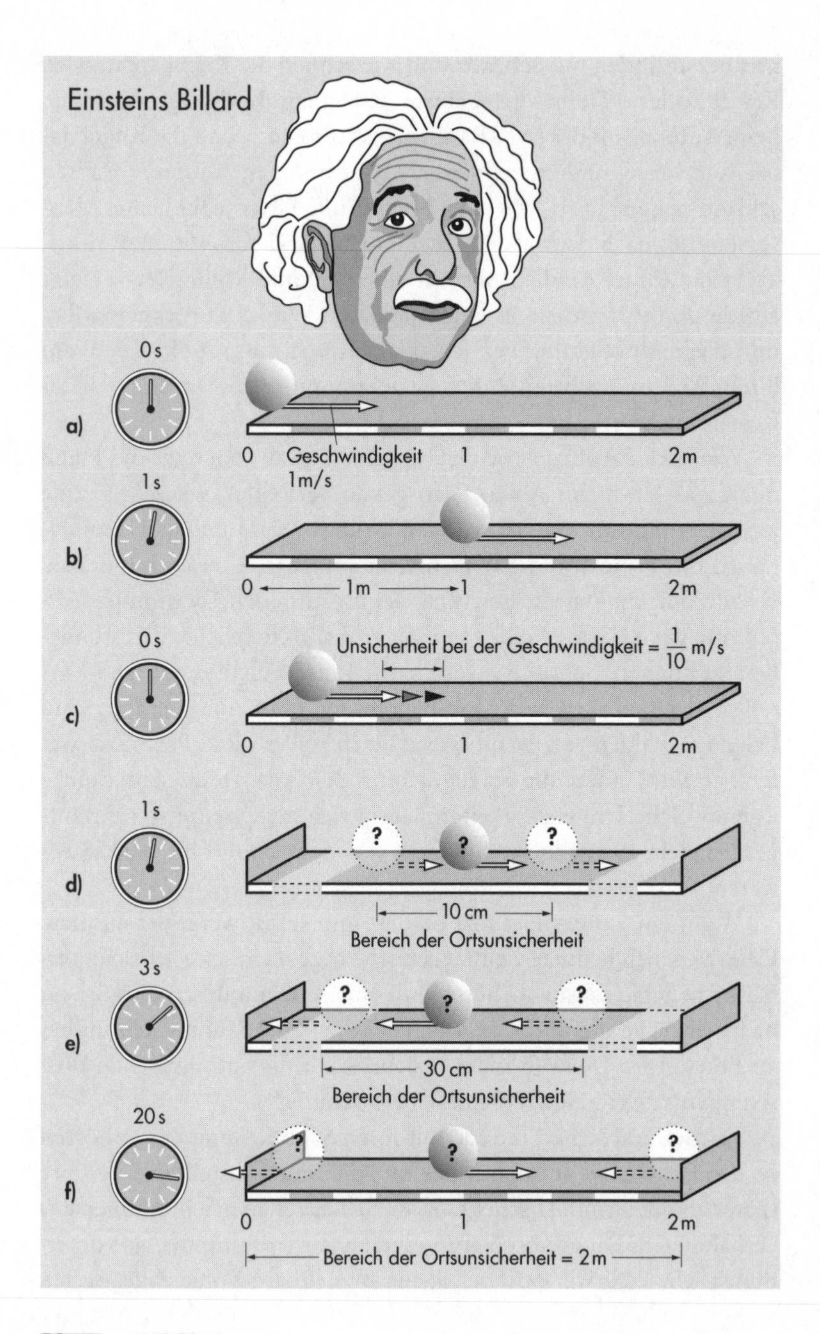
Einsteins Billard
0 s
a)
0
Geschwindigkeit
1 m/s
1
2 m
1 s
b)
0
1 m
1
2 m
0 s
Unsicherheit bei der Geschwindigkeit = 1/10 m/s
c)
0
1
2 m
1 s
d)
?
?
?
10 cm
Bereich der Ortsunsicherheit
3 s
e)
?
?
?
30 cm
Bereich der Ortsunsicherheit
20 s
f)
?
?
?
0
1
2 m
Bereich der Ortsunsicherheit = 2 m

Einsteins Billard: Selbst die einfachsten Systeme in der Physik können praktisch unvorhersagbar sein, wenn man nur eine Weile lang hinsieht.

a) Von Albert Einstein stammt das folgende Beispiel: Stellen Sie sich eine Billardkugel vor, die, einmal angestoßen, zwischen den beiden Banden immer hin und her reflektiert wird.

b) Wenn wir die Geschwindigkeit genau kennen, können wir vorausberechnen, wo sich die Kugel nach einer Weile befindet. Denn der Weg, den die Kugel zurückgelegt hat, ist einfach ihre Geschwindigkeit multipliziert mit der verstrichenen Zeit.[9] Bewegt sich die Kugel also mit einem Meter pro Sekunde, hat sie sich nach einer Sekunde einen Meter fortbewegt.

c) Aber weder gibt es die perfekte Stoppuhr, noch stoppen wir die Zeit ohne Verzögerung, darum sind Fehler beim Messen der Geschwindigkeit unumgänglich.

d) Diese Ungenauigkeiten nehmen mit der Zeit zu. Wenn die gemessene Geschwindigkeit von der wahren nur einen zehntel Meter pro Sekunde abweicht (was für eine Messung mit einer normalen Stoppuhr ziemlich optimistisch ist), beträgt die Ortsunsicherheit nach einer Sekunde schon zehn Zentimeter ($^1/_{10}$ Meter pro Sekunde Geschwindigkeitsfehler mal 1 Sekunde verstrichene Zeit = $^1/_{10}$ Meter). Die Kugel kann sich also irgendwo zwischen den gestrichelt eingezeichneten Positionen befinden.

e) Nach drei Sekunden ist die Unsicherheit schon auf das Dreifache, also auf dreißig Zentimeter angewachsen. Weil die Kugel zwischenzeitlich an der Wand abgeprallt ist, hat sie ihre Bewegungsrichtung verändert.

f) Nach zehn Sekunden erstreckt sich die Unsicherheit über zwei Meter und damit über die ganze Breite des Tisches. Nun hat sich also der anfängliche Messfehler so weit ausgebreitet, dass unsere Rechnung überhaupt nicht mehr angeben kann, wo sich die Kugel befindet. Wer also zwanzig Sekunden lang die Augen schließt und dann wieder auf den Tisch schaut, dem muss die Position der Kugel vollkommen zufällig erscheinen.

können, erfahren wir sie andererseits als chaotisch.[10] Dass Farmers Leute beim Roulette mitunter dennoch richtig lagen und Gewinne einheimsten, hatten sie einzig dem Umstand zu verdanken, dass die Kugel nicht sehr oft, sondern nur ein paar Mal hin und her sprang.

Denn jeder neue Aufprall verwischt die Prognose und vervielfacht die Unsicherheit. Auch wenn niemand an der Gesetzmäßigkeit der Kugelbahn zweifelt, erscheint sie doch wie vom Zufall bestimmt. Was sich dahinter verbirgt, ist unser unvollständiges Wissen.

Der Irrtum des Nostradamus

Kennen Sie die orientalische Geschichte von dem Weisen, der das Schachspiel erfunden hat? Als der König ihm eine Belohnung versprach, wünschte er sich, dass der Herrscher auf das erste Feld eines Schachbretts ein Reiskorn lege. Auf jedem weiteren Feld sollten sich dann die Reiskörner verdoppeln: Das zweite Feld sollte mit zwei Körnern bestückt werden, das dritte Feld mit vier und so weiter. Der König lächelte über die scheinbar bescheidene Bitte – bis er merkte, dass er sie niemals erfüllen könnte. Der Weise hatte sich mehr Reis versprechen lassen, als es auf der ganzen Welt gibt: Wie Sie leicht mit Ihrem Taschenrechner nachrechnen können, wachsen Zahlen sehr schnell an, wenn man sie wiederholt verdoppelt. Schon für das 32. Feld – die Hälfte des Schachbretts – hätte der König mehr als vier Milliarden Körner zahlen müssen. Auf dem 64. und letzten Feld wäre die ungeheure Zahl von 10^{19} Körnern erreicht – das sind zehn Milliarden Milliarden. Vermutlich transportierte man Waren im Reich des morgenländischen Königs mit Kamelkarawanen, doch selbst in Güterwaggons gepackt, hätte der Reis einen Zug gefüllt, der von der Erde bis zur Sonne reicht.

Ein so schnelles Anwachsen, bei dem sich eine Größe wieder und wieder verdoppelt, nennt man in der Mathematik exponentiell. Hier wirkt der Schneeballeffekt: Ein losgetretener Brocken bringt zwei andere in Fahrt, bald rast eine Lawine ins Tal. Exponentielles Wachstum gibt es sehr häufig: Nach diesem Gesetz vermehrt sich Geld auf einem verzinsten Konto (leider selten so schnell wie die Masse einer Lawine); Seuchen, die nicht eingedämmt werden, infizieren mit der Zeit exponentiell immer mehr Menschen.

Mit solchen Erscheinungen hat man es sehr häufig in chaotischen Systemen zu tun. Bei dem Herumspringen einer Roulettekugel oder der Stoßwirkung beim Billard vergrößert sich eine anfängliche Unsicherheit nicht gleichmäßig mit der Zeit, sondern explodiert geradezu nach dem exponentiellen Prinzip. So, wie sich auf dem Brett des weisen Mannes die Reiskörner immer schneller vermehren sollten, so vervielfacht sich die Wirkung einer zufälligen Ungenauigkeit in jeder Sekunde.[11]

Dies führt dazu, dass es auch mit den besten Computern und Messgeräten praktisch unmöglich ist, die Dynamik der Einzelteile eines Systems über mehr als nur eine sehr kurze Zeit vorherzusagen. Denn mit jeder Sekunde, um die man den Prognosezeitraum ausdehnen will, steigt die nötige Mess- und Rechengenauigkeit exponentiell an.

Wenn sich die Ungenauigkeit in jeder Sekunde auch nur verdoppelt, müssen wir viermal so genau rechnen, wenn wir das Verhalten eines solchen Systems nach zwei Sekunden statt nach einer Sekunde vorhersagen wollen. Für eine Prognose über eine Minute aber wird der Aufwand bereits 10^{18}, also eine Milliarde mal so groß! Schnell sind Verhältnisse erreicht, bei denen geradezu unvorstellbar exakt gemessen und gerechnet werden müsste, um eine einigermaßen verlässliche Aussage treffen zu können.

Für einen Computer bedeutet mehr Präzision mehr Rechenschritte und folglich längere Rechendauer. Für eine Prognose über längere Zeit bei exponentiell anwachsender Ungenauigkeit würden die schnellsten heute verfügbaren Computer ein paar Milliarden Jahre lang arbeiten. Dann aber handelt es sich um keine Vorhersage mehr, denn was wir berechnen wollten, ist längst eingetreten. Viele Systeme sind gewissermaßen ihr eigener schnellster Computer. Wir kennen keinen Weg, sie bei der Berechnung ihrer Bahnen zu überholen und so das Verhalten des Systems vorherzusagen. Und nur, wenn wir das könnten, würden wir den Zufall beherrschen.

Auch von der Entwicklung künftiger Technik ist keine grundsätzliche Verbesserung zu erhoffen, denn der möglichen Geschwindigkeit von Computern sind physikalische Grenzen gesetzt.[12] Der Dämon von Simon Laplace müsste sich schon einer außerordentlich überlegenen Intelligenz erfreuen, um auch nur den Ort von ein paar Billardkugeln nach dem Anstoß berechnen zu können. Der menschliche Verstand, selbst wenn er mit Computern verstärkt wird, ist jedenfalls dazu außerstande.[13]

Dabei haben wir es im Alltag meist mit weit komplizierteren Vorgängen zu tun, bei denen sehr viel mehr Einflüsse eine Rolle spielen als in der Physik. Das heißt aber: Je weiter wir uns von der Gegenwart entfernen, gegen umso mehr Zufälle müssen wir uns wappnen. Ein Blick auf den Himmel mag eine brauchbare Wettervorhersage für die nächsten paar Stunden abgeben, auf die Prophezeiungen des Nostradamus über die Weltgeschichte Jahrhunderte nach seinem Tod wird dagegen kaum einer wetten.

Höhere Pläne

Dass die Dinge nach Gesetzen verlaufen und wir sie dennoch nicht vorhersagen können, ist folglich kein Widerspruch. Steht womöglich die Zukunft in Plänen geschrieben, die wir nur nicht lesen können? Dann würde unser Leben einem den Menschen unbegreiflichen Schicksal folgen. Nur ein Überwesen mit den Fähigkeiten des Laplace'schen Dämons wäre imstande, den Lauf der Welt bis in alle Zukunft zu berechnen.

Wer dieser Ansicht ist, vertritt die Position des metaphysischen Determinismus. Im streng philosophischen Sinne gibt es danach keinen Zufall, sondern nur Zwangsläufigkeit, weil Gesetze den Lauf der Welt unwandelbar festlegen. Vorbestimmt (determiniert) wären Veränderungen in der belebten und unbelebten Natur ebenso wie die Entscheidungen der Menschen. So stünde heute schon und seit aller Ewigkeit fest, auf welche Zahl die Roulettekugel am hintersten Tisch des Casinos von Baden-Baden beim ersten Spiel des Jahres 2012 fallen wird; auch wie und mit wem Sie den Weihnachtsabend jenes Jahres verbringen. Freiheit wäre dann eine Illusion. Doch diese Pläne sind weder unserer Erfahrung noch unserem Denken zugänglich, darum metaphysisch.

Logisch ist eine solche Vorstellung einwandfrei. Sie ist weder richtig noch falsch, sondern unüberprüfbar. Ob eine Theorie zutrifft oder nicht, können wir nur herausfinden, indem wir von ihr ausgehend Voraussagen treffen und testen, ob diese der Wirklichkeit standhalten. Tun sie es nicht, verwerfen wir die Theorie, andernfalls akzeptieren wir sie oder überlegen uns einen neuen, besseren Test. Doch genau eine solche Prüfung können wir beim metaphysischen Determinismus nicht anstellen, weil er uns Menschen mit beschränktem Verstand ja grundsätzlich keine Voraussagen erlaubt. So bleibt es dem Geschmack jedes Einzelnen überlassen, ob er an ein alles bestimmendes, aber uneinsehbares Schicksal glaubt oder die Wirkung seines unvermeidlichen Unwissens Zufall nennt. «Der eine isst gern Wurst, der andere grüne Seife», bemerkt Erich Kästner in «Pünktchen und Anton» zu der Frage, ob das Dienstmädchen, die dicke Berta, einen Einbrecher zufällig zur Strecke gebracht hat oder weil es ihr so vorherbestimmt war.

Albert Einstein gehörte zu denen, die den Zufall als letztgültiges Prinzip in der Natur ablehnten. Der wohl größte Physiker des 20. Jahrhunderts war Determinist. «Gott würfelt nicht», war sein berühmtes Credo, mit dem er sich in Gegensatz zu den führenden Kollegen seiner Epoche setzte. Doch gerade das Denken Einsteins zeigt, in welche logischen Schwierigkeiten sich begibt, wer an eine allumfassende Vorbestimmung glaubt: Wer den Zufall für ein Trugbild hält, hervorgerufen durch menschliche Unwissenheit, muss über die Zeit und ihre Wirkung ebenso denken. Denn falls der Zufall nicht real ist, entwickeln sich alle Dinge zumindest für eine höhere Intelligenz vorhersehbar. Darum könnte sich ein solcher Verstand heute schon in den Besitz allen Wissens bringen, das er überhaupt je gewinnen kann; in diesem Sinn ist alle Zukunft restlos in der Vergangenheit enthalten.

Einstein, welcher der Zeit den hohen Rang einer vierten Dimension des Raumes einräumte, scheint tatsächlich dieser Meinung gewesen zu sein. «Die Scheidung zwischen Vergangenheit, Gegenwart und Zukunft hat (...) nur die Bedeutung einer wenngleich hartnäckigen Illusion», äußerte er im März 1955, einen Monat vor seinem eigenen Tod, in einem Beileidsschreiben an die Familie eines verstorbenen Freundes.[14] Solches Denken ist in sich schlüssig, doch dem Sprachgebrauch und Empfinden des Alltags entgegengesetzt. Es ist schlicht lebensfern, nicht an den Zufall, sondern an ein Schicksal zu glauben.

Der unaufhaltsame Vormarsch der Unordnung

Wie sich die Zukunft von der Gegenwart unterscheidet, zeigt ein einziger Blick auf meinen, vielleicht auch Ihren Schreibtisch. Auch wenn ich alle Unterlagen gerade penibel in Ordnung gebracht habe, lässt sich jede Wette gewinnen, dass in ein paar Tagen wieder das gewohnte Durcheinander herrschen wird. Was steht hinter diesem anscheinend unaufhaltsamen Vormarsch des Chaos? Ist es ein Naturgesetz, oder äußert sich darin das menschliche Unwissen über die Zukunft?

Ordnung und Unordnung lassen sich nur aus der übergeordneten Perspektive eines Beobachters erkennen. Für jedes einzelne Manuskriptblatt auf dem Tisch sind diese Begriffe sinnlos. Dem Papier ist es egal, ob es allein oder zwischen zwei leeren Teetassen herumliegt oder sich zufällig in den Stapel mit der unerledigten Steuererklärung verzogen hat – mir allerdings nicht. Erst wenn jemand Beziehungen zwischen den Objekten auf seinem Schreibtisch herstellen kann (oder es in all dem Chaos vergeblich versucht), lässt sich von Ordnung und Unordnung sprechen.

Leider gibt es immer viel mehr Möglichkeiten, ein Durcheinander herzustellen als Ordnung. Hier kommt der Zufall ins Spiel. Wenn Sie zehn Briefe von verschiedenen Absendern haben, existiert ein einziger Weg, sie nach dem Namen des Schreibers von Alexandra bis Zacharias alphabetisch abzulegen – vorausgesetzt natürlich, es hat jeder nur einmal geschrieben. Geht es dagegen nur darum, die Briefe irgendwie zu stapeln, gibt es viel mehr Varianten: Zehn Briefe können in genau 3 628 800 unterschiedlichen Reihenfolgen aufeinander liegen. (Wir bringen einen Brief nach dem anderen an seinen Platz. Dann gibt es für den ersten Brief 10 mögliche Orte, für den zweiten 9, für den dritten 8 und so weiter. Insgesamt sind es also $10 \times 9 \times 8 \times 7 \times 6 \times 5 \times 4 \times 3 \times 2 \times 1$ Varianten; wenn Sie das mit Ihrem Taschenrechner multiplizieren, erhalten Sie die obige Zahl, die man übrigens auch als 10 Fakultät oder 10! bezeichnet.)

Unordnung entsteht, indem im Laufe der Zeit jemand mal den einen, mal den anderen Brief aus dem alphabetischen Stapel herauszieht und ihn nach der Lektüre achtlos so wieder hineinsteckt, dass er an irgendeinem Platz landet. Auf diese Weise geht unser Wissen über die Reihenfolge der Briefe verloren. Wie wahrscheinlich ist es, dass sich die anfängliche Ordnung von selbst wieder einstellt? Nicht sehr. Nur eine einzige unter all den 3 628 800 Reihenfolgen im Stapel befolgt die alphabetische Ordnung; die Wahrscheinlichkeit, sie herzustellen, beträgt also 1 zu 3 628 800 und damit fast null. Fast ohne unser Zutun, nur durch Unachtsamkeit, hat sich unter den ursprünglich aufgeräumten Briefen Unordnung breit gemacht.

Wenn wir nun das unterste Schreiben aus dem Stapel herausziehen, wird uns vermutlich nicht mehr Zacharias' Brief, sondern irgendeiner in die Hände fallen: Wir müssen annehmen, dass die Reihenfolge jetzt völlig zufällig ist. Aber darin äußert sich einzig die Beschränktheit unseres Wissens. Eine höhere Intelligenz hätte natürlich genau Buch geführt über die Veränderungen im Stapel; bei nur zehn Briefen wäre das sogar einem menschlichen Hirn zuzumuten gewesen. Weil wir uns diese Kenntnis aber nicht verschafft haben, sehen wir den Zufall am Werk.

Ein Maß für das Unwissen

Menschliche Ignoranz lässt sich sogar messen. Im Fall des Durcheinanders unter den Briefen ist unser Unwissen genau um das 3 628 800fache angewachsen: Anfangs wussten wir, dass der Papierstapel in einem einzigen Zustand sein musste, nämlich in dem alphabetisch geordneten; hinterher kann der Stapel in irgendeinem der mehr als drei Millionen Zustände sein, und wir wissen nicht, in welchem. Die Unordnung hat zugenommen, und unser Unwissen mit ihr.

Solche Vorgänge gibt es überall. Wenn Sie etwas Milch in Ihren Kaffee gießen, ballen sich die Eiweißmoleküle der Milch anfangs in einem Tropfen zusammen. In diesem Zustand ist Ihr Wissen über das Geschehen in der Tasse noch ziemlich groß: Sie sehen, wo sich einerseits der schwarze Kaffee und andererseits die Schlieren der Milch befinden. Sehr bald aber ist der Kaffee hellbraun, die Milch hat sich in alle Richtungen verteilt. Der Versuch, jetzt noch den Ort der Milchmoleküle auszumachen oder sie gar vom Kaffee wieder zu trennen, wäre so sinnlos wie die Hoffnung, sich auf Anhieb den richtigen Brief aus einem Durcheinander von Papieren zu greifen: Sie haben das Wissen über das System verloren.

Selbst wenn Sie mit einem wundersamen Mikroskop den Weg jedes einzelnen Moleküls verfolgen könnten, ginge es Ihnen so wie einem Physiker, der den Lauf einer Roulettekugel vorhersagen will: Nach kurzer Zeit wirken sich leicht unterschiedliche Anfangsbedingungen so stark aus, dass Ihre Prognose hinfällig wird – obwohl jedes einzelne Molekül wie die Roulettekugel Newtons Gleichungen befolgt, sich also streng deterministisch verhält.

Wenn Sie wollen, können Sie mit Ihrem Mikroskop nun die Zahl der Zustände bestimmen, die das System einnehmen kann. Wenn Milch und Kaffee säuberlich voneinander getrennt sind, gibt es davon recht wenige, denn jedes Molekül muss sich in Nachbarschaft von Artgenossen befinden – so, wie in einem alphabetisch geordneten Stapel ein Brief von Petra nur zwischen denen von Paul und Pia liegen kann. Wenn dagegen Unordnung herrscht, Milch und Kaffee also durcheinander wirbeln, sind sehr viele Zustände möglich, wie wir gesehen haben. Physiker nennen die Zahl dieser Zustände die Ignoranz oder auch Entropie. Sie ist umso größer, je weniger uns über ein System bekannt ist – und je zufälliger uns deswegen die Vorgänge darin erscheinen. Darum ist diese Größe in der Technik von enormer Bedeutung: Jeder Ingenieur kämpft gegen die Entropie.

Sie allerdings wollen es vermutlich gar nicht so genau wissen. Darum verzichten Sie freiwillig auf das Mikroskop und begnügen sich mit dem groben Bild: Was Sie interessiert, ist, dass sich die Farbe in der Tasse von Schwarz zu Hellbraun verändert, Milch und Kaffee gründlich durchmischt sind und nach Milchkaffee schmecken. Unordnung, also der Zustand vollständiger Durchmischung, ist mitunter durchaus erwünscht. Aber können Sie sich darauf verlassen, dass sich dieser Zustand einstellt?

Was der zweite Hauptsatz wirklich sagt

Die Antwort hat Ludwig Boltzmann gegeben. Im Alter von nur 28 Jahren räumte der österreichische Physiker endgültig mit der Vorstellung auf, dass sich alle Vorgänge in der Natur restlos vorhersagen ließen. In einer Veröffentlichung mit dem wenig informativen Titel «Weitere Untersuchungen über das thermische Gleichgewicht von Gasmolekülen», die er 1872 der kaiserlichen Akademie der Wissenschaften in Wien vorlegte, stellte er seine Theorie dar, wonach Unkenntnis und Unordnung auf allen Ebenen der Physik wie auch des menschlichen Daseins zu berücksichtigen seien – angefangen bei den Atomen, deren Existenz damals noch gar nicht gesichert war, bis hin zum Leben in einer Gesellschaft.[15]

Boltzmann wurde für seine unorthodoxen Behauptungen heftig angegriffen und bezahlte in gewissem Sinne teuer dafür. Die Querelen mit den Kollegen verstärkten die Selbstzweifel dieses brillanten, aber zu Manie und Depressionen neigenden Wissenschaftlers, dessen Leben ohnehin von Chaos gezeichnet war.[16] Mehrmals für den

Nobelpreis vorgeschlagen, jedoch nie ausgezeichnet, wechselte er in seinen letzten beiden Lebensjahrzehnten fortwährend und in immer kürzeren Abständen Wohnort und Universität. Im Jahr 1906 erhängte er sich in Schloss Duino bei Triest.

Boltzmann hatte begriffen, dass die Gesetze des Zufalls, die bei einem Glücksspiel wie Roulette damals allen Fachleuten einleuchteten, überall gelten – in einer Kaffeetasse zum Beispiel. Beim Roulette wissen wir nicht, bei welchen Würfen genau die Kugel auf Rot oder auf Schwarz fallen wird, sehr wohl aber, dass sich nach sehr vielen Runden eine ziemlich ausgeglichene Bilanz einstellen wird. Wir können also allgemeine Aussagen über das Spiel treffen – etwa, dass es nicht völlig ausgeschlossen, aber doch extrem unwahrscheinlich ist, während eines ganzen Abends im Casino nur rote Zahlen zu verbuchen.

In der Kaffeetasse (oder im Briefstapel) verhält es sich genauso: Wir können praktisch nicht berechnen, wie sich die einzelnen Moleküle von Milch und Kaffee bewegen. Doch auf einer übergeordneten Ebene wissen wir sehr gut, was geschieht – der Kaffee wird gleichmäßig hellbraun. Beim Roulette allerdings müssen wir sehr oft nacheinander spielen, um die Gesetze der Wahrscheinlichkeit zu erkennen. Die Durchmischung der Ergebnisse stellt sich erst im Lauf der Zeit ein. Die Farbe in der Tasse hingegen wird durch das Verhalten sehr vieler Moleküle gleichzeitig bestimmt – als ginge eine riesige Zahl Glücksspiele auf einen Schlag vonstatten.

Und wie nach einem Abend am Roulettetisch die Differenz zwischen roten und schwarzen Ergebnissen nicht mehr ins Gewicht fällt, so verschwinden auch in der Kaffeetasse alsbald die kleinen Muster, die Schlieren. Ihr Getränk ist nun vollkommen durchmischt, das heißt: In der Tasse herrscht größtmögliche Unordnung.

Ebendas besagt der berühmte zweite Hauptsatz der Thermodynamik in der von Boltzmann entdeckten Lesart: Die Unordnung alias Entropie strebt danach, so groß zu werden wie irgend möglich. Daran liegt es, dass sich ein Tropfen Milch im Kaffee verteilt.

Oder dass sich auf einem Schreibtisch wie von Geisterhand ein maximales Durcheinander einstellt. Der Zufall schafft sich seine eigenen Gesetze.

Warum der Zufall immer gewinnt

Wir sind von erstaunlich wenig Chaos umgeben: Unsere Körper fallen nicht auseinander, sondern halten unter Einsatz von Abermilliarden Molekülen ein höchst delikates Gleichgewicht von Lebensvorgängen aufrecht; in unseren Städten wohnen Tausende von Menschen mehr oder minder geordnet zusammen.

Dabei hat die Natur laut Boltzmann den Drang, Verhältnisse herzustellen, die uns unordentlich erscheinen – wie das Durcheinander von Milch und Kaffee in der Tasse. Wie ist es da zu erklären, dass die Welt in den vier Milliarden Jahren, seit denen sie existiert, nicht längst im Chaos versunken ist? Die Antwort ist, dass wir fortwährend Energie einsetzen, um den unwahrscheinlichen Zustand der Ordnung aufrechtzuerhalten: Menschen räumen ihre Schreibtische auf (was sie Arbeit, also Energie kostet); Autos bringt man in die Werkstatt, wo ein Mechaniker für teures Geld der Tendenz zum Verfall entgegenwirkt. In unserem Körper werden diese Ordnungskräfte von der ständigen Selbsterneuerung aller Zellen und vom Aufräumdienst des Immunsystems aufgebracht; um sie in Gang zu halten, müssen wir mit der Nahrung Energie zuführen. Auf der Erde schließlich dauert das Leben seit zwei Milliarden Jahren an, weil die Sonne ständig Energie einstrahlt. Nur dank ihrer können sich die Organismen fortwährend regenerieren.

Sisyphos muss in der Unterwelt der griechischen Sage immer wieder einen Felsen den Berg hinaufwälzen; wenn er oben angekommen ist, rollt der Brocken zurück, und die Mühe beginnt von neuem. So ähnlich ist es mit dem Kampf von Natur und Mensch gegen die Unordnung. Sobald der Energieeinsatz nachlässt, bricht das Chaos sich Bahn. Es gibt keinen stabilen Zustand der Ordnung. Weil keine Energie unendlich ist, kann die Ordnung nicht ewig währen. Autos gehen zu Schrott, Menschen sterben, Sonnen verlöschen. So triumphal der Sieg des Lebens über die Unordnung auch sein mag – er ist nur vorübergehend. Am Ende gewinnt immer der Zufall.

Der Unterschied zwischen gestern und morgen

Und doch gibt es keinen Grund, den Zufall dafür zu hassen, dass er dem Durcheinander den Weg bereitet. Schließlich ist er es, der die Geschichte vorantreibt. Einzig die Unvorhersehbarkeit unterscheidet Zukunft von Vergangenheit. Nur am Wirken des Zufalls erleben wir den Fluss der Zeit.

Das können Sie sich verdeutlichen, wenn Sie im Videorecorder einen Film zurückspulen. Menschen, die rückwärts gehen, Autos, die rückwärts durch die Straßen jagen, Fäuste, die sich von ihrem Opfer wegbewegen anstatt zu ihm hin, sind höchst lächerlich – aber nicht unmöglich. Unglaublich wird es erst dann, wenn ein Flüchtender sich im Rückwärtslauf einer zersprungenen Glasscheibe nähert, ebenfalls rückwärts einen Satz durch das zerbrochene Fenster tut, die Scherben vom Boden abheben, in das Fenster zurückfliegen und sich dort zu einer intakten Scheibe zusammensetzen. Hier kann etwas nicht stimmen.

Aber warum können wir den Flug der Fäuste im Rückwärtsgang hinnehmen, den der Scherben dagegen nicht? Beides steht im Einklang mit den gewohnten Gesetzen der Bewegung. Die Newton'schen Formeln verbieten es nicht, die Zeit und alle Bewegungen umzukehren; ein Tennisball, der von links nach rechts über das Netz geflogen ist, kann auf dem umgekehrten Weg zurückkommen.

Auch die Glasscherben verhalten sich entsprechend dieser Gesetze. Die Dynamik jedes einzelnen Bruchstücks einer zersprungenen Scheibe ist dieselbe wie die eines Tennisballs. Für die einzelnen Atome, aus denen beide zusammengesetzt sind, gilt das erst recht. Hier können wir Zukunft und Vergangenheit vertauschen, es ändert sich nichts. In dieser Welt des Allerkleinsten gibt es nur ein Hinundherschwingen zwischen verschiedenen Zuständen, bei denen es sinnlos ist, von früher oder später zu sprechen.

Wenn wir die Welt mit einer Lupe betrachten, etwa jede Scherbe einzeln ansehen, scheint es also seltsamerweise eine bestimmte Richtung der Zeit gar nicht zu geben. Erst wenn wir den Blick auf das große Ganze richten, erkennen wir, dass es keineswegs einerlei ist, ob der Film vorwärts oder zurück läuft.

Der Unterschied zwischen Fäusten und Tennisball einerseits und zersprungener Scheibe andererseits ist, dass im ersten Fall die Ordnung der Teilchen, die sich bewegen, bestehen bleibt, während sie bei der zerspringenden Scheibe zerstört wird: Wissen über die Ordnung im Glas geht verloren, wenn es zerspringt. Denn wie man einen Stapel Briefe nur auf eine Weise alphabetisch ordnen, aber auf viele Arten über den Schreibtisch ausbreiten kann, können auch die Scherben einer Glasscheibe höchst unterschiedlich auf dem Boden verstreut liegen, aber nur auf eine einzige Art zusammengesetzt wieder eine Scheibe ergeben.

So bewegt sich die Natur vom Unwahrscheinlichen zum Wahrscheinlichen; von der Ordnung zur Unordnung. Darum wird ein zersprungenes Fenster von selbst kaum je wieder heil. Von der Physik völlig ausgeschlossen ist das freilich nicht. Die Gesetze der Mechanik verbieten es keineswegs, dass die auf dem Boden liegenden Scherben Wärme aus der Umgebung aufnehmen, diese in Bewegungsenergie verwandeln und genauso zurückfliegen, dass am Ende wieder eine Scheibe herauskommt. Nur ist dies noch unwahrscheinlicher, als dass eine ganze Nacht lang in der Spielbank die roten Zahlen gewinnen.

Die Begriffe Ordnung und Unordnung lassen sich erst dann anwenden, wenn wir Systeme aus sehr vielen Teilchen betrachten. Ein Paar Socken kann nicht unordentlich sein, eine Schublade voll Socken dagegen sehr wohl. Und erst mit dem Übergang von Ordnung zu Unordnung kommen auch Vergangenheit und Zukunft ins Spiel. Deshalb ist letztlich der Zufall verantwortlich dafür, dass wir den Fluss der Zeit nur vorwärts und nicht auch rückwärts erleben.

Schon deswegen verdanken wir ihm unser Dasein. Welchen Wert

hätte das Leben, wenn wir alles im Voraus wissen könnten? Einen Film, von dem wir jede Szene schon kennen, muss man sich nicht ansehen. Das Leben wäre entsetzlich langweilig ohne den Zufall.

Exkurs: Der Kult um das Chaos

Kann das Flattern eines Falters auf Hawaii ein Unwetter in den Alpen auslösen? Diese unerhörte Frage stellte die Chaosforschung, die in den 1980er Jahren in Mode geriet. Die ganze Aufregung hatte gut zwanzig Jahre zuvor begonnen, als der amerikanische Meteorologe Edward Lorenz ein stark vereinfachtes mathematisches Modell für die Luftströmungen in der Atmosphäre erfand.[17] Es bestand aus nur drei Variablen und drei Gleichungen. Damit war es auf Lorenz' Computer, einem «Royal McBee», der gerade 17 Operationen pro Sekunde schaffte, berechenbar. Lorenz entdeckte, dass sich ganz andere Lösungen ergaben, wenn er ein wenig mit den Anfangsbedingungen seiner Gleichungen spielte – und zog daraus einen kühnen Schluss: So, wie eine geringe Verschiebung der Billardkugeln beim Anstoß ein ganz anderes Muster hervorrufen könne, so würde eine kleine Störung in der Erdatmosphäre deren Dynamik völlig verändern. Auf einer Konferenz fragte ein Teilnehmer, ob nicht der Flügelschlag einer Möwe genüge, das Wetter zu verändern, wenn die Atmosphäre so instabil sei, wie Lorenz behaupte. Aus der Möwe machte Lorenz bei späteren Vorträgen einen effektvolleren Schmetterling; von da an spukte der Schmetterlingseffekt in den Köpfen herum.

«Kleine Ursache, große Wirkung.» Mit dieser Volksweisheit lässt sich nicht nur die Kernidee der Chaostheorie zusammenfassen, sondern auch ihre Geschichte. Der Glaube verbreitete sich, dass nicht nur in der Meteorologie, sondern in allen Lebensbereichen Winzigkeiten lawinenartig zu enormen Ereignissen anwachsen könnten. Keine scheinbar noch so unbedeutende Handlung sei folgenlos, wurde erklärt – freilich könnten wir im Allgemeinen nicht angeben, worin die Folgen bestehen.

Um die Chaostheorie entspann sich in den frühen 1990er Jahren ein regelrechter Kult. Chaoserklärungen mussten herhalten für die Entstehung von Staus auf der Autobahn (lawinenartiges Anwachsen von kleinen Unregelmäßigkeiten der Fahrzeugdichte) bis zum Aufkeimen hysterischer Angst und Euphorie an der Börse (anfangs unschuldige Emotionen, die sich im Verlauf des Handels schockwellenartig fortpflanzen und dabei immer weiter verstärken). Mediziner und Physiker wollten aus dem unregelmäßigen Herzflimmern eines Babys den plötzlichen Kindstod vorhersagen. Unternehmensberater boten teure Seminare an, in denen sie lehrten, wie sich die Organisation in Unternehmen verbessern ließe – durch «Management by Chaos». Und auf den Bühnen, in Opern und in Romanen zelebrierte man die Unvorhersagbarkeit. Chaos wurde nicht als *eine*, sondern als *die* neue Welterklärung gehandelt.

Mittlerweile ist es stiller geworden um das Chaos. Denn es hat sich herausgestellt, dass die Chaosphysik als Denkmodell interessant, doch in der Realität wenig erheblich ist. Wenn nämlich eine anfängliche Ungenauigkeit im Lauf der Zeit exponentiell anwachsen kann, sind die Folgen keineswegs immer so unvermeidlich, wie die Chaostheoretiker glaubten. Es zeigte sich, dass die Gleichungen der Chaosphysik nur ziemlich exotische Systeme aus wenigen Komponenten zutreffend beschreiben – zum Beispiel ein Doppelpendel aus zwei mit Schnüren verbundenen Kugeln. Hier kann man tatsächlich Effekte wie das unregelmäßige Wiederkehren bestimmter Bewegungsmuster beobachten, wie die Chaosphysik sie vorhersagte.

Doch in der Realität bestehen Systeme zumeist aus sehr vielen Komponenten, die zusammenwirken oder zumindest in irgendeiner Verbindung zueinander stehen. Und dann versagen die Gleichungen der Chaosphysik. Denn gerade der Hang zur Unordnung, der den meisten Systemen innewohnt, macht die Wirkung einer einzelnen Anfangsstörung schnell zunichte. Die Turbulenzen, die der Flügelschlag eines einzelnen Schmetterlings auslöst, verwischen sich schnell, so wie sich die Milch im Kaffee verteilt. Damit werden sie unerheblich. Sie gehen im allgemeinen Durcheinander einfach unter.

Das Prinzip «kleine Ursache, große Wirkung» gibt es. Ein zersprungener Radreifen kann einen ganzen Hochgeschwindigkeitszug aus dem Gleis werfen, wie es im Fall der Katastrophe von Eschede geschehen ist. Doch solche Instabilitäten treten paradoxerweise gerade dort auf, wo der Zufall eine untergeordnete Rolle spielt – entweder, weil das System sehr einfach ist (wie das Doppelpendel) oder weil Ingenieure versucht haben, alle Unregelmäßigkeiten auszuschalten (wie beim ICE). Was sich dagegen schon im Normalbetrieb ungeordnet verhält, lässt sich durch ein unvorhergesehenes Ereignis kaum verändern. Denn sehr viele zufällige Bewegungen zusammengenommen wirken wie ein Puffer, der jede einzelne Störung dämpft. In der Stille eines Konzertsaals mag ein Hüsteln irritieren, im Hexenkessel eines Fußballstadions fällt es nicht auf.

Wie sollte sich das Flattern eines einzigen Insekts auch durchsetzen gegen Abermilliarden andere Einflüsse, die ebenfalls in der Atmosphäre wirken? Lorenz' Gleichungen waren eben etwas zu einfach: Die von ihm gewählten drei Variablen reichen nicht aus, um die Dynamik der Lufthülle eines ganzen Planeten zu beschreiben. Neue, ausgefeiltere Rechnungen zeigen denn auch, dass das Wetter zwar keineswegs über lange Zeiten hinweg vorhersehbar ist. Aber selbst alle Schmetterlinge der Welt wären zu schwach, um die Luftmassen der Atmosphäre ernsthaft durcheinander zu bringen. Heute wissen wir, dass die von Fachleuten so genannte «nichtlineare Dynamik» in der Praxis nur in seltenen Fällen eine Rolle spielt: wenn ein System auf der Kippe zwischen zwei Zuständen steht – im Wettergeschehen etwa vor einem Gewitter.[18]

Die Chaosforschung war eine anregende Bereicherung der mathematischen Physik. Manche der dabei entwickelten Rechenverfahren haben in andere Gebiete Eingang gefunden und liefern heute paradoxerweise zum Beispiel treffendere Wettervorhersagen – allen Unkenrufen vom verhängnisvollen Schmetterlingseffekt zum Trotz.[19] Doch keines ihrer großen Versprechen konnten die Fans der Chaosforschung halten. Weder gelang es, den plötzlichen Kindstod zu besiegen, noch durch die Anwendung von Chaosgleichungen an der Börse Millionen zu gewinnen, obwohl man Millionen in entsprechende Versuche investierte. Auch zu Staus auf der Autobahn soll es immer noch kommen. Anders als es uns die Chaostheorie weismachen wollte, gibt es eben doch Ereignisse, die folgenlos bleiben.

KAPITEL 4 JENSEITS DER GRENZEN DES WISSENS
Wie Rückwirkung Zufälle erzeugt

Drei Worte genügen, um jeden lästigen Frager zum Schweigen zu bringen: «Ich lüge immer.» Denn was soll man von den Erzählungen eines Menschen halten, der dies erklärt? Ihm Vertrauen schenken – unmöglich. Aber wie kann jemand ein notorischer Schwindler sein, der sich selbst als Lügner bezeichnet? Wäre er ein solcher, hätte er mit seinem Bekenntnis ja die Wahrheit gesagt. Andererseits: Sollte dieser Zeitgenosse grundehrlich sein, hätte er sich ebenfalls widersprochen. Weder seine Worte noch deren Gegenteil kann man also glauben. Wie auch immer man es dreht und wendet – mit den Antworten eines bekennenden Lügners ist nichts anzufangen.

Erfunden hat dieses Vexierspiel der Philosoph Epimenides, der im sechsten Jahrhundert vor Christus in einer Höhle auf Kreta lebte und von seinen Zeitgenossen fast wie ein Gott verehrt wurde. Schließlich soll er dreihundert Jahre alt geworden sein und Frieden zwischen Athen und seiner Heimatinsel gestiftet haben. Seither beschäftigt das Lügnerparadoxon die Philosophen. Philites von Kos ist angeblich sogar daran gestorben, dass er beim nächtlichen Grübeln den Widerspruch nicht lösen konnte. Gewundert hat sich auch der Apostel Paulus. «Einer von ihnen (den Kretern), ihr eigener Prophet, hat gesagt: Die Kreter sind immer Lügner, böse Tiere und faule Bäuche», schrieb er in einem Brief an seinen Gehilfen Titus, hielt sich mit der Wahrheitsfindung aber nicht lange auf: «Um der Sache willen strafe sie scharf!»[1]

Die Schwierigkeit besteht offenbar darin, dass Epimenides über seine eigene Glaubwürdigkeit spricht. Das führt ebenso wenig zum Ziel, wie der Freiherr von Münchhausen sich am eigenen Schopf aus dem Sumpf ziehen konnte. Darum irrt Paulus, wenn er über den Spruch des Epimenides urteilt: «Das Zeugnis ist wahr.» Falsch ist es allerdings auch nicht – wer sich selbst als Dauerlügner ausgibt, dessen Sprüche sind logisch unbestimmt. Aus Epimenides' Aussage ergibt sich nicht genug Information, um über seine Aufrichtigkeit zu urteilen.

Unwissen und Zufall sind zwei Seiten derselben Medaille. Oft ist es uns praktisch unmöglich, alles über unsere Umwelt zu erfahren. Immerhin können wir meistens die Grenze unseres Unwissens mit Anstrengung und Geduld noch etwas hinausschieben und dem Zufall Terrain abtrotzen. Mit den verwirrenden Aussagen eines Epimenides verhält sich das anders. Hier gibt es grundsätzlich keine Weise, der Unbestimmtheit abzuhelfen. Denn die Information, die wir brauchten, ist gar nicht vorhanden.

Es war eine der bedeutenden wissenschaftlichen Entdeckungen des vergangenen Jahrhunderts, dass das Lügnerparadoxon viel mehr ist als nur der kuriose Spruch eines Höhlenphilosophen. Dahinter verbirgt sich nämlich ein grundsätzlicher Defekt jeder Logik. Diese Paradoxien aufzulösen, gab ein großer Geist wie Bertrand Russell zu Beginn des 20. Jahrhunderts zehn verzweifelte Jahre seines Lebens hin – bis der österreichische Mathematiker Kurt Gödel die Welt im Jahr 1931 belehrte, dass jeder Versuch in diese Richtung aussichtslos ist.

Logik bedient sich einer besonders strengen Sprache. Sie beruht auf einigen wenigen Aussagen, die ohne Beweis als zutreffend angenommen werden, weil sie einsichtig sind. Ein solches so genanntes Axiom könnte zum Beispiel sein: «Alle Menschen sind sterblich.» Daraus werden die anderen Sätze abgeleitet oder, wie Mathematiker sagen, bewiesen. Ein Beweis für den Satz «Mick Jagger ist sterblich» ginge dann so: «Mick Jagger ist ein Mensch, und für alle Menschen gilt das Axiom. Damit ist der Satz bewiesen.»

Gödels überraschende Einsicht war, dass sich nur in den einfachsten logischen Systemen alle wahren Aussagen beweisen lassen.

Doch diese Systeme sind so schlicht, dass man kaum etwas mit ihnen anfangen kann. Sobald sich jedoch ein System dazu eignet, einigermaßen umfassend die Wirklichkeit zu beschreiben, erzeugt es unweigerlich Verwirrung – Aussagen, die wahr und doch unbeweisbar sind.[2] Der Gödel'sche Satz rüttelte an den Grundfesten der Wissenschaft. Denn er besagt nichts anderes, als dass menschliche Erkenntnis immer lückenhaft bleiben muss.

Eine solcherart unbestimmte Aussage lautet zum Beispiel: «Dieser Satz ist nicht zu beweisen.» Erkennen Sie die Ähnlichkeit zu Epimenides' Problem des freimütigen Lügners? Wie Gödel zeigen konnte, ist dieser Satz tatsächlich nicht zu beweisen. Dass er folglich zutrifft, sehen wir zwar sofort ein – und doch scheitern die Werkzeuge jeder brauchbaren Logik an ihm.

Nicht anders als beim Lügnerparadoxon ist das Problem, dass der Satz eine Aussage über sich selbst macht. Wir haben es also mit einer Rückbezüglichkeit zu tun. Wie wir in diesem Kapitel sehen werden, erzeugen Rückbezüge sehr oft unauflösbare Widersprüche, durch die wir zwangsläufig der Wirkung des Zufalls ausgesetzt sind.

Zufälle erleben wir schließlich dann, wenn wir die Ursachen für ein Ereignis nicht komplett angeben können. Wird jedoch ein Ereignis Teil seiner eigenen Ursachen, sind sie von dem, was wir beobachten, gar nicht zu trennen. In solchen Situationen spricht man von Rückkopplung.[3]

Dieser Effekt begegnet uns überall dort, wo das, was wir erklären wollen, nicht von den Mitteln zu trennen ist, die der Nachforschung dienen – zum Beispiel in der Atomphysik. Doch Rückkopplungen treten auch im Alltag ständig auf. Eltern erziehen nicht nur ihre Kinder, sondern werden ihrerseits von ebendiesen Kindern beeinflusst. Und an der Börse machen die Anleger ihre Kaufentscheidung abhängig von ihrer Erwartung, wie sich der Kurs einer Aktie entwickelt. Aber ob der Preis steigt oder fällt, hängt von nichts anderem als den Käufen und Verkäufen der Anleger ab.[4] In den folgenden Kapiteln wird noch mehr von diesen und anderen Zwickmühlen die Rede sein, die unser Leben unvorhersehbar machen.

So sind wir gefangen in einer Zukunft, die wir selbst erzeugen, an der wir durch unsere Entscheidungen mitwirken und über die wir daher nur begrenzte Aussagen treffen können. Je mehr wir von einer Sache betroffen sind, je mehr Einfluss wir auf sie haben, desto geringer ist unser Vermögen, ihren Ausgang vorherzusagen. Es ist ein paradoxer Preis der menschlichen Freiheit, dass wir unser Leben nicht beliebig vorausplanen können. Denn unsere Gehirne sind nicht nur dazu gebaut, Zukunft vorherzusehen, sondern auch dazu, wie es der französische Dichter Paul Valéry ausgedrückt hat, «Zukunft herzustellen».

Geist in der Maschine

Zufälle gibt es selbst in der Mathematik. Dabei gilt die exakteste aller Wissenschaften seit der Antike als Kronzeugin dafür, dass sich der menschliche Geist manchmal über das Lotteriespiel des Lebens erheben kann. Mathematik ist reine Vernunft: Ihr ganzes Gedankengebäude ruht auf wenigen nachvollziehbaren Grundsätzen und ist nach klaren Regeln errichtet. Wenn es irgendwo in der Welt planvoll zugeht, dann hier.

Und doch kann jeder Computerbesitzer die Erfahrung machen, dass es selbst in der Welt der strengen Prozeduren und Formeln Zufälle gibt. Natürlich denkt niemand an den Gödel'schen Satz, wenn auf dem Bildschirm wieder einmal die Sanduhr erscheint und zur Geduld aufruft. Aber das nervenzehrende Warten hängt unmittelbar mit den Grenzen der Logik zusammen. Könnte das Programm, möchte man fragen, denn nicht wenigstens einen Hinweis geben, wie lange es noch zu rechnen gedenkt? Oder gleich signalisieren, dass sich der Rechner wieder einmal aufgehängt hat? Nein, das kann es nicht. Wie schon Pioniere des Computerzeitalters bemerkten, lässt sich im Allgemeinen nicht absehen, ob ein Programm je zu seinem Ende finden wird. Man kann es nur laufen lassen und hoffen, dass es in angemessener Zeit sein Ergebnis liefert. Hat der Benutzer aber Pech, wird er die Antwort nie erfahren: Möglicherweise haben sich irgendwo Schleifen ergeben, in denen der Rechner ewig kreist, oder die Maschine zieht immer neue Daten aus dem Netz, ohne je ein Stoppsignal zu bekommen. Dann bleibt nur noch die Notbremse mit dem Reset-Knopf – der Affengriff.

Einen Computer vorhersagen zu lassen, ob und wann seine Prozeduren ein Ende erreichen, ist logisch unmöglich. Denn damit würde dem Gerät eine Auskunft über sich selbst abverlangt: Genauso wenig werden wir von Epimenides einen Hinweis bekommen, ob er nun lügt oder nicht.

Eine rückbezügliche Aussage könnte der Computer nur machen, wenn er die Rechnung durchführt – dann aber kann man sich die Frage nach der Rechendauer auch sparen. Es führt also nichts daran vorbei, bis zum Stopp des Programms zu warten. Wenn das Ende der Rechnung aber nie erreicht wird, gibt es auch keine Antwort. So argumentierte Alan Turing, der in den 1940er Jahren das Prinzip des Computers erfand.

Schwierigkeiten dieser Art treten auf, sobald man unendlich lange Dateneingaben zulässt – also nicht unbedingt beim Schreiben mit Word, sehr wohl aber in einem Betriebssystem wie Windows oder beim Surfen im Internet. Selbstverständlich sind es schnell und schlampig geschriebene Programme, die den Computer abstürzen lassen, und nicht unbeweisbare Sätze. An der Unvollständigkeit aller Logik allerdings liegt es, dass wir über den inneren Zustand des Computers und seine Arbeitsfortschritte so wenig erfahren.

Herausfinden zu wollen, ob ein Programm mit einem unbekannten Datensatz nach einer bestimmten Zeit zu seinem Ende findet oder nicht, ist vergebens – genauso gut kann man eine Münze werfen. In gewissem Sinn ist der Ausgang des so genannten Halteproblems sogar noch zufälliger als ein Glücksspiel. Beim Münzwurf wissen wir immerhin, wie die Chancen stehen, nämlich 50:50. Dagegen lässt sich noch nicht einmal eine allgemeine Wahrscheinlichkeit dafür angeben, ob sich das Warten auf ein Rechenergebnis lohnt.[5] Diese Größe ist unberechenbar, weil man sich bei ihrer Bestimmung wieder in unauflösbare Rückbezüglichkeiten verstricken würde. Nur eines lässt sich über die Wahrscheinlichkeit sagen: Es muss sich um eine perfekte Zufallszahl handeln, wie der amerikanische Mathematiker Gregory Chaitin bewiesen hat. Ihre Ziffern, die wir nicht kennen, folgen so wahllos aufeinander wie die Gewinnzahlen der wöchentlichen Fernsehlotterie.

So erhalten wir als Antwort auf ein rein logisches Problem eine Zahl scheinbar jenseits aller Logik und Vernunft.[6] Nicht von ungefähr bezeichnete Chaitin die von ihm entdeckte Größe mit Omega – im Christentum Symbol für das Ende dieser Welt. «Es sieht so aus, als ob Gott eine Schwäche für Glücksspiele hat», sagt Chaitin. «Er würfelt sogar in der reinen Mathematik.»[7]

Zufall, Fundament der Natur

«Du glaubst an den würfelnden Gott und ich an die volle Gesetzlichkeit», schrieb Albert Einstein am 4. Dezember 1926 an seinen Freund Max Born. Bis zu seinem Tod wehrte sich der große Physiker gegen die Erkenntnis seiner jüngeren Kollegen, dass dem Zufall im Reich der Atome nicht auszuweichen ist. Allerdings konnte auch Einstein nicht ignorieren, dass die Bewegungen der kleinsten Teilchen ganz anderen physikalischen Gesetzen folgen als denen, die wir im Alltag erleben.

Wenn Sie einen Bleistift zur Hand nehmen, können Sie sich das leicht veranschaulichen. Eine im Alltag unbekannte Eigenschaft von Teilchen ist der Spin, eine Art innerer Drehsinn.[8] Man stellt ihn sich am besten vor, indem man ein Teilchen nicht als Punkt auffasst, sondern als Pfeil: Dessen Spitze kann wie der Bleistift nach oben oder nach unten zeigen, nach links oder nach rechts (siehe Graphik Seite 74). Einem Elektron mit Spin nach oben entspricht also ein Stift, der auf einer Tischplatte steht. Halten wir einen Zollstock senkrecht an den Stift, messen wir, wenig überraschend, dessen volle Länge. Halten wir den Maßstab waagerecht daran, messen wir nichts. Wenn man einmal von dem geringen Durchmesser des Stiftes absieht, ist seine waagerechte Ausdehnung null – der Stift zeigt ja nach oben.

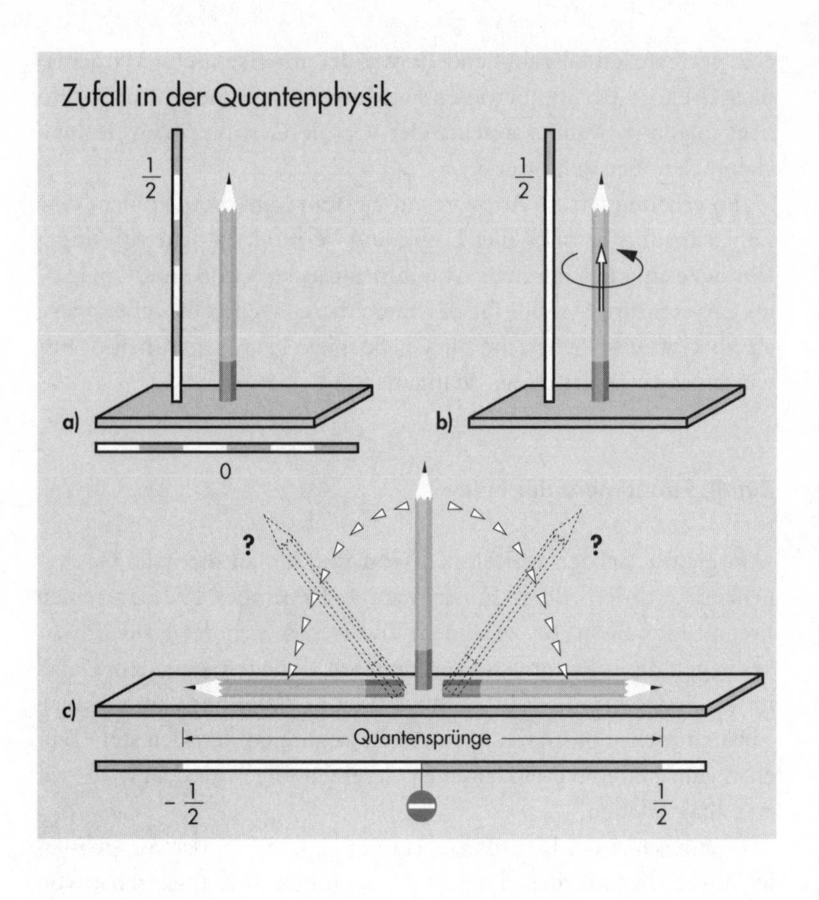
Zufall in der Quantenphysik
1/2
a)
0
1/2
b)
?
?
c)
Quantensprünge
−1/2
1/2

Zufall in der Quantenphysik:

a) Hält man einen Zollstock an einen Bleistift, der senkrecht auf dem Tisch steht, misst man dessen Länge, die wir hier willkürlich mit ½ angenommen haben. In Richtung der Tischplatte hingegen ergibt sich, vom Durchmesser des Stifts einmal abgesehen, die Ausdehnung null.

b) Der Spin eines Elektrons ist eine Art innerer Drehsinn, den es in der Alltagswelt nicht gibt. Seine Achse lässt sich in eine bestimmte Richtung bringen – wie der Bleistift, der auf der Tischplatte steht. Misst man entlang dieser Richtung, so erhält man den Wert des Spins, nämlich ½.

c) Dieser Wert des Spins darf aber in jeder Richtung nur den Wert ½ und Vielfache davon annehmen: Im Allerkleinsten macht die Natur Sprünge. Die erlaubten Werte verhalten sich damit wie die Stufen einer Leiter, der Wert null ist verboten (unten). So wollen es die Gesetze der Quantenmechanik. Darum muss auch eine Messung entlang der Horizontale mindestens den Wert ½ ergeben. Damit dies möglich ist, muss der Spin bei der Messung in die Horizontale kippen – wie ein Bleistift, der auf die Tischplatte fällt (oben). Anders als in unserer Erfahrungswelt verändert eine Messung in der Quantenphysik also das System, das untersucht wird. Ob der Spin dabei nach links kippt oder nach rechts, ist rein zufällig. Denn es gibt keinen Grund, die eine Richtung gegenüber der anderen zu bevorzugen. Darum liefert die Messung wahllos einmal das eine, einmal das andere Ergebnis.

Wäre der Bleistift der nach oben gerichtete Spin eines Elektrons, würden wir in der Vertikale ebenfalls den Gesamtbetrag messen. Bei einer Messung in der Horizontale aber verhielte sich das Elektron anders – wider Erwarten wäre das Ergebnis nicht null. Den Grund dafür hat Albert Einstein erkannt: In der Teilchenphysik sind nicht alle Werte erlaubt. Das hängt damit zusammen, dass Wirkungen nicht beliebig fein unterteilt, sondern nur in kleinen Paketen ausgetauscht werden können, den Quanten. Die Natur macht Sprünge. Diese Schritte sind so klein, dass wir normalerweise nichts davon bemerken; im Reich der Atome und noch kleineren Teilchen aber spielen sie eine Rolle.

Auch der Spin eines Elektrons vermag nur bestimmte Werte anzunehmen.[9] Er kann nur eine halbe Einheit in jede Richtung betragen. Diese Rationen entsprechen genau den kleinsten Wirkungspaketen, den Quanten, von denen wir gerade sprachen. Vor allem kann der Spin niemals «null» sein: Keinen Spin gibt es nicht, ebenso wie eine Weiche immer nur eine Stellung nach links oder nach rechts einnehmen kann. Denn um von ½ auf null zu kommen, müsste das Elektron einen kleineren Schritt machen, als erlaubt ist. Dass der Spin eines Elektrons nur halbzahlige Werte annehmen darf, hängt mit Einsteins Relativitätstheorie zusammen und lässt sich mit einer komplizierten Rechnung beweisen.

Was messen wir also, wenn wir ein nach oben orientiertes Elektron nach seinem Spin in Richtung der Tischkante fragen? Weil «null» verboten ist, kann sich das Elektron nur zwischen den Möglichkeiten «rechts» oder «links» entscheiden – dies entspricht den Werten ½ und –½. Denn der Spin muss, wie gesagt, bei der Messung halbzahlig sein. Dies ist nur möglich, wenn sich der Bleistift auf die Tischplatte legt. Und genau das sehen Physiker, wenn sie das Experiment mit wirklichen Elektronen durchführen: Bei der Messung ändert das Teilchen seinen Zustand.

Darin liegt eine Eigentümlichkeit der Quantenmechanik. Wir sind es gewohnt, dass wir etwas untersuchen können, ohne es dabei zu verändern. Wenn ich meine Kragenweite messe und 42 Zentimeter ablese, hat mein Hals nachher immer noch denselben Umfang.

In der Welt der Quanten ist das anders. Hier greift jede Messung in das System ein. Den Spin eines Elektrons zu bestimmen ähnelt eher dem Handel an der Börse als dem Abnehmen der Kragenweite. Wenn Investoren Aktien kaufen und verkaufen, ändern sie damit deren Preis. Ebenso beeinflussen Physiker das Teilchen, über das sie etwas herausfinden wollen. In beiden Fällen haben wir es also mit einer Rückbezüglichkeit zu tun.

Auf Dauer wird der Spin des Elektrons in etwa so oft nach «rechts» kippen wie nach «links» – wie eine geworfene Münze auf lange Sicht so häufig auf «Kopf» wie auf «Zahl» fällt. In gewissem Sinn heben sich beide Möglichkeiten auf, sodass nach vielen Experimenten im Mittel wieder «null» herauskommt. Aber es ist unmöglich, vorherzusagen, welche Ausrichtung das Elektron bei einem bestimmen Versuch wählen wird – es entscheidet sich zufällig.

Das muss auch so sein. Denn zu jeder Zeit sind beide Möglichkeiten völlig gleichberechtigt. Das Teilchen richtet sich ja nicht deswegen manchmal nach «rechts», manchmal nach «links», weil eine verborgene Kraft daran zerrt, sondern nur, um den verbotenen Zustand «null» zu vermeiden. In dieser Situation kann sich die Natur nur zufällig verhalten. Den Ausgang eines solchen Experiments vorhersagen zu wollen wäre wiederum so absurd, wie von Epimenides, dem bekennenden Lügner, einen Beweis seiner Glaubwürdigkeit zu erwarten.[10] In beiden Fällen würden wir Information benötigen, die gar nicht vorhanden ist. Die Situation ist unbestimmt.

Darin unterscheidet sich der Zufall in der Quantentheorie von jenem im Alltag: Wir sind es gewohnt, dass unsere Unwissenheit dem Zufall zugrunde liegt. Das Problem liegt also normalerweise darin, dass wir nicht beliebig großen Aufwand treiben wollen oder können, um die Wirklichkeit zu erforschen, nicht in der Wirklichkeit selbst. Deswegen können wir alltägliche Zufälle besser beherrschen, indem wir uns mehr Wissen verschaffen – wie es dem Roulettespieler Doyne Farmer mit seinem Computer im Schuh gelang. In der Welt der Atome hingegen muss eine solche Strategie scheitern. Hier liegt der Zufall nicht in unserem Unwissen, sondern in den Naturgesetzen begründet.

Durch Wände gehen

Der Zufall bestimmt die Fundamente der Physik. Darum versagen unsere gewohnten Vorstellungen in der Welt der kleinsten Teilchen. Wenn eine Roulettekugel so klein wie ein Elektron wäre, hätte Farmer zum Beispiel gar nicht erst ihre Bahn ausrechnen können. Denn ein Elektron hat keinen Weg.

Man kann zwar seinen Ort und seine Geschwindigkeit messen, aber die Daten haben keinerlei Vorhersagekraft. Das Teilchen geistert durch den Raum, ist mal hier und mal da – wie das sagenhafte Schiff des Fliegenden Holländers. Tatsächlich lesen sich manche Versuchsberichte aus der Atomphysik so, als würde ein Reeder erklären, über Funk habe man ein Schiff gerade mit zwölf Knoten Fahrt vor Gibraltar geortet, doch im nächsten Moment sei der Frachter im Pazifik oder auch in der Nordsee aufgekreuzt.

Den Weg eines Schiffs zu kennen heißt, dass wir aus seinem Ort, seinem Kurs und seiner Geschwindigkeit problemlos die Position in einer Stunde vorhersagen können; Physiker sprechen anstelle von Geschwindigkeit etwas genauer vom Impuls. Genau eine solche Voraussage ist bei Teilchen unmöglich. Denn mit ihrem Ort und ihrem Impuls verhält es sich wie mit dem Spin alias Bleistift entlang verschiedener Achsen: Sobald wir die eine Größe festgelegt haben, können wir die andere nicht mehr bestimmen. Kennen wir den Ort, bekommen wir für den Impuls ein Zufallsergebnis. Wollen wir hingegen den Impuls wissen, müssen wir das Teilchen in einen Zustand bringen, in dem wir den Ort nicht mehr vorhersagen können.

Messen heißt den Zustand eines Teilchens verändern. Damit geht es dem Physiker wie einem neugierigen Kind, das sich an der Musik aus einem Radio freut und wissen möchte, was da wohl drinnen ist. Doch beides kann es nicht haben: Wenn es die Töne hören will, lernt es das Innenleben nicht kennen. Und wenn es geschickt ist und das Radio zerlegt, hat das Kind zwar einen Haufen Teile vor sich, doch mit dem Musikgenuss ist es vorbei.

Im Alltag lassen sich solche Schwierigkeiten durch weniger krudes Vorgehen meistens lösen, etwa indem man sich einen Plan des

Radios besorgt. In der Quantentheorie aber sind sie unvermeidlich. Ebendas besagt die berühmte Unschärferelation der Quantentheorie, die Werner Heisenberg entdeckte: Messgrößen wie Ort und Impuls, Energie und Zeit hängen voneinander ab. Dasselbe gilt für den Spin entlang verschiedener Achsen. Haben wir die eine Größe bestimmt, ist die andere unbestimmt und nimmt ein zufälliges Ergebnis an. Es ist unmöglich, beide festzulegen, denn damit würden wir mehr Information aus dem System herausquetschen wollen, als es enthält.[11]

Unzählige Versuche haben die Quantentheorie bestätigt. Die Zufälligkeit in der Physik des Kleinsten bestimmt jedoch nicht nur, wie viel wir über Teilchen und Atome herausfinden können, sondern hat weiter reichende und sehr reale Folgen: So ist es grundsätzlich ausgeschlossen, im Voraus zu bestimmen, wann ein radioaktives Teilchen zerfällt. Unmöglich ist es auch, ein Teilchen einzusperren. Weil etwa der Ort eines Elektrons mit bestimmtem Impuls grundsätzlich nicht genau festgelegt werden kann, treffen wir es mitunter sogar dort an, wo eine Begrenzung ihm den Aufenthalt eigentlich unmöglich machen sollte. Je dünner die Barriere ist, desto größer wird die Wahrscheinlichkeit, dass das Teilchen auf die andere Seite entwischt. Elektronen und sogar ganze Atome können durch Wände gehen.

Spuk in der Teilchenwelt

Um die Quantenmechanik mit ihren merkwürdigen Folgen unglaubhaft zu machen, erfand Albert Einstein ein Experiment, in dem Spuk scheinbar Wirklichkeit wird. Zwei Teilchen nehmen darin so aufeinander Einfluss, als wirke zwischen ihnen Telepathie.

Dies war Einsteins Gedankengang: Wenn Atomkerne zerfallen, senden sie Paare von Lichtteilchen (Photonen) aus. Man stelle sich nun zwei imaginäre Versuchspersonen vor, von Quantenphysikern gern Alice und Bob genannt, die diese Signale empfangen. Alice und Bob fangen also jeweils ein Photon jedes Paars auf und messen dessen

Spin. Weist ein Teilchen einen Spin nach oben auf, so wird eine Messung entlang der waagerechten Achse ein Zufallsergebnis liefern – so wie bei dem Elektron alias Bleistift in unserem Beispiel. Die Ergebnisse werden also in zufälliger Reihe «links» oder «rechts» sein. Allerdings verlangen die Naturgesetze, dass die beiden Teilchen eines Paars genau den entgegengesetzten Spin haben. Denn das ursprüngliche Atom hatte gar keinen Spin, darum dürfen beide Photonen zusammengezählt auch keinen haben. Wenn Alice ein Signal für «links» sieht, muss Bob im selben Moment «rechts» messen und umgekehrt.

Einstein dachte, mit diesem Gedankenexperiment die Wirkung des Zufalls widerlegen zu können. Seiner Ansicht nach folgten die beiden Teilchen einer festen Choreographie, die wir nur nicht kennen. Diese befehle ihnen, sich ständig gegenläufig auszurichten, wie Balletttänzer beim Pas de deux: Wenn das eine nach «links» zeige, weise das andere nach «rechts», sei das eine nach «oben» orientiert, wende sich das andere nach «unten» und so weiter.

Heute wissen wir aber, dass es so auch nicht sein kann. Denn Alice und Bob müssen nicht entlang derselben Achse messen; Bob könnte zum Beispiel seinen Empfänger gegenüber dem von Alice ein wenig verdrehen. Wenn Einstein Recht hätte und die Spins einer verborgenen Choreographie gehorchen, dann müssten Alice und Bob umso öfter zu den von den Naturgesetzen vorgeschriebenen entgegengesetzten Resultaten kommen, je stärker ihre Detektoren in eine Richtung weisen[12] (siehe Graphik Seite 82). Tatsächlich aber besteht in diesem Fall zwischen den Ergebnissen von Alice und Bob viel weniger Zusammenhang, als man es erwarten würde. Das stellten Physiker fest, als sie in den 1980er Jahren Einsteins Gedankenexperiment im Labor wirklich durchführten. Eine Choreographie kann es darum nicht geben.

Einstein hatte also Unrecht. Aber woher weiß denn nun Bobs Photon, wie sich sein Partner bei Alice entschieden hat? Signale können sie nicht ausgetauscht haben: Erstens ist davon nichts zu bemerken. Zweitens richten sich die Spins selbst dann sofort nach der Messung gegenläufig aus, wenn die Teilchen sehr weit voneinander entfernt sind. Wenn sie sich miteinander verständigt hätten, wären die Signale schneller als das Licht unterwegs gewesen. Doch das verbietet die Relativitätstheorie.

Es bleibt nur eine schlüssige, wenngleich wenig anschauliche Erklärung: Die beiden Photonen eines Paars sind vom Moment ihrer Entstehung an in einem gemeinsamen Zustand. Zwischen ihnen besteht ein innerer Zusammenhang, der sich aus ihrem gemeinsamen Ursprung begründet – wie bei Geschwistern. Mein Bruder und ich sind beide in der Nähe der Berge aufgewachsen und lieben den Wintersport. Selbst wenn der Kontakt zwischen uns völlig abreißen sollte, ist darum die Wahrscheinlichkeit hoch, dass wir uns bei guter Schneelage beide in die Alpen aufmachen werden. Auch wenn ich jahrelang nichts von ihm gehört hätte, wüsste ich darum, wo ich ihn an einem schönen Wintersonntag suchen müsste.

Genau so sind die Zustände zweier Teilchen gemeinsamer Herkunft, wie Physiker sagen, miteinander «verschränkt». Dieser verschränkte Zustand enthält alle Information über die Teilchen, die es gibt, und beschreibt ihre Dynamik. Den beiden Photonen ist vorbestimmt, dass sie immer gegeneinander ausgerichtet sein müssen – und sonst nichts. So kann Alice fragen, ob der Spin ihres Photons gerade nach «links» oder nach «rechts» zeigt. Dieses ist in seinem Zustand aber, wie gesagt, nicht festgelegt und lässt sich auch nicht festlegen. Weil es keine verborgene Choreographie gibt, bekommt Alice eine zufällige Antwort, etwa «rechts». Durch die Verschränkung vorbestimmt ist hingegen, dass Bob nun zwangsläufig das entgegengesetzte Signal erhält, wenn er entlang derselben Achse misst – also «links».

In den letzten Jahren haben Experimente die Effekte der Quantenmechanik sogar bei Molekülen nachgewiesen, die sehr viel größer als Elementarteilchen sind. Worauf es ankommt, ist offenbar der Versuchsaufbau, weniger das Format der Partikel.[13]

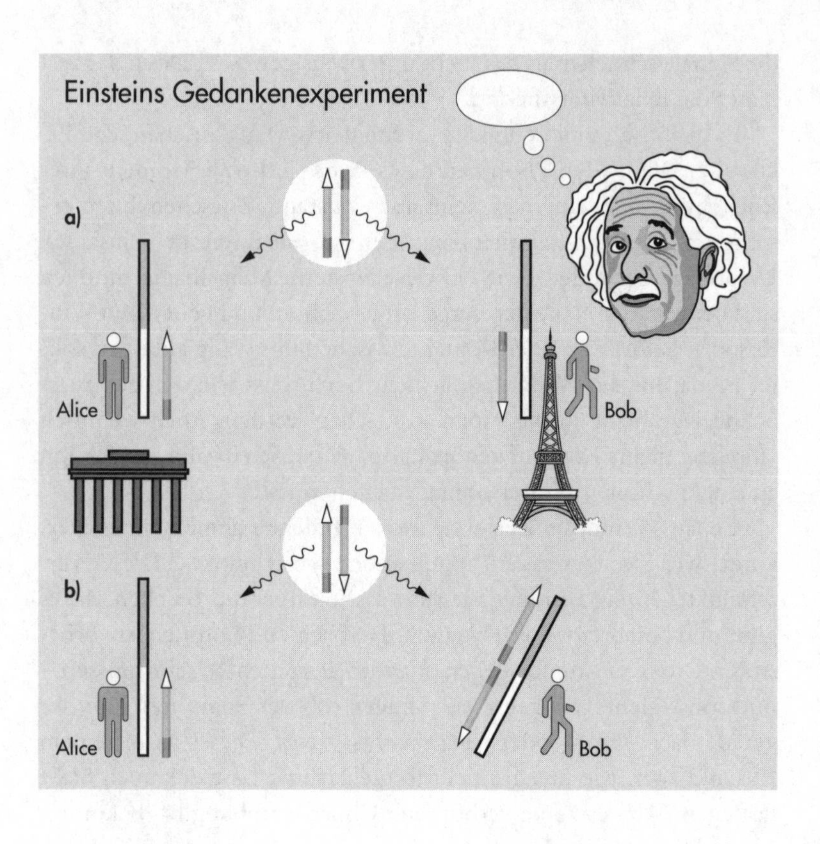
Einsteins Gedankenexperiment
a)
Alice
Bob
b)
Alice
Bob

Einsteins Gedankenexperiment

a) Wenn bestimmte Atomkerne zerfallen, senden sie zwei Photonen (Lichtteilchen) aus. Die Naturgesetze verlangen, dass diese beiden Teilchen gemeinsamen Ursprungs entgegengesetzten Spin haben. Wenn also Alice ein solches Photon empfängt und Spin «nach oben» misst, muss Bob, der das andere Photon empfängt, Spin «nach unten» messen – und umgekehrt. Das funktioniert selbst dann, wenn Alice und Bob so weit voneinander entfernt sind wie Berlin und Paris. Alice und Bob müssen aber entlang genau derselben Achse messen.

b) Verdreht Bob sein Messgerät gegenüber dem von Alice, würde man ein ähnliches Resultat erwarten. Denn der Unterschied zum vorigen Versuch ist nicht groß. Doch tatsächlich misst Bob mit dem verdrehten Messgerät weit öfter, als es zu erwarten wäre, Ergebnisse, die rein zufällig sind und zu denen von Alice in keinerlei Beziehung stehen. Eine versteckte Fernwirkung oder eine gemeinsame Choreographie der beiden Photonen kann es daher nicht geben.

Nichts deutet jedenfalls im Moment darauf hin, dass Einstein doch noch Recht behalten könnte, der sich mit dem Spuk in der Physik nicht abfinden wollte und darin nur eine vorübergehende Unzulänglichkeit der Wissenschaft sah. Er glaubte unbeirrbar daran, dass die Welt bis in all ihre Ursachen und Wirkungen festgelegt und dem Menschen prinzipiell verständlich ist: «Raffiniert ist der Herrgott, aber boshaft ist er nicht.»

Die Physik der zweiten Gesichte

Im Haus fällt ein Bild von der Wand; gleichzeitig stirbt auf einem fernen Kontinent ein Verwandter. Solche merkwürdigen Koinzidenzen gibt es; könnten die Gesetze der Quantenmechanik nicht auch dafür verantwortlich sein? Schließlich besteht die Welt aus Atomen, und in deren Reich können verschränkte Zustände Zusammenhänge über große Entfernungen festlegen – die Experimente mit Alice und Bob zeigen es.

Solche Ideen hatte sich der Psychologe Carl Gustav Jung auf die Fahnen geschrieben. Unterwiesen von Wolfgang Pauli, der für seine Forschungen zur Quantentheorie den Nobelpreis bekam, entwickelte Jung seine einflussreichen Vorstellungen von der «Synchronizität»: Sogar Seelenzustände und die unbelebte Welt könnten miteinander verknüpft sein und aufeinander wirken. Ihm sollte die Atomphysik als Kronzeugin für Löffelbiegen, Tischerücken und zweite Gesichte dienen. Die Trennung zwischen «innen» und «außen» sei im Licht dieser Wissenschaft nicht mehr aufrechtzuerhalten, behauptete Jung: Beharrten nicht die Physiker darauf, dass bei bestimmten Versuchen der Beobachter gewissermaßen mit dem, was er beobachte, verschmelze? Dann müsse man auch Gefühle, Traumbilder und die äußere Wirklichkeit als eine Einheit verstehen. Darum seien oft behauptete, doch nie bewiesene Phänomene wie die Gedankenübertragung durchaus mit der Wissenschaft in Einklang zu bringen – ebenso, dass der Tod eines Menschen in Südamerika ein Bild in Sigmaringen zum Abstürzen bringe.

Am Freiburger Institut für Grenzgebiete der Psychologie fühlt man seit fünfzig Jahren den Jung'schen Theorien auf den Zahn. Seit eine Witwe das Institut mit ihrem Millionenerbe versorgt hat, strengen sich hier fast drei Dutzend mit modernster Technik ausgestattete Wissenschaftler an, außersinnliche Wahrnehmung in kontrollierten Versuchen zu reproduzieren. Es gibt akustisch und elektromagnetisch abgeschirmte Kabinen, in denen sich ausgewählte Paare um Gedankenübertragung bemühen; in anderen Experimenten sollen Versuchspersonen vorausahnen, welche Bilder ein Computer ihnen im nächsten Moment vorführen wird, oder die Fotoschau mit der Kraft ihrer Wünsche verändern. Systematisch geht man jedem Hinweis auf Phänomene nach, die von der Schulwissenschaft abgetan werden – einmal hat der Psychologe Jiri Wackermann wochenlang mit einer Modelleisenbahn experimentiert, weil ein Kollege behauptet hatte, deren Weichen ließen sich telepathisch stellen.

Von Einrichtungen mit ähnlichen Interessen unterscheidet sich das Freiburger Institut in der rigorosen Aufnahme und Analyse der Daten. Die Forscher messen Hirnströme, untersuchen Hautwiderstände, zählen Trefferhäufigkeiten und werten sie im Computer aus. Vor allem vergleichen sie alle Ergebnisse von Versuchen, in denen Menschen von Telepathie, Präkognition oder Visionen berichten, mit den Wahrscheinlichkeiten, die der Zufall erwarten ließe. Denn wer bei sich eine hellseherische Fähigkeit vermutet, muss öfter die Zukunft richtig vorhergesagt haben als einer, der wahllos rät. Doch in den fünf Jahrzehnten ihrer Forschungen haben die Freiburger Wissenschaftler eine solche Überlegenheit kein einziges Mal feststellen können.

Angesichts der Theorien von Synchronizität, der Einheit von innen und außen, ist dies nicht weiter erstaunlich. Denn Jung und seine vielen Anhänger haben die Physik gründlich missverstanden. Nach allem, was wir heute wissen, bietet die Quantentheorie für die Ideen des Schweizer Psychologen keinerlei Anhaltspunkte.

Zunächst ist nicht einzusehen, weshalb sich die Atome um Dinge kümmern sollen, die uns Menschen wichtig sind. Nur weil es Verschränkungen in der Natur gibt, muss noch lange nicht alles mit allem zusammenhängen. Woher sollte ein Sauerstoffatom in einem rostigen Bildernagel im Schwäbischen wissen, dass es zu einem zweiten Sauerstoffatom gehört, das sich ausgerechnet in einem bestimmten Gehirn in Südamerika herumtreibt? Dass der Eigentümer des Hauses, in dessen Wand der Nagel steckt, und der sterbende Südamerikaner die gleichen Großeltern hatten, ist ein Zusammenhang, den nur Menschen herstellen können. Atome kennen weder Bildernägel noch Hirne, noch Cousins.

Eine Frage der Dimension

Aber auch aus rein physikalischen Gründen sind Jungs Ideen unglaubhaft. Die Paradoxa der Quantenmechanik sind zwar überaus interessant und in der belebten wie der unbelebten Natur schier allgegenwärtig. Sie sind verantwortlich dafür, dass sich Sauerstoff und Wasserstoff zu Wasser verbinden, dass Kristalle zusammenhalten und dass sich Atome zu Molekülen gruppieren, die Grundbausteine des Lebens sind. Aber die Gesetze der Quantenphysik zeigen sich uns niemals direkt. Denn wir haben es stets mit Gegenständen und Energien zu tun, die sehr viel größer sind als jene, die auf der Ebene einzelner Atome wirken. Wenn wir auch nur ein Sandkorn anfassen, haben wir $2{,}3 \times 10^{19}$ oder 23 Milliarden Milliarden Atome in der Hand! Hier gilt das Gesetz der großen Zahl, dessen ausgleichende Wirkung wir schon in den vorigen Kapiteln kennen gelernt haben: Bei so vielen Teilchen macht sich die Dynamik eines einzelnen Partikels nicht mehr bemerkbar – die zahllosen Ereignisse auf atomarer Ebene heben sich gegenseitig auf.

Im Mikroskopischen wirken geisterhafte Effekte überall, doch Menschen leben auf einer anderen Größenskala. Gerade weil wir die Phänomene der Quantenmechanik im Alltag sinnlich nicht erfahren können, sind sie uns so fremd. Hätten die Merkwürdigkeiten der Atomphysik irgendeine unmittelbare Wirkung auf unser tägliches Leben, so hätten unsere Gehirne sehr wahrscheinlich gelernt, mit ihnen vertraut zu werden.

Zwar gelingt es neuerdings in den Labors, diese Effekte auch in etwas größerem Maßstab zu beobachten. Aber das geht nur mit ausgeklügelten Experimenten – in künstlichen Situationen, eigens darauf angelegt, die Seltsamkeiten der Quantenmechanik hervorzurufen. Diese Versuche, so eindrucksvoll sie sind, zeigen nur, dass es keine prinzipielle Grenze für die Gültigkeit quantenmechanischer Gesetze gibt. Doch um spukhafte Erscheinungen wie Geisterteilchen und Fernwirkungen auszulösen, muss man umso mehr Aufwand treiben, je größer die Versuchsobjekte werden. Und selbst von den ausgedehntesten Molekülen, mit denen solche Experimente gelangen, lassen sich in einem Sandkorn viele Millionen unterbringen. Es ist zu bezweifeln, dass ähnliche Versuche jemals mit Objekten von der Größe eines Nagels gelingen werden – und wenn doch, dann nur unter Einsatz eines Arsenals von Lasern, Superspiegeln und Hochvakuumpumpen, wie es sie im Alltag nie gäbe.

Auch für die Weise, wie unser Gehirn funktioniert, spielen nach dem heutigen Stand des Wissens die Phänomene der Quantenphysik keine Rolle. Durchaus werden in unseren Köpfen Signale durch Moleküle übertragen, doch sind sehr viele von ihnen nötig, um auch nur einen Lidschlag auszulösen. Darum macht das Gesetz der großen Zahl auch im Gehirn die Zufälle der Atomphysik unwesentlich.[14] Quanteneffekte können also nicht für die Willensfreiheit verantwortlich sein, anders als oft behauptet wird.

Grenzen der Selbsterkenntnis

Man muss nicht die Quantenmechanik bemühen, um zu verstehen, warum Menschen selten so vorhersehbar handeln wie ein Verdurstender, dem wir ein Glas Wasser hinhalten. Denn der Versuch, in allen Lebenslagen prophezeien zu können, wie ein anderer sich entscheiden wird, ist aus mehreren Gründen schon logisch zum Scheitern verurteilt. Die tiefer liegende Ursache, warum wir menschliches Verhalten nicht voraussagen können, ist allerdings dieselbe wie bei dem vertrackten Problem vom bekennenden Lügner Epimenides: Rückbezüglichkeit, die sich nicht auflösen lässt.

Das erste Argument gegen die Vorhersagbarkeit menschlichen Tuns ist sehr einfach. Stellen wir uns einmal vor, es gäbe einen Hellseher, der das Verhalten seiner Zeitgenossen absolut sicher vorausbestimmen könnte. Er prophezeit, dass ich heute Abend ins Kino gehen werde. Nehmen wir weiter an, ich sei ein rebellischer Geist; es macht mir Spaß, immer das Gegenteil von dem zu tun, was man von mir erwartet. Sobald ich also von der Voraussage des Hellsehers erfahre, greife ich zum Telefon, sage meine Kinoverabredung ab und bleibe an diesem Abend zu Hause. Der Wahrsager hat sich geirrt.

Hätte er meinen Widerstand nicht voraussehen können? Doch, nur wäre damit nichts gewonnen. Wenn er nämlich weissagt, dass ich seinen Erkenntnissen zuwiderhandeln werde, brauche ich ihm diesen Gefallen ja nicht zu tun und gehe eben doch ins Kino. Und sollte er auch meinen Trotz vorhergesagt haben, beginnt das Spiel von vorne. Offenbar ist der Prophet im Allgemeinen nicht imstande, die Zukunft richtig zu verkünden. Ob nun die Quantenmechanik im Hirn ein Rolle spielt oder nicht, ist dabei egal. Doch die Logik der Rückbezüglichkeit ist dieselbe wie bei der atomphysikalischen Messung: Hier wie dort nimmt der Beobachter Einfluss auf das, was er beobachtet. Indem der Prophet seine Vorhersage ausspricht, beeinflusst er das beobachtete System (mich) und verliert so seine Information.

Es gibt nur einen Weg, den Zirkel zu vermeiden: Der Wahrsager muss seine Weisheit für sich behalten. Falls er sie anderen mitteilt, müssen diese dichthalten und dürfen mir nicht den geringsten Hinweis geben, welche Abendgestaltung sie von mir erwarten. Das ist in der Wirklichkeit fast immer unrealistisch; schließlich wollen Menschen Prognosen, um ihr Handeln danach zu richten. Durch ihre Reaktion aber würden meine Bekannten wiederum Einfluss auf mich – und meinen geplanten Kinobesuch – nehmen.[15]

Kann ich meine eigenen Entscheidungen voraussagen? Es müsste ausgeschlossen sein, dass ich es mir aufgrund meiner neu gewonnenen Sicht der Zukunft anders überlege. Ich könnte also nur dann eine Prognose über mein Handeln abgeben, wenn ich selbst diese nicht erfahren würde – was logisch unmöglich ist. Natürlich gelten auch für das menschliche Denken und Handeln die Gesetze von Ursache und Wirkung. Nur ist es ausgeschlossen, alle Gründe für das eigene Tun zu kennen und daraus eine zukünftige Entscheidung abzuleiten. So müssen unsere Entscheidungen in dem Moment, in dem wir sie treffen, immer ein Stück weit willkürlich erscheinen.

In einer schwierigen Partnerschaft etwa kommt gern der Gedanke auf: «In ein paar Monaten werde ich mich von ihr (oder ihm) trennen.» Wer eine solche Voraussage trifft, wird sich bald fragen, ob er nicht besser gleich Schluss machen solle: Lieber ein schnelles Ende mit Schrecken als ein Schrecken ohne Ende. Doch wer nach dieser Devise handelt, hat seine eigene Prognose schon widerlegt – paradoxerweise just wegen dieser Prognose.

Freiheit gibt es nur um den Preis der Unberechenbarkeit. Wir können nicht unser Verhalten selbst bestimmen und es zugleich vorhersagen. Darum erscheinen uns manche Entschlüsse, die wir aus guten Gründen treffen, als habe sie der Zufall diktiert. Unter den vielen Folgen der Selbstbezüglichkeit gehört zu den erstaunlichsten, dass wir uns selbst nicht zu durchschauen vermögen.

Das Dilemma des Hellsehers

Ein Prophet könnte seinem Geschäft aber selbst dann nicht nachgehen, wenn er all seine Weisheit für sich behielte. Das zweite Argument gegen Hellseherei beruht auf der Komplexität des menschlichen Geistes und stammt von dem Philosophen Karl Popper: Um meine Handlungen vorauszusagen, müsste ein anderer alles wissen, was mich bewegt. Stellen wir uns vor, ich hätte vor diesem Wahrsager kein einziges Geheimnis mehr, weil er irgendwie herausbekommen hat, was ich weiß, denke und fühle. Auch kennt er sämtliche Regeln, nach denen ich zu meinen Entscheidungen finde. Solche nachvollziehbaren Regeln muss es geben; sonst könnte der Hellseher zu keiner Prognose kommen, da meine Entschlüsse dann zufällig wären. Der Wahrsager weiß also mehr über mich als ich über mich selbst.

Sein Gehirn muss nun alle Schritte nachvollziehen, die mein Kopf auf dem Weg zu seinem Entschluss zurücklegt. Doch kann sein Hirn kaum schneller als meines arbeiten; schließlich muss es nicht nur meine Gedanken simulieren, sondern sich auch noch um die eigenen inneren Zustände kümmern. Darum wird er kaum vor mir zu seinem Schluss kommen. Übrigens ist es auch aus diesem Grund unmöglich, sein Handeln selbst vorherzusehen – wir müssten sonst unser eigenes Denken überholen. Das können wir ebenso wenig, wie ein Computer das Ergebnis seiner Programme prophezeien kann.[16]

Selbst mit einem Computer, der viel leistungsfähiger als das Gehirn ist, ließen sich keine prophetischen Gaben erlangen. Denn damit ein solches Gerät alle unsere Entscheidungen nachvollziehen und voraussagen könnte, müsste es wenigstens so komplex sein wie der menschliche Geist. Der Superrechner würde sich demnach verhalten, als hätte er eigene Beweggründe, wie wir selbst. Und sein Innenleben wäre mindestens so schwer zu durchschauen wie das einer Person aus Fleisch und Blut. Mehr noch, wir wären außerstande, die Motive der Maschine kennen zu lernen und ihr Handeln vorauszusagen, weil sie ja schneller denkt als wir. Insbesondere hätten wir keine Chance, herauszubekommen, ob der Rechner uns gerade aus welchen Gründen auch immer täuscht – wie der heimtückische Supercomputer HAL, mit dem sich die Raumschiffbesatzung in Stanley Kubricks Sciencefiction-Klassiker «2001 – Odyssee im Weltraum» herumschlagen muss. Die Prophezeiungen einer solchen Maschine wären wertlos.[17]

Sobald der menschliche Geist im Spiel ist, müssen wir also die Hoffnung auf einen verlässlichen Blick in die Zukunft aufgeben. So sind es ausgerechnet Maschinen, die streng logisch operierenden Computer, die Menschen lehren, worin der Zufall besteht: Viele Ereignisse lassen sich grundsätzlich nicht vorhersagen, weil wir uns sonst in Selbstbezüglichkeiten verstricken würden. Andere Begebenheiten könnten wir zwar theoretisch in allen Einzelheiten nachvollziehen, praktisch aber niemals. Um manche – und nicht wenige – Fragen des Alltags zu lösen, brauchten die besten heutigen Superrechner eine Zeit, die länger währte als die Lebensdauer des ganzen Universums. So oder so begegnen wir dem Zufall.

Ob eine Erklärung nun theoretisch oder praktisch unmöglich ist, mag unsere Neugier befriedigen; doch die Unsicherheit, mit der wir fertig werden müssen, bleibt dieselbe. Mark Twain behält in jedem Fall Recht: «Prognosen sind eine schwierige Sache. Vor allem, wenn sie die Zukunft betreffen.»

KAPITEL 5 DIE KUNST DES GEDANKENLESENS
Warum menschliches Verhalten unvorhersehbar ist

«Die eigentliche Aufgabe der Ökonomie
besteht darin, dem Menschen vor Augen zu führen,
wie wenig er über das weiß, was er meint
planen zu können.»
Friedrich August Hayek

Ins Schwarze trifft, wer sich auf seinen ersten Eindruck verlässt. Das sagt nicht nur der Volksmund, sondern bei Umfragen auch die Mehrheit der Personalchefs. Und entsprechend handeln sie: Psychologische Untersuchungen zeigen, dass das Urteil über einen Bewerber schon nach fünfzehn Sekunden feststeht. Gleich nach dem Handschlag ist alles gelaufen.[1]

Dass sich andere Mitmenschen mit ihrem Urteil auch nicht mehr Zeit lassen, steht zu befürchten. Aber tun sich Arbeitgeber mit ihrem Urvertrauen in ihre Menschenkenntnis etwas Gutes? Und liegen wir richtig, wenn wir für eine neue Bekanntschaft sofort Sympathiepunkte verteilen?

Nachdenklich stimmt ein Experiment, das die Universität von Houston in Texas unfreiwillig im Jahr 1970 unternahm. Dort mussten sich Bewerber zum Medizinstudium erst in einem schriftlichen Test durchsetzen; unter den besten trafen dann Interviewer eine handverlesene Auswahl. So hofften sie vorherzusagen, wie sich die jungen Leute im Studium und später im Beruf machen würden. Doch in jenem Jahr stellte sich im Nachhinein heraus, dass es mehr Plätze gab als gedacht, weil der Verwaltung ein Fehler unterlaufen war. Der Fakultät blieb nichts anderes übrig, als einen Teil der im Interview abgewiesenen Kandidaten doch noch aufzunehmen.

Wurden aus ihnen schlechtere Ärzte? Keineswegs. Schon in den Prüfungen nach dem ersten Studienjahr schnitten die angeblichen Top-Bewerber im Durchschnitt keinen Deut besser als jene Kollegen ab, die man zunächst nach Hause geschickt hatte. Auch als die Universität ihre Studenten Jahre später in den Beruf entließ, war nicht der geringste Leistungsunterschied festzustellen.[2] So bleibt nur eine einfache Erklärung: Die einen konnten sich im Interview besser verkaufen als die anderen.

Wer in Vorstellungsgesprächen abgelehnt wurde, mag sich damit trösten, dass mancher Weltstar ähnliche Rückschläge erlebt hat. Als Marilyn Monroe im Jahr 1944 eine Karriere als Fotomodell beginnen wollte, waren die Casting-Profis von ihren Aussichten alles andere als überzeugt. Eine Agentur, bei der die Monroe vorsprach, hat ihr angeblich sogar beschieden: «Sie sollten besser eine Sekretärinnenausbildung machen, ansonsten heiraten.» Ein wenig mehr Gnade fand Fred Astaire. Über den späteren König des Step soll ein Hollywood-Produzent 1927 diese Notiz angelegt haben: «Kann nicht schauspielern. Kann nicht singen. Etwas Glatze. Kann ein wenig tanzen.»[3]

Trügerische Menschenkenntnis

Wer einen Bewerber auswählen muss, geht nicht anders vor, als wenn wir uns auf einer Party fragen, ob wir uns mit einem unbekannten Gast weiter unterhalten wollen: Ganz automatisch verpasst er dem Kandidaten in seiner Vorstellung ein paar Etiketten – wie «intelligent», «gebildet», aber «schrecklich eingenommen von sich».

Einer sich anbahnenden privaten Bekanntschaft ist leicht zu entkommen, wenn sie enttäuschend verläuft. Einen ungeeigneten Kandidaten einen Arbeitsvertrag unterschreiben zu lassen kann hingegen viel Geld kosten. Darum beschäftigt sich die Personalpsychologie schon seit Jahrzehnten mit der Frage, wie viel Information wir brauchen, um einen Menschen einzuschätzen, und wie verlässlich unser Urteil überhaupt ausfallen kann. Das Fazit mehrerer Dutzend Studien liest sich verheerend: Der Eindruck, den wir von einem Menschen während eines Gesprächs gewinnen, hat große Überzeugungskraft auf unseren eigenen Verstand. Aber er sagt fast nichts über die Person des Gegenübers aus. Denn ohne es zu wissen, urteilen wir nicht über den Charakter des anderen, sondern über unsere Beziehung zu ihm.[4]

Das ist ein großer Unterschied. Generell unterschätzen wir nämlich, wie stark sich menschliches Verhalten der Umgebung anpasst. Eine tyrannische Chefin kann zu Hause eine rührende Mutter sein – und umgekehrt. Jeder von uns schlüpft täglich in verschiedene Rollen und wird von seiner jeweiligen Umgebung unmerklich zu den entsprechenden Verhaltensmustern gedrängt. Wie wir einen Menschen erleben, bestimmen wir daher zum guten Teil selbst: Das Gegenüber reagiert auf die Signale, die von uns ausgehen.

Auf diese Weise können wir den anderen dazu bringen, unser Bild von ihm durch sein eigenes Verhalten zu bestätigen. Durch seine Reaktionen auf unser Benehmen macht sich der andere ungewollt zu genau dem Tollpatsch oder klugen Strategen, den wir in ihm sehen. So schnell werden Vorurteile Wirklichkeit.

Wie subtil wir unsere Mitmenschen beeinflussen, haben Psychologen der amerikanischen Universität Princeton an weißen Studenten vorgeführt, die Interviews mit Bewerbern verschiedener Hautfarben führen sollten. War der Kandidat schwarz, hielten die Studenten mehr körperlichen Abstand, verhaspelten sich öfter und beendeten die Begegnung schneller als bei einem weißen Gegenüber. Dabei hegten sie keine böse Absicht – die meisten Interviewer waren selbst erstaunt, als sie die Begegnung später auf Video verfolgten. Die Bewerber allerdings hatten den Unwillen sehr wohl gespürt: Verunsichert machten sie ihrerseits Fehler und kassierten dafür schlechtere Urteile als ihre weißen Konkurrenten.

Dann brachten die Forscher den Studenten bei, in einer zweiten Runde die schwarzen Bewerber bewusst freundlich und die weißen harsch zu empfangen. Jetzt fielen die hellhäutigen Kandidaten durch – weil sie im Zustand der Nervosität weniger überzeugend waren.[5]

Eine Person zu beurteilen funktioniert also nicht so, wie wir die Ausdehnung eines Brettes abmessen, das einen Meter lang ist, gleich, ob wir den Zollstock daran halten oder nicht. In menschlichen Beziehungen geht es uns viel eher wie Physikern mit ihren Teilchenexperimenten: Wann immer sie einen Zustand beobachten, verändern sie ihn. Durch solche Rückkopplung kommt, wie wir gesehen haben, unausweichlich der Zufall ins Spiel. Dieses Kapitel untersucht, wie Rückkopplungen im Miteinander von Menschen entstehen und deren Verhalten unvorhersagbar machen.

Weissagungen, die sich selbst erfüllen

Auf diese Unvorhersagbarkeit stoßen wir in allen Lebensbereichen. Ob in der Politik, der Mode oder der Beziehung zum Ehepartner und zu den Kindern – jede Voraussage scheitert an ihrer Selbstbezüglichkeit: Gewollt oder ungewollt beeinflusst sie das Geschehen, das sie beschreiben will.

Schon Ödipus soll es zum Verhängnis geworden sein, dass seine Eltern dem Orakel von Delphi glaubten. Dieses hatte in Gestalt seiner Priesterin Pythia geweissagt, der Säugling werde eines Tages zum Mörder seines Vaters und Geliebten seiner Mutter werden. Um diesen ungeheuren Frevel zu verhindern, setzten die Eltern das Kind in den Bergen aus, wo es jedoch von einem Hirten gerettet und aufgezogen wurde. Und einzig und allein weil Laios und Iokaste ihren Sohn verstießen, beging er viele Jahre später tatsächlich die Verbrechen, die ihm die Pythia prophezeit hatte: Er erkannte Laios nicht als seinen Vater und erschlug ihn im Streit; er ahnte nicht, dass Iokaste seine eigene Mutter war, und zeugte mit ihr vier Kinder. Man kann diese Tragödie als Demonstration der unausweichlichen Macht des Schicksals lesen – aber ebenso gut als Beispiel für eine Prophezeiung, die sich nur deswegen erfüllt, weil wir an sie glauben. Schließlich hätten Laios und Iokaste kaum so gehandelt, wenn die Pythia statt dunkler Sprüche etwas genauere Auskünfte darüber preisgegeben hätte, wie sie sich den Lebensweg des Ödipus vorstellte.

Moderne Varianten solcher Weissagungen sind die Tipps der Börsengurus und politische Meinungsumfragen. Dass Bürger, Medien und Politiker sich gegenseitig beeinflussen, ist ein erwünschter Effekt in einer Demokratie. Beunruhigend allerdings stimmt, wie oft dadurch die Entscheidungsfindung eher den Gesetzen der Massenpsychologie zu folgen scheint als denen der Vernunft – und unvorhersehbar wird.

Besonders auffällig werden solche Mechanismen im Vorfeld von Wahlen. Denn wie Börsentipps auf die Käufe der Anleger, so wirken Wahlprognosen sich auf die Entscheidung der Bürger aus. Bekannt ist der Bandwagon-Effekt, eine typische Rückkopplung: Menschen schließen sich der in Umfragen gerade führenden Partei an, so, wie sich bei einem Festzug die meisten Leute hinter dem Wagen sammeln, auf dem die Musik spielt. Wir stehen nun einmal gerne auf der Seite der Sieger. Die Meinungsforschung versucht, ihre eigene Rückwirkung auf das Stimmverhalten einzukalkulieren, indem die Interviewer nicht nur um die eigene Ansicht des Befragten bitten, sondern sich auch erkundigen, welche Mehrheitsmeinung dieser vermutet.[6] Nur wenn sich beide Auffassungen decken, gilt die Antwort als einigermaßen verlässlich. Gibt hingegen jemand an, dass er die Regierung zum Teufel wünscht, aber mit ihrem Wahlerfolg rechnet, zählen die Demoskopen ihn als Wackelkandidaten.

Auch ein gegenläufiges Phänomen macht den Wahlforschern zu schaffen: Allzu siegesgewisse Parteigänger eines Kandidaten sehen wenig Grund, sich im Wahlkampf anzustrengen. Mit müden Veranstaltungen verspielten zum Beispiel die österreichischen Sozialdemokraten im Jahr 1992 die Präsidentschaft; alle Prognosen sagten ihrem Anwärter Rudolf Streicher voraus, er werde den farblosen Konservativen Thomas Klestil vernichtend schlagen.

Am Wahltermin selbst bleiben die sich ihres Erfolges sicheren Anhänger dann zu Hause oder machen sich einen schönen Sonntag im Grünen. Diese Bequemlichkeit dürfte etwa bei der hessischen

Landtagswahl 1987 den in Umfragen weit überlegenen Ministerpräsidenten Holger Börner seine Macht gekostet haben. Niemand in Deutschland hat so ausführlich über diese Effekte geschrieben wie Elisabeth Noelle-Neumann, Gründerin des Allensbach-Instituts für Demoskopie[7] – nicht zu Unrecht nennt man sie die Pythia vom Bodensee.

Investieren mit Dartpfeilen

Noch etwas verwickelter ist das Verhältnis von Rückkopplung und Unvorhersehbarkeit an der Börse. Schon im Jahr 1900 machte sich der französische Mathematiker Louis Bachelier mit seiner Vermutung unbeliebt, dass Börsenkurse rein zufällig verliefen: Wie ein Betrunkener, der mal einen Schritt nach rechts, mal einen nach links tut, so bewegten sich auch die Preise von Aktien und Währungen im willkürlichen Zickzack. An den Universitäten wollte kaum jemand solche unbequemen Gedanken hören, von der Finanzwelt ganz zu schweigen. Bachelier beendete seine Karriere vergessen als Professor zweiter Klasse an der Provinzuniversität von Besançon. Siebzig Jahre später ging der Nobelpreis für seine Idee an den amerikanischen Ökonomen Paul Samuelson.

Wenn die Kurse wie besoffen schwanken – bedeutet das, dass die Börsen irrational, die Spekulanten also unzurechnungsfähig sind? Im Gegenteil, war Samuelsons erstaunliche Antwort: Selbst im (nicht sehr realitätsnahen) Fall, dass Anleger völlig vernünftig handeln, sind die Kurse nicht prognostizierbar. Denn in einem von Vernunft bestimmten Markt ist alles Wissen der Anleger über ein Unternehmen, alles, was sich irgendwie voraussehen lässt, bereits in den Aktienkurs eingegangen. Der Grund dafür ist, dass sich jede neue Information schlagartig auf den Preis auswirkt. Geht zum Beispiel die Nachricht über unerwartete Gewinnaussichten eines Unternehmens ein, ordert ein Investor, der seine Sinne beisammenhat, die betreffende Aktie. Da aber alle Mitspieler auf dem Parkett genauso rational handeln und kaufen, schießt der Preis der Papiers nach oben, und in kürzester Zeit ist die Aktie kein Schnäppchen mehr. Eine Voraussage wird deshalb umgehend von der Realität eingeholt und damit obsolet – der Markt ist effizient, wie Ökonomen sagen. Nur unerwartete Ereignisse können Samuelson zufolge solche nach vernünftigen Kriterien ausbalancierten Kurse bewegen, und diese treten zufällig ein.

Tatsächlich enden die meisten Versuche, Prognosen über die Börsenentwicklung zu machen, verheerend. Im Glauben an solche Prophezeiungen haben nicht nur Kleinanleger, sondern auch Finanzkonzerne Milliarden verloren, als in den Jahren 2000 bis 2002 die Aktienkurse crashten. Um die Qualität der Voraussagen über Zinsen und Wechselkurse steht es nicht besser. Die Würzburger Volkswirte Peter Bofinger und Robert Schmidt haben die Prognosen deutscher Großbanken, des Informationsdienstes Reuters und des Zentrums für Europäische Wirtschaftsforschung über den Kurs des US-Dollars an der Wirklichkeit gemessen – mit niederschmetterndem Ergebnis: Fast immer beschränkten sich die Auguren darauf, den gerade herrschenden Trend in die Zukunft fortzuschreiben. Stieg der Dollar gerade, erwarteten sie neue Höchstkurse, fiel er, sahen sie weitere Tiefs voraus. Der angebliche Blick in die Zukunft war in Wirklichkeit eine banale Aussage über die Gegenwart.[8] Als nicht minder jämmerlich erwiesen sich nach Untersuchungen des Wolfsburger Ökonomen Markus Spiwoks die Prognosen deutscher Großbanken und Forschungsinstitute für Aktien und Zinsen.[9]

Wie kann es zu derart systematischer Desinformation kommen? Auch hier sind Rückkopplungseffekte im Spiel. Schon der britische Ökonom John Maynard Keynes erkannte, dass ein Analyst gut daran tut, sich stets der Mehrheitsmeinung anzuschließen. Das gilt selbst dann, wenn er davon überzeugt ist, die Marktentwicklung besser einschätzen zu können als seine Kollegen. Denn liegt ein Analyst mit seiner Außenseitersicht richtig, profitiert sein Image kaum davon, da die Branche seinen Erfolg als Glückstreffer abtut. Verschätzt er sich aber, ist seine Reputation dahin. Heult er hingegen mit den Wölfen, kann ihm nicht viel passieren: Liegt die gesamte Szene daneben, schreibt sie die Blamage der allgemeinen Tücke der Märkte zu; stimmt eine Prognose, heimsen die Experten Lob für ihre gute Arbeit ein. Für den Einzelnen lohnt es sich mitunter also, wider die eigene Vernunft zu handeln. Finanzwissenschaftler nennen dieses Phänomen «rationales Herdenverhalten».[10]

Kein Wunder also, dass Investoren in der jüngeren Vergangenheit besser bedient gewesen wären, hätten sie sich statt an all den teuren und wertlosen Analysen einfach am Zufall orientiert. Angenommen, ein Investor steht Monat für Monat vor der Entscheidung, sein Kapital entweder in den US-amerikanischen oder in den europäischen Geldmarkt zu stecken: Hätte er im Januar 1999 mit 1000 Euro begonnen und seine Wahl nach einem Zufallsmodell getroffen – so, wie ein Betrunkener mal nach rechts, mal nach links torkelt –, wäre er bis Ende 2002 um 590 Euro reicher geworden. Wäre er hingegen den Empfehlungen von Reuters gefolgt, hätte er nur 240 Euro einstreichen können.[11]

Der Nobelpreisträger Paul Samuelson lästerte einmal, ein durchschnittlicher Investmentmanager leiste nichts, was der Investor selbst nicht ebenso gut könne, indem er mit Dartpfeilen auf den Börsenteil einer Zeitung werfe – und einfach die Werte kaufe, auf deren Name der Pfeil stecken bleibt. Wenn sich nämlich alle Kurse unvorhersehbar bewegen, ist es egal, welche Aktien man kauft. Die Redakteure des *Wall Street Journal* fühlten sich von Samuelsons Spott herausgefordert und ließen von 1988 bis 2002 monatlich Börsenstars gegen ihr Dartbrett antreten. Allzu glänzend gingen die hoch bezahlten Banker nicht aus dem Rennen: 90 von 147 Wettkämpfen gewannen sie, 57 die Spickerwerfer.[12] Diesen eher dünnen Vorsprung dürften die Finanzexperten vor allem dem Umstand verdanken, dass die einflussreichste aller Wirtschaftszeitungen ihre Empfehlungen vorab veröffentlicht und damit Anleger zum Kauf dieser Aktien ermuntert. Als der Wirtschaftswissenschaftler Burton Malkiel von der Universität Princeton diesen Effekt herausrechnete, schnitten beide Gruppen gleich erfolgreich ab – die Banker allerdings aus Sicht eines Anlegers schlechter, berücksichtigt man ihre üppigen Honorare.[13]

«Ich bin Börsenhändler. Ich investiere das Geld anderer Leute», lässt Woody Allen einen seiner Charaktere erklären. «Bis es weg ist.»

Wie eine Blase entsteht – und platzt

Aber Anleger sind nicht immer so vernünftig, wie Samuelson annahm. Sie glauben an einen vermeintlichen Aktien-Geheimtipp oder an die phantastischen Möglichkeiten einer neuen Technik und treiben mit ihren Orders die Preise in die Höhe. Letztlich gibt es für den Nachfrageschub jedoch keinen anderen Grund als den, dass der Kurs eben steigt. Das Geschehen auf dem Parkett koppelt sich von der Wirklichkeit ab; eine Blase entsteht. Auch in einer solchen Lage kann es für den Einzelnen vernünftig sein, sich der Unvernunft der anderen anzuschließen. Wer wider besseres Wissen der Herde folgt, mag rechtzeitig einen naiven Zeitgenossen finden, der das Luftschloss für echt hält und die Papiere um eine noch höhere Summe kauft. Schließlich geht man nicht an die Börse, weil man faire Preise aushandeln will, sondern um Geld zu verdienen.

So beeinflussen nicht nur Unternehmensmeldungen das Handeln der Investoren, sondern die Anleger sich auch gegenseitig. Ein überaus erfolgreicher Spekulant, der diese Erkenntnis zu nutzen wusste, war John Maynard Keynes. Der Aktienmarkt, schrieb der legendäre Ökonom, sei wie eine raffinierte Miss-Wahl in einer Zeitung: Aus den Gesichtern von hundert Schönheiten gilt es die sechs anziehendsten auszuwählen, wobei derjenige Leser gewinnt, der die Rangliste nach dem Auszählen aller Einsendungen am besten trifft. Wer klug ist, stimmt also nicht nach dem eigenen Geschmack ab, sondern nach dem Schönheitsideal, das er bei seinen Mitmenschen vermutet.

Spekulieren ist die Kunst des Gedankenlesens. Leider sind wir darin nicht allzu bewandert. Wie schwer wir uns tun, die Signale des Marktes richtig zu deuten, hat der Zürcher Wirtschaftsforscher Thorsten Hens in einem einfachen Experiment gezeigt.[14] Er ließ mehrere Gruppen zu je fünf Studenten am Computer eine Aktie handeln; die Preise richteten sich nach Angebot und Nachfrage. Der sechste Mitspieler war ein Würfel als Stellvertreter für alle unvorhersehbaren Börseneinflüsse. Wie auf dem wirklichen Parkett blieben alle Käufe und Verkäufe anonym. Obwohl sie so wenige waren, schafften es die Versuchsteilnehmer nicht im Mindesten, aus der Fieberkurve der Preise auf die Entscheidungen ihrer Kollegen zu schließen. Wenn ein größeres Paket zum Kauf stand, weil es der Würfel so wollte, gerieten die Studenten in Panik: Sie dachten, einem Mitspieler sei mulmig geworden, und stießen ihrerseits Aktien ab. Darauf reagierten die anderen – der Markt brach zusammen.

Die Aufholjagd der Spekulanten

Die Entwicklung der Wirtschaft und die Informationen, die den Anlegern zur Verfügung stehen, bestimmen die Kurse nur auf lange Sicht; kurzfristig sind Hysterien, Ängste und Unvernunft aller Art die treibende Kraft. Die Behavorial Finance, eine neue Richtung der Ökonomie, versucht die Muster hinter solchem Verhalten zu finden und für sich zu nutzen. Damit liefert die Wissenschaft mit zwei Jahrzehnten Verspätung eine theoretische Untermauerung für die Methoden, mit denen ein George Soros fünf Milliarden Dollar verdiente – eine Milliarde davon in einer einzigen Nacht des September 1992, als er gegen das britische Pfund spekulierte und anschließend in den Ruf geriet, er habe die Bank von England gesprengt.

Eines der einfachsten Prinzipien der Behavioral Finance ist die Suche nach «gefallenen Engeln». Wenn sich Investoren an einer Modeaktie die Finger verbrannt haben, verkaufen sie diese und lassen ihren Kurs tief stürzen – zu tief. Nach einer Weile kommen mutige Zeitgenossen dahinter, dass der Wert so schlecht gar nicht ist, und kaufen: Der Preis des Papiers steigt wieder und meist stärker als der Gesamtmarkt. Mit dem Pessimismus der anderen lässt sich Geld verdienen: Die amerikanischen Finanzwissenschaftler Werner De Bondt und Richard Thaler erzielten jahrelang überdurchschnittliche Renditen, indem sie ihr Depot systematisch mit den stärksten Verlierern der Vergangenheit bestückten.[15]

Doch lange gut geht so etwas nie. Wer auf das Unwissen seiner Mitmenschen setzt, sägt sich zwangsläufig den Ast ab, auf dem er sitzt. Auch das ist eine Rückkopplung: Sobald sich die Kunde vom

Erfolgsrezept verbreitet, wollen mehr und mehr Menschen es ausprobieren – und machen es damit zunichte. Ein Mauerblümchen, um das sich alle reißen, ist keines mehr.[16]

Erstaunlicherweise erfordert eine solche psychologische Dynamik nicht einmal Menschen. Der Wirtschaftswissenschaftler Brian Arthur vom Santa Fe Institute in New Mexico beobachtete ähnliche Entwicklungen, als er Computer miteinander handeln ließ.[17] Jeder Rechner war so programmiert, dass er möglichst große Gewinne erzielen sollte und dabei die Regeln, nach denen er investierte, selbsttätig ändern konnte. Nach einer Weile kaufte und verkaufte jede Maschine nach ihrem eigenen Rezept. Strategien, die sich nicht bewährten, verschwanden. Mehrheitsmeinungen bildeten sich heraus, wie am besten zu investieren sei; wer ihnen anhing, machte meist nur mittelmäßige Profite. Überdurchschnittlich viel heimsten Computer ein, die eine neue Taktik erfunden hatten und damit die anderen für eine Weile überraschten. Aber ihre Triumphe waren nicht von Dauer. Wenn die Wissenschaftler ein erfolgreiches Programm aus dem Verkehr zogen und es nach einem kleinen Urlaub wieder ins Rennen schickten, schlug es sich fast immer miserabel: In der Zwischenzeit hatten sich die anderen weiterentwickelt und handelten nun nach Strategien, auf die der einstige Sieger nicht eingestellt war.[18]

Das Buch «Narren des Zufalls» des Wall-Street-Insiders und Mathematikers Nassim Nicholas Taleb steckt voller Geschichten über abgehalfterte Börsenstars, die erst mit einer neuartigen Strategie Riesengewinne einfuhren, dann aber noch größere Summen verspielten, weil ihre Spekulation plötzlich nicht mehr aufging.[19] Selbst ein Soros ist davor nicht gefeit: Sechs Jahre nach seinem Coup gegen die Bank von England verlor er zwei Milliarden Dollar, als die Moskauer Börse wider Erwarten crashte.

Die Scheuklappen der Futurologen

Wenn Sie nicht mehr ganz jung sind, werden Sie sich an die alten Visionen vom Jahr 2000 erinnern. Mir zum Beispiel führten als pädagogisch wertvoll ausgezeichnete Kinderbücher vor Augen, wie ich als Fünfunddreißigjähriger leben würde: in einem technischen Paradies. In den Utopien der 1960er Jahre gleiten Menschen auf fliegenden Plattformen durch die Städte wie Aladdin im Disney-Film auf seinem Teppich. Bildung und Wohlstand sind allgegenwärtig, und der Hausputz wird selbstredend von Robotern erledigt.

Doch es war nicht die überschießende Phantasie von ein paar Kinderbuchautoren, die uns diese schönen Aussichten bescherte. Vielmehr konnten sich die Verfasser auf die Ergebnisse renommierter Forscher berufen. Futurologie war in den Jahren 1950 bis 1970 ein hochrespektables Fach, und nicht nur die amerikanische Regierung, sondern auch Konzerne wie das Münchner Rüstungsunternehmen Messerschmidt-Bölkow hielten sich riesige Stäbe, in denen Fachleute die Zukunft zu ergründen trachteten. Der Physiker Herman Kahn vom Hudson Institute bei New York war so etwas wie der unangefochtene Star der Szene; sein Buch «Ihr werdet es erleben», in dem er 1967 die Erkenntnisse einer Kommission der US-Regierung über das Jahr 2000 darstellte, stand in ungezählten Bücherschränken – auch in dem meiner Eltern.

Warum eigentlich finden wir die erneute Lektüre heute so komisch? Die Kommission sah die Entwicklung der Welt wie ein Schachspiel an, das nach den immer gleichen Regeln verläuft. Zutreffend sahen die Futurologen Faxgeräte und Mobiltelefone voraus. Auch kündigten sie jedem Haushalt eine Computerkonsole an, die mit einem zentralen Rechner verbunden sein sollte und vom Zugriff auf Bibliotheken über Kontoführung bis zur Hausaufgabenhilfe alles ermöglichen werde. Kahn und seine Kollegen haben also das Internet prophezeit – und sich doch in einem entscheidenden Punkt geirrt: Auf unseren Schreibtischen stehen eben nicht Konsolen, bestehend aus Bildschirm und Tastatur, die ohne Verbindung zum Zentralrechner wertlos sind, sondern vollwertige Computer, deren

Rechenleistung jedes IBM-Prunkstück aus Kahns Zeiten verblassen lässt. Anders als es sich die Zukunftsforscher ausmalten, eignen sich heutige PCs auch ohne Netzanschluss für alle möglichen Aufgaben vom Briefeschreiben bis zum Doom-Spielen. Dass die Kommission sich in diesem Punkt täuschte, erstaunt, denn sie beurteilte die Entwicklung der Elektronik ansonsten eher zu optimistisch. Ein Roboter, der beim Staubwischen keine Weingläser zerschlagen soll, benötigt viel mehr Rechenleistung als ein Gerät, mit dessen Hilfe man seine Steuererklärung ausfüllt.

Die Futurologen haben also die Technik einigermaßen richtig vorausgesehen, nicht aber die Weise, in der wir sie einsetzen würden. Als Kahns Buch erschien, gab es tatsächlich nur große Zentralrechner – mit Konsolen. Auf solchen Maschinen berechnete die NASA zum Beispiel die Mondflüge, die damals ständig im Fernsehen zu sehen waren. Nicht anders als die Finanzanalysten ihre Wechselkurse, so haben seinerzeit auch die Futurologen einfach gegenwärtige Entwicklungen eins zu eins in die Zukunft projiziert. In dem Bericht der Kommission findet sich denn auch eine weitergedachte Variante der Mondflüge: Bemannte Mondstationen und vor allem Behausungen auf dem Meeresgrund («vielleicht sogar Kolonien») würden im Jahr 2000 gang und gäbe sein. Nicht, dass dergleichen heute technisch unmöglich wäre. Nur interessiert sich keiner mehr dafür. Die Spielregeln haben sich geändert.

Der Einsatz von Computern ist ein gutes Beispiel für solche Rückwirkungen: Der Fortschritt der Elektronik brachte die Menschen dazu, ihre Rechner anders zu nutzen als zu Kahns Zeiten. Dies wiederum ließ die weitere Entwicklung der Technik einen anderen Lauf nehmen. Die Futurologen stecken also im selben Dilemma wie ein Börsenspekulant, dessen Strategie plötzlich nicht mehr aufgeht, weil sich das Verhalten der übrigen Anleger geändert hat. Beide ähneln Menschen, die mit verbundenen Augen ein Ikea-Regal aufbauen sollen: Sie besitzen alle Teile, tappen aber im Dunkeln, nach welchen Regeln sie zusammengehören. Einzig ein paar Zufallstreffer landen sie dann und wann.

Rührende Utopien

Für ihre Erfolgsquote in Sachen Technik müssen sich die Futurologen übrigens noch am wenigsten schämen: Knapp 30 von 100 «sehr wahrscheinlichen» Entwicklungen traten ein. Die Experten lagen jedoch umso weiter daneben, je mehr ihre Prognosen menschliches Verhalten betrafen.

Kahn und seinen Kollegen zufolge wären Japan, Schweden und die Schweiz im Jahr 2000 im Besitz der Atombombe gewesen, nur Indien hätte sich bei der nuklearen Bewaffnung zurückgehalten; es kam umgekehrt. Die Sowjetunion wäre heute noch immer eine Supermacht, Deutschland geteilt – und die DDR unter den zehn reichsten Ländern der Erde.

Für die kapitalistischen Länder hingegen, deren Wirtschaft heute weitgehend nach denselben Spielregeln wie damals funktioniert, sagte die Kommission das Nationaleinkommen zwar optimistisch, aber einigermaßen treffend voraus.[20] Umso mehr täuschte sie sich über unseren Lebensstil. Wären ihre Voraussagen eingetreten, hätten wir heute ein einziges ernsthaftes Problem: wie wir am besten unsere Freizeit verbringen sollen. Maschinen erzeugten, was wir brauchen, eine wohlwollende Bürokratie kümmerte sich um die Verteilung der Güter – aber die meisten Menschen hätten ohnehin längst ihr Vermögen gemacht. Arbeiten würden wir nur noch aus Freude; was Stress und das Leid ungewollter Arbeitslosigkeit bedeuten, hätten wir längst vergessen. Das Leben wäre vor allem ein Genuss – wie es sich Kahns Zeitgenossen, die Hippies, erträumten.

Die Umweltbewegung, die Flüchtlingsströme in der Dritten Welt, die Aids-Katastrophe: Nichts davon erahnten die Futurologen auch nur im Entferntesten. Sie scheiterten daran, dass sie nur in eine Richtung dachten und die Rückkopplungen vergaßen. Zum Beispiel ließ der zunehmende Wohlstand weltweit den Verkehr anschwellen; dieser beschwor den Widerstand gegen immer neue Auto- und Startbahnen herauf, beschleunigte aber auch die Verbreitung von Krankheitserregern wie dem Aids-Virus; die Seuche wiederum brachte die Wirtschaft ganzer afrikanischer Nationen ins Trudeln. Doch solche Folgen einer Folge einer Entwicklung vorherzusehen ist so unmöglich, wie dem Kreter Epimenides das Lügen nachzuweisen.

Der unmögliche Plan

«In den alten Zeiten, als das Wünschen noch geholfen hat...», so beginnen viele Märchen. Kahn und seine Kollegen wollten von solch resignierten Untertönen nichts wissen und hofften, die fast unbeschränkten Möglichkeiten der Technik würden märchenhafte Zustände wahr machen. Sie malten sich eine Gesellschaft aus, die sich weitgehend nach unseren Wünschen entwickelt. Aber in einer so komplexen Welt wie der unseren kann es ein geplantes Zusammenleben nicht geben.

Denn Planung verlangt jemanden, der plant – ein Gremium, dem alle wichtigen Informationen vorliegen und das auf dieser Basis die richtigen Entscheidungen trifft. Der österreichische Wirtschaftswissenschaftler Friedrich August Hayek hat überzeugend argumentiert, dass diese Aufgabe in jeder Gesellschaft unlösbar ist, die auch nur ein wenig komplizierter aufgebaut ist als ein Stammesvolk und in der sich die Menschen ihre Arbeit teilen.[21] Das gilt für Staaten, aber auch für Firmen und Gemeinden.

Nehmen wir einmal an, in einem Unternehmen verliefe alles nach Plan. In diesem Fall müsste die Konzernführung alle Informationen bekommen, die sie für ihre Entscheidungen braucht. Weil aber ein Manager allein nicht seine ganze Fabrik im Auge behalten kann, ist er auf das Wissen von Zuträgern angewiesen. Diese aber liefern ein verzerrtes Bild der Wirklichkeit – selbst wenn sie keine eigenen Interessen verfolgen, sorgen unvermeidliche Missverständnisse dafür, dass oben etwas anderes ankommt, als unten geschieht. Deswegen fallen Entscheidungen an der Realität vorbei; der Plan kann nie wie beabsichtigt umgesetzt werden.

Auch Computer, die alle Daten von jedem Schreibtisch aus abrufbar machen, helfen nicht aus diesem Dilemma, weil die Informationen aufbereitet und zusammengefasst werden müssen – andernfalls würden die Entscheider vor lauter Details die Zusammenhänge nicht mehr sehen. Doch dieser Schritt eröffnet erneut Interpretationsspielräume und damit Fehlerquellen. Noch verwickelter wird die Lage dadurch, dass selten eine Person allein Beschlüsse von Tragweite trifft. Im Führungsgremium prallen verschiedene Sichten der Wirklichkeit aufeinander; man handelt einen Kompromiss aus, der dem Problem nicht optimal gerecht werden kann. Wieder geschieht nicht das, was die Planer beabsichtigt hatten.

Zudem hat jeder Dreher in der Werkhalle ein Spezialwissen, das seinen Chefs fehlt. Ihm von zentraler Stelle vorzuschreiben, wie er seine Arbeit organisieren soll, wäre absurd, denn er selbst weiß es viel besser. Darf er jedoch über seine unmittelbaren Belange selbst bestimmen, kommt wiederum Unvorhersehbarkeit in das System – der Dreher beeinflusst mit seinen Entscheidungen seinerseits andere, die mit ihm zusammenarbeiten.

Doch es gibt keine Alternative. Je mehr Kompetenzen Manager an sich reißen, desto eher versagen sie – erst recht, wenn es um verzwicktere Zusammenhänge geht als die täglichen Abläufe an einer Werkbank. Die Planwirtschaften in den sozialistischen Staaten mussten selbst bei bester Absicht scheitern, weil die Planer Informationen nicht richtig auswerten konnten: Ein Ministerium in Moskau wird unmöglich die Übersicht darüber behalten, wie viele Schuhe Usbekistan braucht. Das können nur die Schuster und Schuhhändler vor Ort herausfinden; wenn sie es nicht dürfen, gibt es Schlangen vor den Geschäften und kalte Füße.

Selbst Tiere scheinen nach der Maxime zu handeln, dass Kommandowirtschaft sich nicht auszahlt. Heimkehrende Bienen geben die Koordinaten einer ergiebigen Nektarquelle dezentral durch den Schwänzeltanz an ihre Genossinnen weiter; eine Herde von Rothirschen setzt sich in Bewegung, wenn zwei Drittel der erwachsenen Tiere aufgestanden sind.[22] In den letzten Jahren haben Verhaltensforscher weitere Beispiele dafür entdeckt, wie Tiere gewissermaßen demokratisch zu Entscheidungen finden. Afrikanische Büffel etwa bestimmen ihre Marschroute aus den Kopfbewegungen der weiblichen Tiere: Der Mittelwert ihrer Blickrichtungen ist der Weg, den die Herde einschlägt.[23] Solche Abstimmungen sind den Befehlen eines Leittiers fast immer überlegen – selbst dann, wenn der Anführer erfahrener ist als alle anderen Mitglieder der Gruppe. Denn die Irrtümer eines Einzelnen fallen bei einem Mehrheitsbeschluss weniger ins Gewicht; vor allem aber hat die Gruppe mehr Informationen. Wie die englische Biologin Larissa Conradt gezeigt hat, überwiegt dieser Vorteil das Handicap, dass demokratische Entscheidungen länger dauern.[24]

Hochintelligente Wesen wie wir bezahlen allerdings einen weiteren Preis für die Einflussmöglichkeit jedes Einzelnen: Niemand kann wissen, was am Ende herauskommt. Büffel in der Gluthitze Afrikas mögen zwischen einem Weg zur Wasserstelle und einem in die Steppe vorhersehbar wählen, da alle mehr oder minder das Gleiche wollen – trinken. Unter Menschen aber verfolgt jeder eigene und vielfältige Interessen. Büffel können sich zudem nicht ausmalen, was in den Köpfen ihrer Artgenossen vorgehen mag; wir hingegen versuchen unablässig, die Gedanken anderer zu ergründen, weil wir uns einen Vorteil davon versprechen, ihnen um eine Nasenlänge voraus zu sein. So sind wir gefangen in einem ständigen Zirkel des Gedankenlesens und Vermutens, der unser Leben dem Zufall ausliefert. Doch dieser Kunst verdanken wir letztlich alle Errungenschaften, die unser Dasein angenehm und interessant gestalten. In einer Welt nach Plan wären wir niemals so weit gekommen.

TEIL II **WIRKUNG**

KAPITEL 6 SCHÖPFUNG OHNE PLAN
Warum allein der Zufall Neues hervorbringt

«Der Mensch ist ein Kind
der Mutter Natur und des Vaters Zufall.»
Stanisław Lem

Die kleinen Wunder sind oft die erstaunlichsten. Haben Sie einmal an einem Sommertag Libellen bei ihrem Paarungsflug zugesehen? Das Männchen packt mit einer Art Zange am Schwanzende seine Partnerin am Kopf. Sie wiederum hält sich mit den Vorderbeinen an seinem Hinterteil fest und biegt ihren Leib so, dass die beiden ein anmutiges Rad bilden. Die Körper ringförmig verbunden, gleitet das Paar dann durch die Luft. Mal ist der eine oben, mal der andere, während das Männchen den Samen in ihre Geschlechtsöffnung befördert.

Der Akt in der Luft ist eine mehr als akrobatische Leistung: Der Partner auf der Unterseite des Rads fliegt mit dem Bauch himmelwärts! Dazu sind Libellen anscheinend ohne Mühe imstande. Was diese handtellergroßen Insekten schon auf einem gewöhnlichen Jagdflug vollbringen, mag jedem Kunstflugpiloten die Neidesröte ins Gesicht treiben: Libellen können in der Luft stehen bleiben und sofort wieder auf Höchstgeschwindigkeit beschleunigen, um mit bis zu 40 Stundenkilometern die engsten Kurven zu fliegen. Mit Hilfe des Windes reisen sie von der Ostsee bis nach Island und legen dabei die unglaubliche Strecke von 4000 Kilometern zurück.[1]

Die vier Flügel, die diese Manöver ermöglichen, sind Meisterwerke der Natur. Dreizehn winzige Muskeln auf jeder Seite dienen dazu, die Schwingen in fast jede erdenkliche Form zu verstellen. Bei jedem Schlag verdrehen sie den Flügel, sodass sich winzige Luftwirbel bilden.[2] Diese sorgen für so viel Auftrieb, dass Libellen mit geringstem Energieaufwand abheben und dabei Lasten dreimal schwerer als ihr Eigengewicht tragen können, womit sie jedem Flugzeug überlegen sind. Auch den Leichtbau wird so bald kein Ingenieur der Libelle nachmachen: Die Flügel machen ein knappes Hundertstel des Abfluggewichts aus – beim Airbus dagegen mehr als ein Viertel.

Nicht das kleinste Detail im Körper der Libelle scheint dem Zufall überlassen zu sein. Unter dem Mikroskop sieht der Flügel der Libelle aus wie von einem Konstrukteur entworfen, der um jedes tausendstel Gramm gerungen hat. Die Flügel sind nicht eben, sondern in einem Zickzackmuster ähnlich dem Blasebalg einer Ziehharmonika gefaltet, was ihnen bei wenig Materialeinsatz hohe Festigkeit verleiht. Ein Fachwerk aus Röhrchen versteift die Tragfläche, dient aber zugleich als Blutbahn. Mancherorts hängen winzige Knubbel: Gegengewichte, die Unwuchten vermeiden. Das Tragwerk ist mit feinsten Membranen bespannt, die im Licht schillern. Damit sich an ihnen kein Blütenstaub festsetzen und den Luftstrom stören kann, sind sie mit einem Schmutz abweisenden Wachs überzogen.

Jede Faser des Organismus ist auf überragende Flugleistung getrimmt. Denn fast alles erledigt die Libelle in der Luft. Im Flug jagt, zerlegt und frisst sie andere Insekten; Männchen kämpfen fliegend um ihre Reviere, Weibchen werfen ihre Eier aus der Luft ab. Laufen kann eine erwachsene Libelle nicht mehr. Die sechs Beine sind zu einem Fangkorb umgebildet und mit Dornen bestückt, damit die Beute nicht entfliehen kann. Aus den vordersten Beinchen ist außerdem eine Art Scheibenwischer herausgewachsen, mit dem die Libelle ihre riesigen Komplexaugen putzt. In der Luft heißt sehen überleben.

All diesen Aufwand treibt die Natur für nur wenig mehr als drei Monate Leben: Eine erwachsene Libelle stirbt mit den letzten Tagen des Sommers. Wenn sie einen Partner gefunden und dafür gesorgt hat, dass aus befruchteten Eiern eine neue Generation heranwachsen kann, ist der ihr von der Evolution zugedachte Auftrag erfüllt.

Zufällige Wunder

Bei all ihrer Perfektion gehören die Libellen zu den ersten Tieren überhaupt, die sich in die Luft erhoben. Sie flogen schon vor den Zeiten der Dinosaurier umher; Fossilienfunde beweisen, dass sich der Körperbau der Libelle seit 330 Millionen Jahren kaum noch verändert hat. Offenbar ließ sich ihr Design nicht mehr nennenswert verbessern, nur kleiner sind die Tiere im Durchschnitt geworden. Zwischen den Sauriern kreisten Libellen mit Spannweiten von bis zu einem Meter.

Wie entstanden diese Wunderwerke des Lebens? Nach der Evolutionstheorie ist die Natur eine Meisterin des Zufalls. So sorgsam geplant ein Organismus wie die Libelle erscheint – Charles Darwin zufolge erzeugt allein wahlloses Experimentieren mit den Genen neue Geschöpfe; erst im Wettbewerb verschiedener Spielarten von Tieren und Pflanzen erweise sich, welche Kreaturen Bestand haben und welche wieder verschwinden. So seien von den ersten Einzellern ausgehend mit der Zeit immer ausgefeiltere Formen entstanden, bis zu einem so unfassbar komplizierten Gebilde wie dem menschlichen Gehirn, in dem mehr graue Zellen ihren Dienst tun, als eine Galaxis Sterne enthält.

So bewundernswert es ist, was die menschliche Kultur hervorgebracht hat – unsere Erfindungen verblassen neben denen der Natur. Darum wirft die Evolutionstheorie nicht nur Licht auf die Frage, woher wir Menschen und alle anderen Geschöpfe kommen. Sie zu kennen hat auch praktischen Wert. Wie die menschliche Gesellschaft, so muss auch die Natur die Probleme von Ungewissheit, Komplexität und Rückbezüglichkeit bewältigen. Mit den Strategien der Evolution hat sie dafür eine überragende Lösung gefunden, von der eine Menge zu lernen ist.

Menschliches Schaffen folgt ähnlichen Mustern. Auch Kreativität beruht auf planlosem Probieren, Kombinieren und Auswählen, den Prinzipien, nach denen die Evolution das Reich des Lebendigen gestaltete. In den letzten Jahren haben Forscher begonnen, von diesen Prinzipien in der Technik Gebrauch zu machen. Doch darin erschöpft sich ihre Anwendbarkeit nicht: Wann immer wir etwas Neues in die Welt setzen oder schlicht unser Leben ändern wollen, können wir das Wirken des Zufalls für unsere Zwecke nutzen.

Ganz leicht tun wir uns mit solchen Gedanken allerdings nicht. Wenn wir den Flügel einer Libelle betrachten, können wir dann wirklich glauben, ein solches Meisterstück entstehe in einem Spiel ohne Plan? Auch Wissenschaftler hatten und haben ihre Schwierigkeiten mit Darwins Lehre. Der englische Astronom Fred Hoyle zum Beispiel, der das Wort «Urknall» für den Beginn des Universums erfand, gehörte zu den einfallsreichsten Forschern des 20. Jahrhunderts; angesichts der Vorstellung aber, dass sich auch nur ein Einzeller von selbst aus Eiweiß, Fett und Wasser zusammengesetzt habe, überkam ihn Ratlosigkeit. Das, spottete er, sei ungefähr so wahrscheinlich wie «der zufällige Zusammenbau eines zerschellten Jumbojets, wenn der Sturm über die Trümmer fegt».[3]

Die Frage, wie das Leben entstand und sich entwickelte, versuchen Menschen von jeher mit dem Wirken einer schöpferischen Intelligenz zu beantworten; Hoyle glaubte übrigens, Kometen oder Meteoriten hätten die ersten Lebenskeime aus den Fernen des Weltraums auf die Erde getragen.

Evolution durch Bodybuilding?

Aber schon im Jahr 1809 hatte der adelige Pariser Zoologe Jean-Baptiste Chevalier de Lamarck eine andere und wegweisende Lösung des Rätsels ersonnen: Nicht höhere Mächte, sondern die Geschöpfe selbst hätten die Vielfalt des Lebens hervorgebracht. Indem er so den Schauplatz der Schöpfungsgeschichte vom Paradies auf die Erde verlagerte, machte sich der Edelmann zum Vater der Evolutionstheorie.

Seine Gedankengänge bereiteten Darwin den Weg. Weil sie obendrein unterhaltsam und ungeheuer plausibel sind, lohnt es, sich kurz mit ihnen zu befassen – auch wenn Lamarck die Wahrheit haarscharf verfehlt hat.

Als treibende Kraft hinter der Entwicklung der Natur sah Lamarck das Streben aller Wesen, sich zu verbessern. Um im Leben Erfolg zu haben, hätten die Tiere ihren Körperbau durch «tätigen Gebrauch ihrer Organe» weiterentwickelt. Die Libellen würden demnach die fast perfekte Architektur ihrer Flügel eifrigem Fliegen verdanken – die Evolution als Bodybuilding. Von Lamarck selbst stammt das Beispiel der Giraffen: Diese hätten sich lange Hälse zugelegt, indem sie sich nach Blättern in den Baumkronen reckten.[4]

Damit solche Errungenschaften, mühsam erworben, nicht verloren gehen, würden sie an die Nachkommen vererbt, glaubte Lamarck.

Das klingt plausibel. Wenn Sie beim Smalltalk auf Ihrer nächsten Party einen kleinen Versuch machen, werden Sie feststellen, dass die meisten Ihrer Zeitgenossen noch immer ähnlich denken. Wie der Maulwurf zu seiner Stupsnase oder eben die Giraffe zu ihrem Hals kam, erklären sie sich so: Die Geschöpfe hätten sich im Laufe der Zeit eben zugelegt, was sie zum Leben brauchten, und dann die Ausstattung von einer Generation zur nächsten weitergegeben. Nicht anders wird übrigens der verbreitete Mythos begründet, kulturelle Eigenheiten wie der norddeutsche Gleichmut oder die bayerische Rauflust hätten sich in den Genen dieser Volksgruppen niedergeschlagen.

Lamarck hatte die richtige Idee, die Ursache für die Entfaltung der Schöpfung im irdischen Leben selbst zu suchen. Darin allerdings, wie er sich diese Entwicklung vorstellte, irrte er. Denn nach seiner Überzeugung benimmt sich die Natur in jedem ihrer Schritte vernünftig, der Zufall hat keinen Raum. Aber woher sollte die Natur Vernunft haben?

Ein Vampir als Lehrmeister

Dass Lamarck sich täuschte, war dem jungen Charles Darwin klar geworden, als er im Jahr 1835 seine Erkundungen auf den Galapagos-Inseln begann. Nur wenige Tier- und Pflanzengattungen fand Darwin auf diesen entlegenen Vulkaninseln im Pazifik vor, diese aber in verwirrend vielen Abwandlungen. «Jede Insel scheint ihre eigene Schildkrötenart zu haben», notierte er.

Besonders erstaunte den jungen Forscher die Vielfalt der Finken, von denen ihm auf dem südamerikanischen Kontinent nur eine einzige Art begegnet war. Hier zählte er mehr als ein Dutzend Spezies, alle unterschiedlich in ihrem Gefieder, in der Form ihres Schnabels, in ihrem Verhalten. Die großen und kleinen Grundfinken etwa leben davon, mit ihren papageienartigen Schnäbeln Samen zu knacken. Der Spechtfink kann mit Werkzeugen umgehen: Er greift Kakteendornen mit seinem Stocherschnabel und bohrt damit in morschem Holz nach Larven. Und der spitzschnäbelige Grundfink, auch Vampirfink genannt, ernährt sich gewöhnlich von Körnern und Insekten, zapft aber auf einer Insel auch das Blut von Seevögeln an.[5]

Die Schnabelformen scheinen wie gemacht für die Futtersuche, die jede Art bevorzugt. Auf den ersten Blick konnte Darwin also glauben, die Tiere hätten sich tatsächlich zielstrebig zu ihrem Vorteil entwickelt, wie Lamarck es behauptete. Doch als Darwin die Lebensräume genauer untersuchte, machte er irritierende Entdeckungen. Der Vampirfink etwa gedeiht in Dürrezonen prächtig. Warum aber lebt dieser Vogel dann längst nicht auf allen trockenen Inseln, für deren Umwelt er angepasst ist? Man findet den Vampirfinken nur dort, wo sich der kleine Grundfink nicht niedergelassen hat. Hierfür bietet Lamarcks Theorie keine Erklärung.

Mehr noch: Auf den verschiedenen Inseln kommt der Vampirfink, wie andere Arten auch, in Abwandlungen vor. Je nach Herkunft haben die Tiere verschiedene Farben und mal größere, mal kleinere Schnäbel. Diese Variationen verschaffen den Vampirfinken allerdings keinen erkennbaren Vorteil. Ginge es nur um optimale

Anpassung an die Umwelt, gäbe es für solche Extravaganzen nicht den geringsten Anlass.

Diese Befunde regten Darwin zum wichtigsten Gedanken seiner Evolutionstheorie an: Die Natur experimentiert wahllos mit neuen Formen. Als die ersten Finken vom südamerikanischen Festland die gerade entstandenen Galapagos-Inseln erreichten, boten sich ihnen fast unbegrenzte Möglichkeiten. Entstand nun durch eine zufällige Veränderung im Erbgut ein Fink mit einem nie da gewesenen Schnabel, konnte sich der Vogel Nahrungsquellen erschließen, die den anderen verschlossen waren. Er vermehrte sich und gab die neue Körperform an seine Nachkommen weiter. Die Tiere entwickelten also nicht ihren Körperbau nach ihren Fressgewohnheiten, wie Lamarck dachte, sondern genau umgekehrt.

Doch oft machten noch besser angepasste Geschöpfe den Neuerscheinungen ihren Rang streitig. Dann musste das unterlegene Modell verschwinden, weil es sich eben nicht gezielt weiterentwickeln konnte. Deshalb kann zum Beispiel der Vampirfink nicht auf Inseln existieren, wo ihm der kleine Grundfink die Nahrung wegfrisst. Der Wettbewerb entscheidet also, welche Geschöpfe sich durchsetzen. Manchmal ist aber eine Lösung so gut wie die andere, in diesem Fall können beide überdauern. Darum existieren Finken mit einer ganzen Kollektion von Gefiederfarben und Schnäbeln, obwohl so viel Abwechslung für das Überleben eigentlich nutzlos ist.

Darwin erklärte die Vielfalt in der Natur mit dem Zufall: Kein einziges ihrer Geschöpfe, keine einzige menschliche Eigenschaft ist geplant. Was immer die Evolution hervorbrachte, entstand ohne Ziel und ohne Absicht – vor allem aber ohne den Ehrgeiz, eine optimale Lösung zu finden. Überlebensfähig zu sein ist alles, was zählt. Darum führt es in die Irre zu glauben, die Naturgeschichte könne alle unsere Eigenschaften erklären. Für viele Merkmale gibt es keine andere Begründung als die, dass sie einmal durch Zufall entstanden, sich als brauchbar oder zumindest nicht hinderlich erwiesen und blieben: Wir sind so, weil wir eben so sind. Schließlich behauptet sich ein Mensch mit blauen Augen nicht besser, aber auch nicht schlechter als andere mit ihrer braunen oder grünen Iris.

Tod eines Hoffnungsvollen

Aber wer sieht sich schon gerne als Produkt des Zufalls? Wir sind von der Natur darauf geeicht, zielgerichtet zu handeln. Schon deswegen können wir uns schwer mit dem Gedanken anfreunden, dass die Natur selbst ganz anders vorging, dass wir unsere Existenz und unser Wesen einem guten Teil wahllosem Herumprobieren verdanken.

Unser Unwohlsein angesichts der Darwin'schen Lehre hat allerdings einen weiteren, vielleicht noch stärkeren Grund: Sie läuft unserer Hoffnung auf eine bessere Welt zuwider. Schließlich wissen wir um unsere weniger angenehmen Züge und bemühen uns ständig, sie in den Griff zu bekommen. Wir wünschen uns sehnlich, die Früchte dieser Anstrengungen wären von Dauer und wir könnten sie an unsere Kinder weitergeben. Doch dann beobachten wir, wie sich unser Nachwuchs mit demselben Jähzorn oder derselben Schüchternheit plagt, die wir selbst mehr oder minder erfolgreich bekämpft haben. Darwin erklärt uns, dass dies so sein muss. Denn es gibt für uns keinen Weg, die genetische Ausstattung, mit der wir geboren werden, zu ändern; das ist den unvorhersehbaren Kräften von Mutation und Selektion vorbehalten. Selbst wenn man der Naturwissenschaft aufgeschlossen gegenübersteht, kann man eine solche Einsicht deprimierend finden.

All diese Einwände gegen Darwins Lehre vereinten sich im Denken Paul Kammerers. Der Wiener Biologe gehörte zu den letzten und zugleich vehementesten Verfechtern der Behauptung Lamarcks, gute Gewohnheiten könnten unser Erbgut verändern. Er hoffte auf die Verbesserung des Menschen durch seine Gene. Zu diesem Glauben an ein planvolles Vorgehen der Natur scheint zu passen, dass Kammerer sich zugleich intensiv mit Zufällen und Gesetzmäßigkeiten im Alltag beschäftigte. In einem monumentalen Werk namens «Das Gesetz der Serie» legte er dar, warum Begebenheiten im Alltag ähnliche Ereignisse nach sich ziehen müssten, und garnierte seine Überlegungen mit einer Fülle von Beispielen aus dem eigenen Leben. So wollte der Forscher nicht an einen Zufall glauben, wenn er mit der Straßenbahnlinie 19 ins Theater gefahren war und dort einen Platz in der 19. Reihe ergatterte.

Als engagierter Sozialist vermutete Kammerer einen verborgenen Sinn nicht nur im täglichen Geschehen, sondern auch in der Geschichte der Menschheit. Und dieser vermittele sich über die Gene. «Wenn einmal erworbene Merkmale nicht weitergegeben werden können, wie es heute die meisten Naturforscher behaupten, dann ist kein echter Fortschritt möglich», schrieb er.[6] «Der Mensch lebt und leidet umsonst. Was immer er in seinem Leben erreicht hat, stirbt mit ihm. Seine Kinder und deren Kinder müssen immer wieder von vorne anfangen. (...) Wenn aber einmal erworbene Merkmale gelegentlich vererbt werden können, dann sind wir offensichtlich nicht mehr nur Sklaven der Vergangenheit, sondern auch Kapitäne unserer Zukunft. Wir können uns dann im Lauf der Zeit zu einem gewissen Grad von unseren schweren Lasten befreien und zu immer höheren Sphären der Entwicklung aufsteigen. Von Erziehung und Zivilisation, Hygiene und sozialen Errungenschaften profitiert dann nicht mehr nur allein das Individuum, sondern jede Handlung, jedes Wort, sogar jeder Gedanke hinterlässt Spuren in der nächsten Generation.»

Um diese Ansicht zu erhärten, stellte Kammerer Laborexperimente mit Geburtshelferkröten an. Er hielt die natürlicherweise an Land lebenden Tiere im Wasser. Nach kurzer Zeit glaubte der Forscher zu beobachten, dass den Männchen Daumenschwielen gewachsen waren, um die glitschigen Weibchen bei der Paarung festzuhalten. Als er das Merkmal auch bei den Kröten der nächsten Generation wieder fand, sah er die Lamarck'sche Vererbungslehre bestätigt. Im revolutionären Russland fand diese Nachricht besonderen Anklang; 1925 berief die Moskauer Universität Kammerer auf einen Lehrstuhl. Bald nach dem Umzug stellte sich allerdings heraus, dass die angeblichen Brunftschwielen aufgemalt waren – jemand hatte Tusche unter die Haut der Kröten gespritzt. Kammerer bestritt, von den Machenschaften in seinem Labor gewusst zu haben, und beschuldigte seine Assistenten. (Ein späterer sowjetischer Film zeigte den Biologen als Opfer einer kapitalistischen Verschwörung.)

Als niemand ihm glaubte, entschloss er sich zu einem schrecklichen Ende. Er vermachte seine wertvolle Bibliothek der Moskauer Universität, seinen Körper dem anatomischen Institut in Wien und erschoss sich im Alter von 46 Jahren mit einem Revolver.

Ein Buch, in das man nicht schreiben kann

Kammerer war gegen Naturgesetze angerannt, die schon zu seiner Zeit fast kein Biologe mehr bezweifelte. Denn seit Darwin seine Schlüsse aus den Galapagos-Studien veröffentlicht hatte, sprachen ungezählte Naturbeobachtungen gegen Lamarck, keine für ihn. Heute fällt die Beweislage noch eindeutiger aus. Seit nämlich die Wissenschaftler Mitte des vergangenen Jahrhunderts die Struktur der Erbsubstanz entschlüsselten, kennen wir auch den Grund, warum Giraffen ihre Hälse oder Libellen ihre Flügel niemals durch sportliche Höchstleistungen erlangen können: Wie ein Körper heranwächst und funktioniert, wird von einem Bauplan bestimmt – den Genen. Und diese Erbinformation kann der Organismus nicht gezielt ändern.[7]

Im Kern jeder Körperzelle sitzt die Erbsubstanz DNS (Desoxyribonukleinsäure). Auf diesem schraubenartig gewundenen Riesenmolekül sind alle Erbanlagen gespeichert. Die DNS trägt also die Gene. Wann immer der Körper diese Information braucht – etwa wenn ein Organ wächst, aber auch bei ganz gewöhnlichen Stoffwechselvorgängen –, muss sie von der DNS abgelesen werden. Das leistet eine Reihe von Kopiermolekülen, deren Aktivität letztlich stets darauf hinausläuft, ein Protein (Eiweiß) herzustellen. Proteine sind die Arbeitstiere der Zelle. Sie sind immer nötig, wenn Stoffe umgesetzt werden sollen – ob zum Wachstum neuer Strukturen, zur Energiegewinnung oder zur Abwehr eines Krankheitserregers. Für so gut wie jede Aufgabe im Organismus hat die Natur spezielle Proteine erfunden; im menschlichen Körper gibt es vermutlich mehrere hunderttausend davon, niemand kennt die genaue Zahl. Ihr Aufbau ist in den Genen codiert; der Bauplan ist in der Anordnung bestimmter Moleküle, der so genannten Basen, auf dem DNS-Strang festgeschrieben. Von dort fließt die Information zu den Proteinen, die das genetische Drehbuch im Körper umsetzen.

Geht es auch andersherum? Wenn sich erworbene Merkmale im Erbgut niederschlagen könnten, wie Lamarck es behauptete, müsste die Information irgendwie dorthin gelangen. Dazu müssten die Proteine oder andere Stoffe in der Zelle die Erbsubstanz gezielt verändern können. Das ist aber unmöglich. Die Kette der Botenstoffe zwischen Erbanlagen und Proteinen reicht Information nur in eine Richtung weiter: von der Erbsubstanz zu den Proteinen, niemals umgekehrt. Zwar werden im Laufe der Entwicklung eines Organismus Gene an- und abgeschaltet, die Erbinformation selbst, also die Abfolge der Basen, bleibt davon jedoch unberührt. Die DNS gleicht einem Buch, in dem man nur lesen, in das man aber nicht schreiben kann.[8]

Die Natur hat Basteleien am Erbgut aus gutem Grund verhindert. Die Gene spielen eine dermaßen zentrale Rolle bei der Steuerung aller Vorgänge des Lebens, dass Herumspielen damit sehr leicht den Tod bedeuten kann. Dem hat die Evolution vorgebaut, so gut es ging. Nicht nur hat sie die Erbinformationen gewissermaßen schreibgeschützt, sondern in der Zelle steht auch eine ganze Kaskade von Reparaturmechanismen bereit. Sie sollen den alten Zustand sofort wiederherstellen, falls ein Unfall, etwa der Angriff einer aggressiven Umweltchemikalie, das Erbgut beschädigt hat. Versagen diese Reparaturmechanismen, kann Krebs die Folge sein.

Wenn so viel auf dem Spiel steht, ist es fast immer besser, auf unerprobte Neuerungen zu verzichten und es beim Bewährten zu lassen. Der Status quo mag vielleicht nicht ideal sein, funktioniert dafür jedoch einigermaßen sicher. So müssen die Organismen mit den Genen vorlieb nehmen, die sie nun einmal haben. Die Natur ist konservativ.

Nützliche Unfälle

Und doch besiedeln 1,75 Millionen der Wissenschaft bekannte Tier- und Pflanzenarten die Erde; die Gesamtzahl wird auf das Zehnfache geschätzt.[9] Wenn Darwin Recht hat, stammen sie alle von gemeinsamen Ahnen ab. Irgendwann müssen also ihre Gene begonnen haben, sich voneinander zu unterscheiden. Wie konnten sie das?

Die Vielfalt in der Natur entsteht, indem die Evolution das Beste aus Unglücken macht – sie nutzt den Zufall als Ausgangspunkt für Neues. Zellen vermehren sich, indem sie sich teilen. Dabei muss auch die Erbsubstanz sich verdoppeln, und nicht immer ist die Kopie originalgetreu. Häufig treten punktuelle Lesefehler an einzelnen Basen auf, aber auch ganze Gensequenzen können sich verändern, verloren gehen oder am falschen Platz wieder auftauchen; manchmal werden Bruchstücke sogar verkehrt herum in die neue DNS eingebaut. Solche Irrtümer sind zufällig. Die meisten ergeben sich allein daraus, dass Atome nie in Ruhe sind, sondern sich ständig leicht bewegen; dieses unkontrollierte Zittern fällt umso heftiger aus, je höher die Temperatur ist. Ebenso können jedoch äußere Einflüsse wie Giftstoffe oder energiereiche Strahlen die Erbinformation beschädigen.

Erstaunlich viele solcher Mutationen bleiben folgenlos, denn das Erbgut enthält eine Menge sinnlosen Text, den der Organismus zum Funktionieren nicht braucht. Treten Pannen in Ei- und Samenzellen auf, werden diese meist unbrauchbar, oder der Embryo stirbt kurz nach der Befruchtung ab. Gelegentlich aber versagt die innere Qualitätskontrolle der Zelle, und eine Mutation wird an die nächste Generation weitergegeben. Dann kann etwa ein Baby zur Welt kommen, das an einer Erbkrankheit leidet. In sehr seltenen Fällen aber erweist sich der Fehler im Erbgut als Vorteil: Die Natur hat durch Zufall ein Kind geschaffen, das seinen Eltern genetisch überlegen ist und dieses Merkmal an die eigenen Nachkommen weitergeben kann.

Viele Verbesserungen bleiben dem Auge verborgen – etwa wenn

die Zellen des mutierten Geschöpfs bestimmte Zucker wirkungsvoller in Energie umsetzen. Die spektakulärsten Mutationen dagegen können den Bau eines ganzes Organismus verwandeln. Solchen zufälligen Änderungen im Erbgut verdanken es unsere biologischen Ahnen, dass Fische an Land gingen oder dass sich bei Primaten der große Zeh von der Vorderpfote abspreizte und zum beweglichen Daumen wurde, der geschicktes Greifen erlaubte.[10]

Bei derartigen Ereignissen klingt der populäre Spruch «kleine Ursache, große Wirkung» noch untertrieben: Geringste Verschiebungen zwischen den Atomen der Erbsubstanz äußern sich billionenfach vergrößert darin, wie ein ganzer Körper funktioniert – und bestimmen sein Aussehen. Wenn das neuartige Geschöpf überlebt, ist in ihm und in all seinen Nachkommen die Wirkung dieses Zufalls fixiert.

Zu neuen Ufern

Eine Fliege ist, verglichen mit der Libelle, ein plumpes Geschöpf. Sie sieht nicht nur unscheinbarer aus, sondern fliegt auch weniger wendig und nicht einmal halb so schnell. Trotzdem muss die Fliege pro Minute fünfmal öfter mit den Flügeln schlagen als die viel größere Libelle. Deshalb sirren Fliegen, während das gemächliche Flattern der Libelle für den Menschen fast unhörbar ist. Ihre überlegene Konstruktion versetzt die Libelle in die Lage, jede ihrer vier Schwingen mit Muskeln einzeln anzusteuern und in alle Richtungen optimal einzustellen. Die Fliege dagegen hat nur zwei Flügel, die nicht direkt mit den Antriebsmuskeln verbunden sind. Wenn das Insekt abheben will, muss es seine Rückenplatte bewegen; dann schlagen die Flügel wie ein nasses Handtuch auf und ab.

Man könnte vermuten, die Fliege sei ein wenig ausgereifter Vorläufer der Libelle gewesen, ein Prototyp der Evolution. Doch die wahre Reihenfolge ist umgekehrt: Libellen sind bis heute fast baugleich mit den ersten Insekten der Lüfte; Fliegen haben sich mindestens 100 Millionen Jahre später aus einem gemeinsamen, den heutigen Libellen ähnlichen Vorgänger entwickelt – zu einem hässlichen, aber höchst erfolgreichen Wesen.

Auf dem Weg zur Fliege ist das Konstruktionsprinzip der Libelle mit seiner überragenden Flugleistung verloren gegangen.[11] Die Evolution hat einen Gipfel, der schon erreicht war, wieder verlassen, doch dafür ein Insekt hervorgebracht, das äußerst robust und anpassungsfähig ist. Heute stammt, zu unser aller Leid, jedes zweite Insekt aus der Großgruppe der Fliegen. (Auch die Mücken zählen dazu.) Die Libelle dagegen führt eine Randexistenz an ein paar noch nicht betonierten Flussufern.

Nur weil die Evolution zufällig verläuft, war dies möglich. Würde die Natur nämlich zielstrebig die beste Lösung verfolgen, wäre die Entwicklung der Insekten in eine Sackgasse gelaufen. Denn wie soll man ein Wunderwerk wie die Libelle noch weiter verbessern? Wer auf einem Gipfel steht und noch höher hinaus will, muss erst einmal wieder absteigen. Aber in welche Richtung? Die Libelle vor 300 Millionen Jahren konnte nicht wissen, dass ein Insekt mit nur einem Doppelflügel ihr in ferner Zukunft überlegen sein würde. Die Natur hat keinen Weitblick. So bleibt nur, wahllos Schritte irgendwohin zu versuchen. Genau das geschieht, wenn sich durch Zufall im Erbgut etwas verändert.

Die allermeisten Experimente ergeben Wesen, die nicht überlebensfähig sind. Doch mitunter gleicht ein Erfolg, wie ihn Verbessern nach Plan niemals hätte hervorbringen können, alle Fehlschläge aus. Ohne Erfindungen nach dem Zufallsprinzip träte die Evolution auf der Stelle.

Dass sich Fortschritt nicht planen lässt, erfahren wir auch in der Kultur und in der Technik. Als etwa Guglielmo Marconi das Radio erfand, sah er darin nicht mehr als einen Ersatz für das Telefon. Es sollte dort zum Einsatz kommen, wohin man keine Leitungen legen konnte – auf Schiffen zum Beispiel. Handys und Satellitenfernsehen, die auf seiner Erfindung beruhen, konnte er nicht voraussehen.

Und die Vorstände des Büromaschinenherstellers IBM waren gar nicht angetan, als ihre Ingenieure in den vierziger Jahren des letzten Jahrhunderts an den ersten Elektronenrechnern herumlöteten. Sie sahen in dem neuen Produkt eine kapitale Fehlinvestition, weil sie dachten, die Welt hätte Bedarf nur für ein gutes Dutzend Computer. So setzten die IBM-Manager alles daran, statt des revolutionären Elektronenrechners ihre Schreibmaschinen weiter zu verbessern. Schließlich geriet der Konzern in Schwierigkeiten, weil er den Trend zu Mikrocomputern verschlief. Doch man kann es den IBM-Vorständen schwer verdenken: Eine optimierte Schreibmaschine, die sich hunderttausendfach verkauft, bringt sofort Nutzen für das Unternehmen. Elektronenrechner in Kinderschuhen dagegen waren seinerzeit eine höchst zweifelhafte Entwicklung, die jahrelang Geld verschlingen würde, bis sie Profit abwarf – wenn überhaupt.

Evolution nach Plan hätte uns bessere Schreibmaschinen, keine Computer beschert – und keine Fliegen, sondern allenfalls noch ein wenig raffiniertere Libellen.

Im Bastelkeller der Natur

Die Stacheln des Stachelschweins entstanden aus Haaren, mit denen sich die Vorfahren dieses Tiers wärmten. Und die Knöchelchen, die in den Gehörgängen aller Säugetiere Schallwellen verstärken, gingen aus Knochen im Gelenk des Reptilienkiefers hervor.[12] Die Natur schafft neue Formen keineswegs aus dem Nichts. Sie bedient sich des Vorhandenen und wandelt es nach Belieben ab – der Pelz wird Waffe, das Mordwerkzeug Sinnesorgan. «Evolution ist Basteln», pflegte der französische Genetiker François Jacob zu sagen.[13]

Wie geht die Natur den Weg vom Gebiss zum Ohrknöchelchen? Selten in einem einzigen Schritt. Auch darin verhält sich die Evolution anders, als es uns plausibel erscheint. Wir neigen der Vorstellung zu, um etwas Großes zu erreichen, brauchte es die zündende Idee, einen mutigen Schritt. Doch große Würfe gab es in der Naturgeschichte selten. Im Gegenteil: Die Evolution ist höchst kurzsichtig und pragmatisch. Wichtige Veränderungen des Körperbaus sind fast immer das Ergebnis sehr vieler Zufälle gewesen – in ihnen zeigt sich die Wirkung etlicher aufeinander folgender Mutationen.

Der kürzlich verstorbene englische Evolutionsbiologe John Maynard Smith hat diesen Prozess an dem Beispiel verdeutlicht, wie der Elefant zu seinem Rüssel kam. Elefanten sind die letzten Abkömmlinge der einst zahlreichen Gemeinschaft von Tieren mit großen Stoßzähnen. Knochenfunden zufolge wuchsen die Hauer bei manchen Arten (anders als bei den heutigen Elefanten) aus dem Unterkiefer heraus und bildeten eine regelrechte Schaufel, mit der die Urzeitriesen wohl nahrhafte Wurzeln aus der Erde gruben. War einem solchen Tier durch zufällige Mutation eine etwas längere Nase gewachsen, konnte es sich mit diesem Werkzeug das Futter besser über die Schaufel ins Maul schieben.[14] Ein Nachkomme einer Langnase, der durch eine weitere Mutation eine noch längere Nase bekommen hatte, war noch mehr im Vorteil, und so ging es weiter. Für diese Interpretation spricht, dass in anderen Tiergruppen unabhängig ähnliche Entwicklungen vonstatten gingen: So besitzen auch Tapire, Seeelefanten und das afrikanische Rotschulterrüsselhündchen verlängerte Nasen, die ihnen als Werkzeug dienen und die vermutlich den Zwischenstadien in der Evolution des Elefantenrüssels entsprechen.

Bei den Urelefanten wurde die Grabeschaufel irgendwann überflüssig und verschwand, der Rüssel aber bewährte sich auch allein dabei, Nahrung in den Mund zu befördern. Heute ist der Elefantenrüssel ein wahrer Alleskönner: Die Tiere trinken und trompeten damit, Bullen setzen ihn als Waffe bei ihren Kämpfen ein. Und wenn sie einander begrüßen oder liebkosen wollen, schlingen Elefanten ihre Rüssel ineinander.[15] Doch für den Weg von der Nase zum Universalwerkzeug brauchte es Millionen Jahre und sehr viele zufällige Mutationen. Das Glück, über einen brauchbaren Organismus zu verfügen, muss sich in winzigen Splittern über Generationen hinweg ansammeln.

Warum wir zehn Finger haben

Wer sich nicht anpassen kann, tritt von der Bühne der Welt schnell ab. Wer aber zu viel herumprobiert, gefährdet ebenfalls seine Chancen auf Nachkommen. Denn jeder Erfolg der Evolution ist ein Zufallstreffer und wird mit vielen Totgeburten erkauft. Aus diesem Dilemma hat die Natur einen genialen Ausweg gefunden: Sie lenkt den Zufall mit speziellen Genen in Bahnen. So erschwert sie allzu riskante Versuche – und ermöglicht zugleich mit geringem Aufwand weit reichende Veränderungen.

Haben Sie sich einmal gefragt, warum alle Tiere einander ähneln? Ob Skorpion, Aal oder Pfau – sie alle haben einen symmetrischen Körper, einen Kopf mit einer Fressöffnung an einem Ende und einen Schwanz am anderen, sie sind mit einem Herz ausgestattet, mit Augen und Darm.

Dabei könnte die Natur nach Darwin ausprobieren, was sie will, nur lebenstüchtig müssten ihre Geschöpfe sein. Aber noch nie wurde ein Lurch gesehen, der sowohl mit Beinen als auch mit Flossen versehen ist, um sich an Land ebenso flott zu bewegen wie unter Wasser. Auch gab es kein Pferd mit vier Augen für einen besseren Rundblick (und vielleicht einem fünften am Schwanz), und noch nicht einmal zwölffingrige Affen – obwohl kein Gesetz der Evolutionstheorie die Entstehung all dieser Arten verbietet.

Es waren sonderbar verunstaltete Fliegen, die Forscher der Lösung dieses Rätsels näher brachten. Immer wieder beobachteten Genetiker Exemplare ihres liebsten Versuchstiers, der Fruchtfliege Drosophila, die aussahen wie zerlegt und falsch wieder zusammengebaut. Einige hatten Flügel anstelle der Augen, anderen wuchsen Beine, wo Fühler hätten sein sollen. Wieder andere besaßen wie Libellen ein zweites Flügelpaar. Ein Zufallsfehler im Erbcode musste den Insekten einen völlig anderen Körperbau verschafft haben.

In den 1980er Jahren entdeckten Molekularbiologen schließlich in den Eizellen von Fruchtfliegen eine Gruppe von Genen, die sich als eine Art Grundriss erwiesen: Sie sorgen dafür, dass den Fliegen an den richtigen Stellen die richtigen Organe wachsen; jedes Gen ist für einen bestimmten Körperteil zuständig. Während die Larve – vom Kopf her, wie alle Embryos – zu reifen beginnt, treten nacheinander die so genannten Hox-Gene in Aktion und unterteilen den sich bildenden Organismus auf chemischem Wege in Bauabschnitte.[16] In den Partien, aus denen der Kopf wachsen soll, bewirken sie die Ausschüttung anderer Signalproteine als im Rumpf oder am späteren Schwanz. Diese Proteine wiederum starten die Entwicklungsprogramme für die einzelnen Körperteile und aktivieren untergeordnete Gene, die Rumpfsegmente, Beine oder Flügel wachsen lassen.

Geraten die Hox-Gene durch Zufall durcheinander, entstehen missgestaltete Fliegen, wie sie die Molekularbiologen auf die Spur des evolutionären Werkzeugkastens gebracht haben. Schnell lernten die Forscher, durch Vertauschen dieser Gensequenzen Zombies mit Beinen auf dem Kopf oder Flügeln anstelle der Augen planvoll zu züchten. Jede kleine Änderung im Hox-Bauplan ergab ein neuartiges – und häufig lebensfähiges – Insekt.

Größer noch war die Überraschung, als die Forscher auch bei anderen Tieren suchten und die gleichen Hox-Gene fanden. Ob in Würmern, Krebsen oder Affen – immer steuern diese Gene das allmähliche Wachstum des Embryos nach dem Baukastenprinzip. Je höher entwickelt allerdings ein Lebewesen ist, desto mehr Hox-Gene besitzt es: Während Fruchtfliegen mit 8 davon auskommen, besitzen Wirbeltiere, also auch der Mensch, 38.[17]

In ihrem Erbgut sind sich die Lebewesen also viel ähnlicher als lange gedacht. Was aber erzeugt die Unterschiede zwischen Würmern und Menschen? Die Antwort liegt offenbar zu einem wesentlichen Teil in dem Fahrplan, nach dem Hox-Gene während des Embryonalwachstums aktiv werden. Körper verzerren sich dramatisch, wenn sich bestimmte Hox-Gene etwas früher oder später ein- und ausschalten. Als Molekularbiologen diesen Ablauf bei Schlangen manipulierten, wuchsen den Kriechtieren Stummelfüße.[18] Schwäne, fand der Harvard-Biologe Cliff Tabin heraus, haben mehr Halswirbel und damit längere Hälse als Hühner, weil bei ihnen das entsprechende Hox-Gen länger den Körperbau kommandiert.

Sind so auch die Giraffen zu ihren langen Hälsen gekommen? Offenbar kann eine zufällige Änderung der Gene, die den Fahrplan des Hox-Programms steuern, neue Formen und Proportionen hervorbringen. Da die Architektengene jedoch die Entwicklung des Körpers in einzelne Bauabschnitte gliedern, bringt eine solche Änderung nicht gleich die Gesamtkonstruktion ins Wanken: Der Hals des Schwans streckt sich, ohne dass weitere Extremitäten in Mitleidenschaft gezogen werden. So vermag auch der Zufall die bewährten Grundrisse des Lebens nicht leicht in Frage zu stellen; experimentiert wird nur an den Details. Die Evolution ist konservativ und fortschrittsfreudig zugleich.

Die unsichtbare Hand des Fortschritts

Folgt menschliche Kreativität den gleichen Gesetzen wie die Evolution? Skeptiker mögen zu Recht auf Unterschiede zwischen Natur und Kultur aufmerksam machen: Information in den Genen und in der Gesellschaft wird auf unterschiedliche Arten verbreitet und abgewandelt. Dank Sprache und Schrift können Menschen Wissen über Tausende Jahre und Kilometer weitergeben; was dagegen die Evolution erfand, wird nur von Eltern auf ihre Kinder vererbt. Während sich das Erbgut nur zufällig verändert, lernen Menschen dazu: Ganz gezielt passen wir unser Wissen den Anforderungen des Lebens an. Der Fortschritt der Kultur funktioniert tatsächlich so, wie sich Lamarck das Wachstum der Giraffenhälse vorstellte.

Und schließlich liegt die Information auf unterschiedliche Weise gespeichert vor. Die Pläne des Lebens sind in den Genen verschlüsselt; sie müssen in der Zelle erst gelesen und in Körperformen und Verhalten übersetzt werden. Genetischer Code und Erscheinungsbild entsprechen sich nicht eins zu eins. Zwei blonde Eltern können ein rothaariges Baby bekommen; im Erbgut der Mutter oder des Vaters muss es irgendwo ein Gen für den roten Schopf gegeben haben, das zugunsten der blonden Haare unterdrückt war. In den Genen ist also nicht nur Information über ein Lebewesen, sondern auch über seine Vorfahren gespeichert. Und diese Daten bleiben unsichtbar.

Bei kultureller Information verhält sich das anders: Hier ist alles Wissen direkt zugänglich, es gibt keine verborgenen Pläne. Ein Musiker, der sich von «Yesterday» zu einer eigenen Komposition anregen lässt, hat nur den Beatles-Song selbst als Ausgangsmaterial – die Noten und die Stimme Paul McCartneys. Was sich die Beatles beim Komponieren von «Yesterday» gedacht haben mögen, wovon sie sich ihrerseits inspirieren ließen, ist für die Wirkung dieses Liedes nicht von Belang. So geht die Entwicklung einer Kultur weniger verschlungene Wege als die Evolution.[19]

Die Rolle des Zufalls aber ist bei beiden sehr ähnlich. Dies muss schon Charles Darwin bewusst gewesen sein, der sich die Ideen des Wirtschaftswissenschaftlers Adam Smith zum Vorbild nahm.[20] Wie Smith geht Darwin davon aus, dass durch das Experimentieren und den Wettbewerb vieler – in der Wirtschaft Unternehmer, in der Natur Lebewesen – wie durch eine «unsichtbare Hand» (Smith) von selbst und zum langfristigen Vorteil aller Ordnung entstehe. Auch die Begriffe «genetisch» und «Evolution», heute so zentral in der Naturforschung, kommen eigentlich aus der Kulturwissenschaft. Wilhelm von Humboldt gebrauchte sie bereits im Jahr 1836, um auf die gemeinsame Abkunft der europäischen Sprachen aus dem Indogermanischen hinzuweisen.[21] Damals war Darwin noch ein Unbekannter.

Natürliche wie kulturelle Entwicklung sind ein Spiel der Kombination. Hier wie dort entsteht Neues, indem bekanntes Ausgangsmaterial in überraschender Weise anders zusammengesetzt wird. Naturgeschichte und Kultur gehen schrittweise voran, und bei beiden sind die Ergebnisse meist nicht vorhersehbar. Beide verlaufen nicht zielgerichtet. Zwar wollen einzelne Menschen Ziele erreichen, doch die Geschichte als Ganzes hat keine; zu keiner Zeit sind alle Möglichkeiten und noch weniger die künftigen Ergebnisse klar. Vielmehr probieren hier die Evolution, dort die Menschen herum, bis sich eine brauchbare Lösung ergibt.

In der Natur wie in der Kultur sind ständige Neuerungen kein

Luxus, sondern lebensnotwendig, um mit einer Umwelt, die sich verändert, Schritt zu halten. Wer nicht genug experimentiert, kann sich nicht entwickeln und wird von agileren Wettbewerbern verdrängt. Die Evolution und menschliches Schaffen führen beide automatisch zu wachsender Vielfalt, und weder hier noch dort ist eine allmächtige Instanz zu erkennen, die über Gut und Übel richtet. Welche Lebewesen und welche Idee sich letztlich durchsetzt, entscheidet allein die Konkurrenz. Fortschritt in der Natur wie in der Kultur wäre ohne den Zufall undenkbar.

Die Kunst des Brückenschlags

Entwicklung bedeutet Jonglieren mit dem Vertrauten – nicht nur in der Natur. Auch wir Menschen schaffen Neues, indem wir das Vorhandene ungewöhnlich kombinieren. Die Münchner Weißwurst soll entstanden sein, als dem Fleischermeister Sepp Moser 1857 in seinem Gasthaus «Zum ewigen Licht» nahe dem Marienplatz beim Füllen von Bratwürsten die dünnen Därme ausgingen. Also stopfte er das restliche Kalbsbrät in dicke Därme, kochte sie in heißem Wasser und servierte sie seinen Gästen als besondere Spezialität.

«Je gewohnter die Teile, desto überraschender das Ganze», schreibt Arthur Koestler in seinem Buch «Der Akt der Schöpfung».[22] Wie neue Ideen aufkommen, lässt sich Schritt für Schritt an Louis Pasteurs Entdeckung des systematischen Impfens verfolgen. Der Pariser Forscher arbeitete seit dem Jahr 1878 mit den Erregern der Hühnercholera.[23] Wegen eines Zwischenfalls musste er seine Versuche unterbrechen; die Bakterienkulturen gammelten einen ganzen Sommer lang im Labor. Im Herbst, als er die Arbeit wieder aufnahm, injizierte er die Erreger einigen Hühnern, aber die Tiere erkrankten nur leicht und erholten sich. Pasteur warf die scheinbar verdorbenen Kulturen weg, züchtete frische Erreger, gesellte neue Hühner zu den genesenen Vögeln und infizierte alle Tiere noch einmal. Aber zu seiner großen Überraschung wurden jetzt nur die neuen Hühner schwer krank und starben. Jene dagegen, die schon einmal infiziert worden waren, hielten sich glänzend. Sein Mitarbeiter Charles Chamberland beschrieb Pasteurs Reaktion, als er davon erfuhr. Der Wissenschaftler habe einige Zeit geschwiegen und dann wie betört gerufen: «Ist Ihnen denn nicht klar, dass die Tiere geimpft sind?»

Hätte Pasteur das nicht früher erkennen können? Mehr als hundert Jahre zuvor hatte der Medizinstudent Edward Jenner die erste Impfung gegen Pocken im Selbstversuch erprobt, und alle europäischen Forscher wussten davon. Aber niemand war bis dahin auf den Gedanken gekommen, dass Jenners Methode auch anderen Krankheiten vorbeugen könnte. Erst recht hatte keiner das Prinzip einer Impfung begriffen: Der Körper lernt beim ersten Kontakt mit einem Mikroorganismus diesen als Krankheitserreger zu erkennen und wappnet sich, um einen erneuten Angriff besser abwehren zu können.

Bis dahin waren Medizin und Mikrobiologie zwei völlig getrennte Wissensgebiete, zwischen denen niemand den geringsten Zusammenhang sah.

Diese Brücke zu schlagen war Pasteurs geniale Leistung. Das konnte er nur, weil er einerseits über den Organismus der Menschen und Tiere informiert war und sich andererseits im Reich der Kleinstlebewesen auskannte wie zu seiner Zeit kein Zweiter – er selbst hatte die Bakterien als Urheber von Verwesung und Fäulnis entdeckt. Der Zufall kam ihm zu Hilfe; es ist unwahrscheinlich, dass Pasteur das Prinzip der Impfung durch bloßes Nachdenken gefunden hätte. Aber so wie der Zufall in der Evolution vorhandene Lebewesen abwandeln kann, jedoch keine Formen aus dem Nichts schafft, ließ er Pasteur nur neue Verbindungen zwischen Gedanken sehen, die der Forscher schon hatte. Das war Pasteur selbst durchaus bewusst: «Der Zufall beglückt nur den gut vorbereiteten Geist», hat er einmal gesagt.

Viagra und Tesafilm

Ohne das Wirken des Zufalls wäre die Evolution den Weg von der Libelle zur Fliege nie gegangen, und auch in unserem Denken öffnet der Zufall den Horizont. Wer nach Plan und streng logisch seine Ideen entwickelt, kann zu großer Gründlichkeit und Tiefe gelangen. Aber er schöpft seine Möglichkeiten nicht annähernd aus.

Das ist eine erstaunlich neue Erkenntnis. Noch Gottfried Leibniz, der einflussreiche Philosoph des 17. Jahrhunderts, war überzeugt, das Denken gehorche festen Regeln ähnlich den Newton'schen Bewegungsgesetzen. Leibniz zufolge lässt sich aus unserem derzeitigen Wissen alles ableiten, was sich je daraus ergeben wird. Alle künftigen Ideen der Menschheit werden dem, der nur scharf und lange genug nachdenkt, jetzt schon enthüllt.

Wir wissen heute, warum sich Leibniz gründlich geirrt hat. Wie wir in Kapitel 4 gesehen haben, genügt nach Gödel die Logik eines mathematischen Systems noch nicht einmal, um alle darin wahren Sätze zu beweisen. Das rein zielgerichtete Denken ist wie das Abtasten einer Landschaft mit dem engen Strahl eines Suchscheinwerfers. Die Details treten deutlich zutage, aber die Zusammenhänge zwischen ihnen bleiben im Dunkeln. So macht man keine Entdeckungen. «Wenn ich doch Kanäle in meinem Kopfe ziehen könnte, um den inländischen Handel zwischen meinem Gedankenvorrat zu befördern! Aber da liegen sie zu Hunderten, ohne einander zu nützen», klagte der Physiker und Schriftsteller Georg Christoph Lichtenberg ein Jahrhundert nach Leibniz.[24]

Schöpferisches Denken bedeutet, solche Zusammenhänge herzustellen und neue Kombinationen aus dem vorhandenen Material zu erfinden, kaum anders, als es die Natur bei ihrem wilden und doch geregelten Spiel mit den Körperbauplänen vorexerziert. Dafür brauchen wir Anstöße von außerhalb – Einflüsse auf unser Denken, die wir weder kontrollieren noch vorhersagen können. Hier kommt der Zufall ins Spiel.

Louis Daguerre hatte jahrelang vergeblich versucht, Bilder auf einer lichtempfindlichen Platte haltbar zu machen. Eine Tages im

Frühjahr 1835 ließ er eine seiner beschichteten Kupfertafeln achtlos im Chemikalienschrank stehen; als er sie wieder herausnahm, erkannte er darauf ein Bild. Der Pariser Maler und Physiker kann nicht sehr ordentlich gewesen sein, aber genau das führte ihn zum Erfolg. Im Schrank war nämlich Quecksilber ausgelaufen, und die Dämpfe hatten die Belichtung haltbar gemacht. So erfand Daguerre die Fotografie. Das Penicillin wiederum verdankt die Menschheit einer Bakterienkultur, die der Londoner Forscher Alexander Fleming während seines Urlaubs im Labor verschimmeln ließ. Wo der Schimmel wucherte, waren die Bakterien verschwunden. Nach einem solchen Mittel gegen bakterielle Infektionen hatte Fleming über ein Jahrzehnt lang gesucht.

Unzählige solcher Geschichten gibt es zu erzählen: Der Alchimist Johann Böttger hatte dem Kurfürsten von Sachsen die Herstellung von Gold versprochen und schuf in seiner Hexenküche das erste europäische Porzellan (was ihn vor dem Galgen rettete); Tesafilm sollte eigentlich ein Heftpflaster werden; Viagra war ein verunglücktes Herzmittel und fiel den Forschern auf, als die männlichen Versuchspersonen ihr Medikament gar nicht mehr absetzen wollten.[25] «Alle Erfindungen gehören dem Zufall an», meinte Lichtenberg, «sonst könnten sich vernünftige Leute hinsetzen und Entdeckungen machen, so wie man Briefe schreibt.»

Wirklich Neues entsteht nur nach den unbequemen Prinzipien der Evolution: vieles ausprobieren, weniges auswählen, unbefriedigende Lösungen und Irrwege erdulden. Das bedeutet keineswegs, dass Zufälle und Intuition die Vernunft ersetzen könnten. Nur das schlussfolgernde Denken kann prüfen, wie sinnvoll unsere Einfälle sind. Aber das ist erst der zweite Schritt. Am Anfang steht immer ein irrlichterndes, für Zufälle offenes Denken. Der Genetiker und Nobelpreisträger François Jacob, der die Evolution mit Basteln verglichen hat, wusste, warum er die Jagd nach bahnbrechenden Entdeckungen die «Nachtwissenschaft» nannte.

Lernen von der Natur

Allmählich beginnt die Menschheit, sich mit dem wilden Ausprobieren nach dem Vorbild der Natur anzufreunden. Forscher lernen von der Evolution und machen sich systematisch ihre Methoden zu Eigen, die unserem gewohnten, zielgerichteten Denken so sehr widersprechen. Der Zufall ist eine wichtige Ressource in den Labors der Zukunft geworden. Viele Probleme lassen sich durch Planen und Berechnen nicht lösen: Entweder es gibt eine zu große Zahl von Handlungsmöglichkeiten, oder es ist noch nicht einmal klar, wie eine Lösung ungefähr aussehen könnte.

Oft klingen die Fragen, die sich dem Nachdenken widersetzen, nicht sonderlich schwierig. Aber wer glaubt, er könne durch logisches Denken auch nur annähernd die kürzeste Route finden, auf der zum Beispiel die Lastautos einer Spedition ihre Kunden abklappern sollen, wird daran verzweifeln.[26] Denn der Rechenaufwand steigt exponentiell mit jeder Station an, und sehr bald gelangen Mensch und Maschine ans Ende ihrer Kapazitäten.

Doch mit einem Computer muss man nicht unbedingt rechnen – man kann ihn auch dazu nutzen, verschiedene Alternativen auszuprobieren. Das Prinzip ist einfach: Eine mögliche Herangehensweise wird auf zufällige Weise ein paar Mal abgewandelt. Dann lässt man die verschiedenen Versionen auf das Problem los und sieht nach, wie gut sie sich schlagen. Die beste Lösung kommt in die nächste Runde, und das Spiel beginnt von neuem. Genauso macht es die Evolution. Während jedoch die Natur für eine Entwicklung oft Zehntausende von Jahren braucht, folgen auf dem Bildschirm die Generationen im Abstand von Sekundenbruchteilen aufeinander. So findet der Spediteur schnell die besten Routen für seinen Fuhrpark: Die umständlichen Reisewege sterben aus, die kürzeren überleben und schrumpfen mit der Zeit immer weiter.[27]

Auf diese Art lassen sich heute alle erdenklichen Aufgaben angehen. Evolutionäre Strategien dienen dazu, Formen für Maschinenbauteile zu finden, etwa um eine Düse möglichst strömungsgünstig auszulegen.[28] Sie helfen Graphikern, Muster zu gestalten; sie tragen dazu bei, Ampeln in Holland und künftig vielleicht auch den Flugverkehr über Europa zu steuern; und sie dienen dazu, in den Datenbanken von Lloyds London Versicherungsbetrüger zu entlarven.[29] Ganz ohne Computer arbeiten Pharmakologen daran, durch künstliche Evolution im Reagenzglas Wirkstoffe für neue Medikamente zu erzeugen. Auch sie gehen nach dem Prinzip vor, erst planlos mit verschiedenen Möglichkeiten zu spielen, dann die guten Varianten ins Töpfchen, die schlechten ins Kröpfchen zu sortieren.[30] Die Verwertung des Zufalls ist zu einer Industrie geworden.

KAPITEL 7 DIE WELT ALS TOMBOLA
Warum das Bessere nicht immer gewinnt

Manchmal entscheidet sich das Schicksal gleich nach der Geburt. Wenn ein neuer Film herauskommt, müssen die Menschen am ersten Wochenende vor den Kassen Schlange stehen. Dann haben die Werbeleute gewonnen, denn nun ist eine Kettenreaktion in Gang gekommen. Wenn die Kinogänger begeistert sind, machen sie Mundpropaganda. Auf Partys wird die Handlung erzählt, in Plattenläden läuft die Musik. Findet der Film dagegen am Anfang sein Publikum nicht, wird er schnell aus den Kinos verschwinden, weil nicht genug Menschen ihn weiterempfehlen. Spätestens bei der nächsten Neuerscheinung wird dieser Streifen vergessen sein.

In der Evolution verhält es sich genauso. Zwar ist das Bessere stets der Feind des Guten, aber nicht alles Gute vermag sich durchzusetzen. Was kann überlegenes Erbgut schon gegen die Gefahren des Lebens ausrichten? Eine Mutation verbreitet sich nur, wenn das Tier, das sie trägt, Nachkommen hinterlässt. Wird es dagegen schon als Baby von einem Räuber gefressen, ist das vorteilhafte Gen verloren.

Eine geglückte Neuheit der Natur – bei einer Antilope zum Beispiel schnellere Beine – bietet keine Sicherheit, sondern nur eine bessere Chance, dass sich ihre Besitzer vermehren. Wie ein Film Fans braucht, die ihn empfehlen, benötigt eine gute Erbanlage genug Eltern, die sie verbreiten. Von den flinken Antilopen gibt es aber anfangs nur wenige, deshalb kann jedes Unglück ihre Gruppe empfindlich dezimieren. Bei den etwas langsameren Tieren dagegen, der großen Mehrheit, macht es aus der Sicht ihrer Gene wenig aus, wenn sich der Löwe ein paar von ihnen holt.

Wenn eine Mutante mit schnelleren Beinen von zehn Kindern vier ins vermehrungsfähige Alter durchbringt, ein gewöhnlicher Artgenosse aber nur drei, hat das Tier mit dem veränderten Erbgut einen Vorteil. Trotzdem beträgt die Wahrscheinlichkeit, dass sich das bessere Gen in der Bevölkerung durchsetzt, kaum mehr als 50 Prozent; das haben die Wiener Biomathematiker Paul Schuster und Karl Sigmund berechnet.[1]

In der Evolution waltet der Zufall also nicht nur beim Spiel mit dem Erbgut, das neue Organismen hervorbringt. Glück und Pech entscheiden auch darüber, ob sich eine Neuentwicklung dauerhaft auf der Bühne des Lebens einrichten kann oder ob sie wieder verschwindet. Und viele der Prinzipien, die über die Zukunft einer Neuerung in der Natur bestimmen, gelten ebenso in der menschlichen Gesellschaft – vor allem für die Wirtschaft.

Am größten ist der Einfluss des Zufalls während der ersten Generationen. Wenn das bessere Gen Glück hat, verbreitet es sich bald auf so viele Individuen, dass es kaum noch auszurotten ist. Landen die besonders leichtfüßigen Antilopen hingegen schon vor der Geschlechtsreife im Magen des Löwen, tragen sie zur Zukunft ihrer Art nichts bei.

Darüber hinaus hat die Innovation der Natur nur dann eine Chance, wenn sie zur richtigen Zeit und im richtigen Umfeld auftritt. Denn jede Erfindung muss sich gegen das Vorhandene behaupten, und meist ist unvorhersehbar, wie der Wettbewerb zwischen den angestammten Bewohnern eines Lebensraums und den Neulingen ausgehen wird. Und selbst wenn sich die neue Eigenschaft in einer Population festgesetzt hat, können Katastrophen wie Klimaumschwünge, der Einschlag eines Meteoriten oder auch Raubbau durch den Menschen alle Träger des vorzüglichen Gens umbringen und damit die Evolution um einen Schritt zurückwerfen.

Die Entwicklung von Pflanzen und Tieren gleicht also weniger einem Schachspiel, bei dem der beste Zug zählt, sondern einer gigantischen Tombola. Verdankt auch der Mensch seine Entstehung nur dem Zufall? Der amerikanische Paläontologe Stephen Jay Gould jedenfalls war überzeugt, der Film der Naturgeschichte verliefe ganz anders, würde er noch einmal abgespielt.

Zwei Schritte vor, einer zurück

Der gerade Weg führt nicht immer zum Ziel. Wer weiterkommen will, muss manchmal Rückschritte in Kauf nehmen – die Fliege hat die überragende Flugtechnik ihrer Ahnen eingebüßt und dafür an Robustheit gewonnen. Doch oft folgt der Ausgleich für einen Verlust erst viel später. Ein einzelner Zufall lässt nur selten auf Anhieb ein neues und besseres Geschöpf entstehen. Meist muss die Evolution viele kleine Schritte gehen, bis ein echter Vorteil spürbar wird. Der Weg zu flinkeren Antilopen könnte beispielsweise über Tiere führen, die hinken: Der Umbau ihres Knochengerüsts beschert diesen Exemplaren ein Handicap; erst nach weiteren Mutationen bringen sie Nachfahren mit beweglicheren Beinen zur Welt. Wer Fortschritt will, muss zunächst halb gare Lösungen erdulden. Mit den Worten von Günter Grass: Der Fortschritt ist eine Schnecke.

Darum bedeutet Evolution nicht nur Basteln, sondern vor allem Basteln im Verborgenen. Eine Neuheit muss eine Weile überdauern, bis sie ihr Potenzial ausspielen kann. Wäre der dreizehnjährige Boris Becker in Wimbledon angetreten, hätten ihn seine Gegner schon in der ersten Runde vom Platz gefegt. In der Natur und in der Gesellschaft aber muss eine neue Lösung oft von Anfang an einem Wettbewerb standhalten, in dem sie zunächst keine Vorteile hat.

Wie ist das möglich? Eine Gemeinschaft, die Neues hervorbringen soll, muss Raum für Experimente lassen. Der Konkurrenzdruck darf nicht zu hoch sein. Sonst werden Erfindungen, die erst noch ausreifen müssen, schon im Keim ausgerottet.

In diesem Schwebezustand kann der Zufall, wie im Beispiel der vom Löwen verschlungenen Antilope, die Innovation bereits auslöschen, bevor deren Zeit gekommen ist. Doch ebenso mag es geschehen, dass eben der Zufall dem Neuen zu Hilfe kommt. Eine unvorhersehbare Wendung kann die Gewichte im Wettbewerb verschieben und die noch wackelige Erfindung zum Zug kommen lassen – etwa wenn gerade eine Seuche in der eigentlich stärkeren Gruppe der Alteingesessenen wütet. Der Zufall kämpft oft auf der Seite der Schwächeren, indem er denen eine Chance gibt, die sonst keine hätten.

Auch dieses Prinzip können Sie sich an den hinkenden Antilopen klar machen. Unter normalen Umständen hätten diese beklagenswerten Tiere wenig Aussichten. Sie fallen nicht nur eher Fressfeinden zum Opfer, sondern sind obendrein gegenüber den eigenen Artgenossen im Nachteil, die ihnen das saftigste Gras wegfressen. Wenn aber ein Virus die halbe Herde dahinrafft, kann sich das Blatt wenden. Betrachten wir eine kleine Gruppe von vier Antilopen, von denen zwei hinken. Mit einer Wahrscheinlichkeit von ½ wird jedes Tier von der Krankheit erwischt. Das Risiko, dass beide humpelnden Exemplare verenden, beträgt also $\frac{1}{2} \times \frac{1}{2} = \frac{1}{4}$. Doch ebenso groß ist die Chance, dass die beiden normalen Antilopen verenden. Wenn es so kommt, haben die gehbehinderten Tiere gewonnen. Vorerst ist genug Nahrung da, und eines Tages können ihre Nachfahren Junge auf die Welt bringen, die durch eine weitere zufällige Mutation so schnell rennen wie noch nie eine Antilope zuvor.

Inseln für das Neue

Nur in einer kleinen Population kann der Zufall dem Neuen einen Schonraum verschaffen. Dass nämlich unter tausend Antilopen nur die hinkenden von einer Krankheit verschont bleiben sollten, ist extrem unwahrscheinlich. (Sie würden auch nicht darauf wetten, dass die nächste Grippewelle unter den Angestellten eines Großkonzerns ausschließlich Männer erwischt. In einem 4-Personen-Betrieb hingegen kann das leicht vorkommen.)

Haben Neuheiten also in einer kleinen Gruppe bessere Chancen? Das hängt davon ab, ob die veränderte Eigenschaft von Anfang an vorteilhaft ist. Wenn ja, dann ist ihr mit starker Konkurrenz gedient, denn sie benötigt keinen Schonraum. Sie wird sich in einer großen Bevölkerung sicherer durchsetzen, weil weniger Gefahr besteht, dass ein unglücklicher Zufall sie ausmerzt. Wenn sich aber die Neuerung erst zaghaft entwickeln muss, kann sie das besser in einer kleinen Bevölkerung, weil hier der Zufall manchmal die Gesetze des Wettbewerbs außer Kraft setzt.

Noch etwas kommt hinzu: Je mehr Individuen da sind, desto mehr Gelegenheiten hat die Natur für ihre Experimente. In einer großen Population setzt sich das Neue zwar tendenziell schwerer durch, doch dafür entsteht es öfter. Am besten entwickelt sich darum eine große Gesellschaft, die in viele Untergruppen zerfällt – wie die Tiere auf den verstreuten Galapagos-Inseln, deren Vielfalt Darwin zu seinen bahnbrechenden Ideen anregten. In jeder Gemeinschaft findet das Neue eine Schutzzone, in der es sich entfalten kann, ohne gleich den allzu harten Wind des Wettbewerbs zu spüren. Wenn aber eine Innovation dem Bewährten überlegen ist, hat sie recht gute Aussichten, sich zuerst in ihrer Gruppe durchzusetzen und sich von dort aus über die ganze Gesellschaft zu verbreiten. «Vielfalt dient dem Fortschritt, weil sie dem Zufall eine Chance lässt», schreibt der Evolutionsforscher Karl Sigmund, «Monopole aller Art hingegen erschweren die Evolution.»

Dieses Gesetz gilt keineswegs nur in der Natur. Millionen leidgeprüfter Computerbenutzer kennen die Folgen, wenn ein Konzern praktisch den ganzen Markt für Betriebssysteme und Programme beherrscht. Der amerikanische Physiker Freeman Dyson hat sogar argumentiert, dass erst Vielfalt die rasche Entwicklung der Menschheit möglich gemacht habe, weil der Zufall so dem Neuen zum Durchbruch verhelfen konnte.[2] Nur weil die Weltbevölkerung sehr früh in viele kleine Gruppen zerfiel, die eigene Kulturen und Sprachen ausbildeten, habe die Menschheit als Ganzes weiterkommen können. Eine gleichförmige Kultur wäre nämlich von einem gnadenlosen Anpassungsdruck bestimmt gewesen, der Veränderungen keine Chance gegeben hätte. In kleineren Gemeinschaften aber konnten neue Ideen gedeihen und über die Handelswege andere Kulturen befruchten.

Wie in der Natur findet Fortschritt also auch in der Gesellschaft dort den besten Nährboden, wo sich das Neue zuerst in einem relativ geschützten Umfeld entwickeln und dann ungehindert ausbreiten kann – keine schlechten Voraussetzungen für einen Staatenbund wie die Europäische Union.

Voraussetzung dafür ist eine Vielfalt der Kulturen. Diese allerdings erscheint in einer zunehmend globalisierten Welt bedroht. Von den mehr als 6000 Sprachen beispielsweise, die Menschen derzeit noch sprechen, werden mehr als die Hälfte in den nächsten 100 Jahren verschwinden, wenn der jetzige Trend anhält.[3] Wir täten gut daran, diesen Reichtum zu erhalten. Die Sprachverwirrung nach dem Turmbau von Babel war kein Fluch, sondern ein Segen.

Die Evolution zurückgespult

In winzigen Ausschnitten können Forscher heute das Gedankenexperiment des Stephen Jay Gould, der den Film von vier Milliarden Jahren Naturgeschichte zurückspulen und noch einmal abspielen wollte, tatsächlich durchführen. In ihren Reagenzgläsern und Petrischalen können Wissenschaftler die Evolution nämlich im Schnellgang ablaufen lassen.

Das hat der Genetiker Paul Rainey aus Oxford mit dem Kleinstlebewesen Pseudomonas fluorescens getan. Dieses Bakterium, auf Pflanzenblättern fast allgegenwärtig, vermehrt sich von Natur aus schnell und mutiert häufig. Rainey konnte darum zusehen, wie in seinem Labor neue Varianten entstanden – und mit der Evolution spielen, indem er die Entwicklung immer wieder von neuem beginnen ließ. So stellte er fest, dass die Bakterien wirklich mehr Vielfalt entwickelten und sich besser an ihre Umwelt anpassen konnten, wenn sie nicht in einer großen Gruppe, sondern in vielen kleinen Kolonien lebten. Genau das ließ unsere Rechnung mit den hinkenden Antilopen erwarten.

Vor allem aber konnte Rainey untersuchen, unter welchen Bedingungen die Evolution vorhersagbar ist – und wann sie zufällige

Ergebnisse liefert. Nur wenn die Population groß und der Wettbewerb sehr ausgeprägt war und sich zudem die Bakterien schnell vermehrten, nahm die Entwicklung stets denselben Verlauf. Gediehen dagegen anfangs wenige Bakterien in der Petrischale, pflanzten sie sich langsamer fort und standen unter keinem so hohen Anpassungsdruck, behielt der Zufall die Oberhand: Unter gleichen Startbedingungen entfaltete sich das Leben in der Kolonie immer wieder anders.[4]

Die wirkliche Naturgeschichte war jedoch noch weniger vorhersehbar als die Vorgänge in Raineys Miniwelt. Denn im Labor musste nur eine einzige Bakterienart mit neuen Umweltbedingungen fertig werden, während in der Natur die meisten Spezies mit anderen in Schicksalsgemeinschaften leben. Frösche verschwinden, wenn es nicht genug Insekten gibt, und wo keine Frösche mehr sind, fehlt auch den Störchen Nahrung. Wenn sich also eine Art auf unerwartete Weise verändert, wirkt sich das auf viele andere aus.[5]

Auch diese Rückkopplungen machen die Evolution unvorhersehbar. Solche Wechselspiele haben australischen Wissenschaftlern schon in den fünfziger Jahren des vergangenen Jahrhunderts eine böse Überraschung bereitet. Seit europäische Einwanderer Kaninchen nach Australien mitgebracht hatten, mussten die Bauern zusehen, wie sich die Tiere unkontrolliert vermehrten und ihre Felder verwüsteten. Ein Virus, der nur Kaninchen befiel, schien geeignet, der Plage ein Ende zu bereiten. Man setzte den Erreger in einem Flusstal aus; Mücken verbreiteten ihn schnell über den ganzen Kontinent. Nach drei Jahren atmeten die Bauern auf: Die meisten Schädlinge waren der Epidemie zum Opfer gefallen. Doch die Farmer hatten zu früh triumphiert – nach einiger Zeit tauchten die Nagetiere wieder vermehrt auf. Wie sich herausstellte, war der Erreger, das Myxoma-Virus, mutiert und brachte nun nicht mehr 99,5 Prozent aller befallenen Kaninchen um, sondern nur noch 95 Prozent. Zudem starben die infizierten Tiere nicht mehr nach wenigen Tagen, sondern erst nach Wochen – zum Vorteil des Virus.[6]

Jetzt konnten sich wieder genug Kaninchen vermehren, um die Art nicht aussterben zu lassen. Ohne Opfer wäre schließlich auch das

Virus verendet. Durch ihren eigenen Erfolg geriet die schnell wirkende Variante des Erregers ins Hintertreffen und wurde von der neuen, weniger radikalen Spielart verdrängt. Überlegenheit in der Evolution steht nie letztgültig fest, sondern hängt von sich verändernden Umständen ab. Die Gunst des Schicksals kann sich rasch wenden.

Auch die Kaninchen hatten sich auf die neue Situation eingestellt: Mehr und mehr von ihnen trugen eine Mutation in ihrem Erbgut, die sie gegen das Virus immun machte. Im Laufe der Zeit pendelte sich ein neues Gleichgewicht ein, mit dem sowohl der Erreger als auch sein Wirt gut auskommen können – die Kaninchen durchwühlen Australiens Felder noch heute.

Wer zuerst kommt, bleibt am längsten

Wie im Alltag hat auch in der Evolution nicht zwangsläufig der Bessere Erfolg, sondern der, dem es gelingt, sich durchzusetzen. Das macht die Entwicklung so schwer vorhersagbar. Wer überlegen ist, lässt sich oft leicht herausfinden; wer hingegen einen Wettkampf gewinnt, das hängt auch von Zufällen ab. Ist aber die Konkurrenz einmal entschieden, kann der Sieger Tatsachen schaffen, die neuen und selbst überlegenen Gegnern kaum eine Chance lassen: The winner takes it all.

Sehen Sie sich nur einmal Ihren Computer an. Auf dessen Tastatur stehen die Buchstaben in einer merkwürdigen Folge, die niemandem einleuchten will. So kann man nur entweder QWERTZ mühsam auswendig lernen oder muss vor jedem Anschlag mit dem Finger adlergleich kreisen. Haben Sie sich einmal gefragt, wie es zu diesem Durcheinander gekommen ist?

Die Antwort mag Zeitgenossen beruhigen, die sich mit dem Tippen schon immer schwer getan haben: Die Buchstabenfolge wurde bewusst so gestaltet, dass sie unserem intuitiven Schreiben zuwiderläuft. Die Geschichte geht in die Tage der ersten Schreibmaschinen zurück. Damals kämpften die Ingenieure damit, dass sich die Typenhebel ständig verhakten – bis im Jahr 1868 der amerikanische Erfinder Christopher Sholes eine Lösung ersann, die unsere Tastaturen bis heute bestimmt. Anstatt oft aufeinander folgende Buchstaben (wie «I» und «E» im Deutschen) nebeneinander zu platzieren, was das Tippen enorm erleichtert, schlug Sholes vor, sie auf der Schreibmaschine möglichst weit voneinander entfernt anzuordnen. Dann nämlich treffen die Typenhebel bei den häufigsten Buchstabenkombinationen aus entgegengesetzten Richtungen auf das Papier und kommen sich nicht so leicht in die Quere.

Sholes meldete seinen Vorschlag zum Patent an. Die New Yorker Waffenfabrik Remington übernahm es, wurde schnell zum größten Schreibmaschinenhersteller der Welt und setzte QWERTY überall durch. (Auf deutschen Tastaturen sind gegenüber dem Original «Z» und «Y» vertauscht, weil das «Y» so selten vorkommt.) Damals protestierte niemand gegen die sonderbare Logik der Tastatur; als Gegenvorschläge kamen, war es zu spät. In den 1930er Jahren etwa tüftelte ein August Dvorak eine Anordnung aus, die den Fingern zu kürzeren Wegen verhalf und schnelleres Schreiben erlaubte. Obwohl Dvoraks Tastatur unbestritten einsichtiger war und obwohl die mechanischen Schwierigkeiten längst keine Rolle mehr spielten, fiel die Idee durch. Alle hatten sich an QWERTZ gewöhnt, keiner wollte neu lernen.[7]

Heute spielen all diese Gründe erst recht keine Rolle mehr. Typenhebel und Schreibmaschinen sind praktisch verschwunden, und die meisten Menschen, die vor den allgegenwärtigen Computern sitzen, sind keine trainierten Schreibkräfte. Doch die Tastatur aus den Anfangszeiten der Schreibmaschine hat sich erhalten, und kaum jemand weiß, dass man jeden modernen Computer mit einem Mausklick auf die angenehmere Dvorak-Anordnung umschalten kann. QWERTZ ist nicht mehr auszurotten.[8]

Die Entwicklung der Technik ist voll solcher Geschichten.[9] Hat sich eine Lösung für ein Problem erst einmal etabliert, wird man sie nur schwer wieder los. Sich als Erster in einer Branche eine Nische zu schaffen fällt leicht, in der Wirtschaft wie in der Natur. Hat sich dagegen schon ein anderer die Pfründe gesichert, kann er einem

Angriff erbitterten Widerstand leisten. Denn meist hat der Verteidiger die Welt, in der er sich behaupten muss, zu seinen Gunsten verändert – eine Rückkopplung.[10]

Ein erster Regentropfen, der auf einen Sandhügel fällt, bahnt sich einen mehr oder minder zufälligen Weg abwärts; je mehr Tropfen anschließend fallen, umso weiter vertiefen sie diesen Kanal. Am Ende fließt alles Wasser in demselben Strom. So wirkt auch eine Neuerung auf ihre Umwelt zurück und kann sie unumkehrbar verändern. Wie beim Weg der Wassertropfen im Sand verstärkt sich mitunter ein anfänglicher Zufall und legt die spätere Entwicklung fest.

Ist demnach die ganze Natur, wie es Francis Crick, einer der Entschlüsseler der Erbsubstanz DNS, ausgedrückt hat, «ein eingefrorener Zufall»? Jedenfalls bestimmte Willkür die Evolution offenbar von ihren ersten Augenblicken an. Es gibt keine nachvollziehbaren Gründe dafür, dass Erbmoleküle ausgerechnet die Spiralform aufweisen müssen, die heute in jeder Zelle verwirklicht ist. Ein anderer chemischer Aufbau der Erbsubstanz oder ein anderer Übersetzungscode von genetischer Information in Proteine hätte ebenso gut funktioniert; das zeigen Laborversuche.[11]

Möglicherweise gab es solche alternativen Formen des Lebens am Beginn der Evolution vor fast vier Milliarden Jahren. Sie verschwanden dann aber, weil sie unterlegen waren. Wahrscheinlicher allerdings ist, dass Leben mit einer anderen Chemie nie eine Chance bekam, weil sich Einzeller heutiger Bauart durch Zufall etwas früher entwickelten und rasend schnell ausbreiteten. Immer wieder haben sich in der Naturgeschichte Geschöpfe einzig deswegen durchgesetzt, weil sie einen Vorsprung hatten, der nicht mehr einzuholen war. Oft kann nur noch eine Katastrophe das Blatt neu verteilen.

Das Ende der Saurier

Vor geologisch gesehen nicht allzu langer Zeit schien die Erde für immer ihre Herren gefunden zu haben. Saurier prägten schon seit fast 200 Millionen Jahren das Leben im Wasser, auf dem Land und in der Luft. An die tausend Arten hatte die Evolution hervorgebracht, vom zweibeinigen, aggressiven Raubsaurier Compsognathus, der kleiner als ein Huhn war, bis zum Pflanzenfresser Brachiosaurus, der ein vierstöckiges Haus überragt hätte. Die Gattungen kamen und gingen, viele hielten sich nur ein paar Millionen Jahre. Doch immer waren es neue Saurier, die andere Echsen verdrängten: Offenbar handelte es sich um ein unschlagbares Erfolgsmodell der Evolution. Zuallerletzt hätte ein hypothetischer Beobachter damals in der Kreidezeit vor 70 Millionen Jahren auf die Säugetiere gewettet, die gerade zögerlich erschienen – Geschöpfe, etwa so groß wie eine Maus, von denen noch viele ihre Kinder im Beutel austrugen. Wie hätten sich diese unscheinbareren Wesen gegen die dominierenden Reptilien behaupten sollen?

Zehn Millionen Jahre später waren die einstigen Herren der Welt vernichtet. Um das Aussterben der Dinosaurier hat es viele Kontroversen gegeben; inzwischen ist fast unstrittig, dass ein Zusammenstoß der Erde mit einem Meteoriten von etwa zehn Kilometer Durchmesser ihr Ende bedeutete. 1991 wiesen Forscher vor der mexikanischen Halbinsel Yucatán die Reste eines gigantischen Einschlaglochs nach, dessen Alter zeitlich zum Niedergang der Saurier passt. Der so genannte Chicxulub-Krater liegt heute unter einer tausend Meter dicken Sedimentschicht begraben.

Die kosmische Bombe, die dort vor rund 65 Millionen Jahren niederging, muss eine Energie freigesetzt haben, die zehntausendmal größer war als die Sprengkraft des gesamten heutigen Atomwaffenarsenals.[12] Erdbeben und Hunderte Meter hohe Flutwellen vernichteten alles Leben im weiteren Umkreis; gewaltige Mengen giftigen Staubs verteilten sich in der Atmosphäre und ließen die Kollision zu einer weltweiten Katastrophe werden. Die Hälfte, nach manchen Schätzungen bis zu 90 Prozent aller Arten, verschwand für immer von der Erde. Wie die fossile Überlieferung zeigt, überlebten nur kleinere Tiere ungefähr bis zum Format eines heutigen Hundes das Desaster. Die Riesenechsen verschwanden restlos, die Säugetiere konnten ihren Siegeszug antreten.

Einschläge vergleichbarer Wucht hat es in der Naturgeschichte immer wieder gegeben, doch die meisten lösten kein vergleichbares Massensterben aus. Was war damals, am Ende der Kreidezeit, anders gelaufen? Möglicherweise hatten die Saurier das Unglück, dass der Meteorit auf eine Gesteinsplatte aus Karbonat prallte, die viel Gips enthielt. Die Gipseinlagerungen setzten durch den Einschlag Schwefelverbindungen frei, die sich als Schwebeteilchen (Aerosole) lange in der Atmosphäre hielten, den Himmel verdunkelten und das Klima abkühlten. Die große Mehrheit der Saurier erlag wahrscheinlich nicht den unmittelbaren Folgen des Zusammenstoßes, sondern der Klimaveränderung.[13]

Eine neue Theorie wirft zudem die Frage auf, ob der Einschlag von Chicxulub nur das irdische Leben zum Ausgang des Kambriums schwächte, bevor ein zweiter, noch unbekannter Meteoritenaufprall dann der eigentliche Auslöser des Artensterbens wurde. Die Geologin Gerta Keller von der Universität Princeton, die diese Auffassung führend vertritt, will nämlich anhand von neuen Bohrproben nachweisen können, dass der Krater von Chicxulub bereits 300 000 Jahre vor dem großen Artensterben entstanden war.[14] Ein Aufeinanderfolgen zweier großer Meteoriteneinschläge in diesem erdgeschichtlich kurzen Zeitraum ist denkbar, allerdings unwahrscheinlich.

In jedem Fall hat eine seltene Verkettung mehrerer Ereignisse zur großen ökologischen Katastrophe geführt. Für den Menschen freilich war dies ein Glücksfall. Wäre der Chicxulub-Meteorit nur ein paar hundert Kilometer weiter auf der Erde aufgeschlagen, hätten die Säugetiere vielleicht nie ihre Chance bekommen – noch immer würden Saurier die Welt regieren.

Zufall Mensch?

Katastrophen wie der Einschlag des Chicxulub-Meteoriten haben der Evolution immer wieder eine neue Richtung gegeben: Vulkane brechen aus, Eiszeiten kommen und gehen, Kontinente driften. Das letzte große ökologische Chaos entstand, als vor rund drei Millionen Jahren die bis dahin getrennten Landmassen Nord- und Südamerikas zusammenstießen und die Landbrücke von Panama bildeten.[15] Über sie konnten Tiere aus Nordamerika in den Süden vordringen und umgekehrt; auf beiden Kontinenten rotteten die Neuankömmlinge eine große Zahl Arten aus, die es sich dort in ihren ökologischen Nischen bequem gemacht hatten. Den biologischen Invasionen fielen auch Südamerikas Beuteltiere zum Opfer; hätte sich die Erdkruste nur etwas anders verschoben, würden über diesen Kontinent sehr wahrscheinlich immer noch Kängurus springen – wie in Australien.

So entscheidet nicht allein biologische Tauglichkeit über den Erfolg in der Evolution, sondern auch die Zufälle der Geschichte. «Wir neigen dazu, den ausgestorbenen Tierarten die Schuld an ihrem Schicksal zuzuschreiben, was ein Widerschein der protestantischen Ethik ist und der Vergötterung des Erfolgs», schreibt der Biomathematiker Sigmund. «Doch hätte es den viel geschmähten Sauriern nicht viel geholfen, wenn sie größere Hirne und schlankere Körper gehabt hätten, jedenfalls nicht, wenn die Ursache ihres Untergangs der Aufprall eines Asteroiden war.»

Wer Spaß an phantastischen Erzählungen hat, kann sich ausmalen, wie es hätte anders kommen können. Auf geistreiche Weise hat das der amerikanische Astrophysiker und Wissenschaftsautor Carl Sagan getan. Er nannte sogar einen Ersatzkandidaten für den Homo sapiens als bestimmende Lebensform auf der Erde: schlaue Kleinsaurier, wie man sie auch in Steven Spielbergs Film «Jurassic Parc» besichtigen konnte. «Wenn man nach dem Verhältnis von Hirn- zu Körpermasse urteilt, sind die Saurornithoides die intelligentesten Dinosaurier», schrieb Sagan.[16] «Ihre Hirnmasse betrug durchschnittlich 50 Gramm bei einer Körpermasse von 50 Kilogramm –

ein Verhältnis wie beim Strauß. In der Tat ähnelten sie den Straußen. (...) Vermutlich jagten sie kleine Tiere und benutzten ihre vier Finger für vielerlei Aufgaben. Wären die Dinosaurier nicht ausgestorben, wären dann die Nachkommen der Saurornithoides die dominante Lebensform auf der heutigen Erde, die Bücher schreibt und liest und darüber nachdenkt, was geschehen wäre, wenn die Säugetiere den Sieg davongetragen hätten? Würden sie denken, das Achtersystem in der Arithmetik sei ganz natürlich, das Dezimalsystem dagegen ein Unfug, der nur in der ‹neuen Mathematik› gelehrt wird?»

Die Antwort werden wir nie erfahren. Doch es ist kaum anzunehmen, dass noch einmal Menschen am vorläufigen Ende der Handlung stünden, könnte der Film der Naturgeschichte zurückgespult und noch einmal gezeigt werden. Zu viele Ereignisse, die sich so nicht wiederholen würden, haben zum Aufstieg unserer Art beigetragen.

Charles Darwin hat dem Menschen die schmeichelhafte Vorstellung genommen, dass die Entwicklung allen Lebens nur auf ihn abzielte. Wir müssen uns damit abfinden, dass wir Kinder des Zufalls sind. Dennoch verdanken wir unsere Herkunft nicht seinem willkürlichen Treiben allein. Zwar kann in der Natur einzig durch unvorhersehbare Mutationen im Erbgut Neues entstehen, aber zwei Gegenkräfte sorgen dafür, dass der Zufall nicht uneingeschränkt regiert: Erstens muss sich das Neue im Wettbewerb gegen das Bestehende bewähren; so werden unsinnige Erfindungen ausgesondert. Manche Einfälle der Natur dürften zudem so unschlagbar sein, dass sie sich sehr wahrscheinlich immer wieder durchgesetzt hätten – das Auge zum Beispiel, das sich im Laufe der Evolution mehrmals bei verschiedenen Tiergruppen entwickelt hat, und ein leistungsfähiges Gehirn. Wäre der Mensch nicht zum Zuge gekommen, würde die Erde heute wohl trotzdem von Wesen beherrscht, die räumlich sehen und ihr Verhalten selbst steuern können.[17]

Zweitens kann die Evolution nur mit dem spielen, was sie hat. Die Natur schafft Neues, indem sie vorhandene Elemente anders zusammensetzt. Es ist also keineswegs zu jedem Zeitpunkt alles möglich. Nur innerhalb solcher Grenzen kann der Zufall wirken.

KAPITEL 8 TÄUSCHEN UND TARNEN

Wenn Zufall die beste Taktik ist

Als im Kalten Krieg die amerikanischen U-Boote mit Atomwaffen bestückt unter den Ozeanen kreuzten, gehörte zu den wichtigsten Utensilien der Kommandanten ein Würfel. Damit entschieden sie, in welche Richtung ihr Schiff Kurs nehmen sollte: So waren die Besatzung und ihre tödliche Fracht am besten vor sowjetischen Angriffen geschützt.[1] Eine Strategie hätte der Gegner durch Beobachtung lernen oder ausspionieren können; den Entscheidungen eines Würfels aber kommt kein Geheimdienst bei.

Sich im Kampf auf den Zufall zu verlassen ist ein uraltes Erfolgsrezept. Ein Kaninchen auf der Flucht macht es genauso. Wenn es seine Haken schlägt, scheint es manchmal, als wolle es den Verfolger ins Leere rennen lassen. Aber das ist nicht das wirkliche Ziel. Das Kaninchen läuft schon im Zickzack, wenn der Jäger noch sehr weit entfernt ist, und setzt diesen Weg fort, wenn der Räuber längst aufgegeben hat. Vielmehr bemüht sich das Nagetier, durch willkürliche Sprünge den Feind zu verwirren. Normalerweise gelingt ihm das auch; dann verdankt das Kaninchen seine Rettung zufälligem Handeln. Wären nämlich seine Haken vorhersehbar, hätten Fuchs und Habicht längst deren Muster gelernt.[2]

Um solche Zufallsstrategien zu ermöglichen, treibt die Natur einigen Aufwand: Ein Tier, das unwägbare Haken schlägt, braucht ein komplizierteres Gehirn als eines, das einfach geradeaus läuft oder regelmäßig den Kurs ändert. Denn es muss unvorhersehbar handeln und sich zugleich der Situation anpassen. Die Tricks des

Kaninchens sind noch recht simpel, verglichen mit dem Repertoire des Meisters in der Disziplin Täuschen und Tarnen: des Tintenfischs. Sieht dieser sich bedroht, führt er ein Spektakel auf, dem kaum ein Angreifer gewachsen ist. Auf der Haut des Kopffüßers erscheinen in unvorhersehbarer Reihenfolge die wildesten Muster, manche nur ein paar Sekunden lang. Während der Räuber noch in die Richtung eines Paars schwarzer Punkte starrt, die er für die Augen seines Opfers hält, hat sich das Ziel schon wieder verwandelt; nun sieht er sich Zebrastreifen, aufblitzenden Zickzacklinien oder einem nachtschwarzen Körper gegenüber, der schnell entwischt. Auch diese Überraschung wäre keine, könnte der Angreifer die Verwandlungen des Tintenfisches irgendwie vorhersagen. Tarnung wirkt nur, wenn sie unkalkulierbar ist – der Grund, warum keine zwei Muster auf Schneckenhäusern und keine zwei Leopardenfelle gleich sein dürfen.

Tiere täuschen, um Schwächere zu erlegen und Stärkeren zu entkommen. Menschen müssen sich vor den eigenen Artgenossen maskieren. Wenn Sie ein Haus kaufen wollen und den Makler wissen lassen, wie viel Sie höchstens auszugeben bereit sind, wird er genau diesen Preis von Ihnen verlangen; nur wenn Sie ihn über Ihre Schmerzgrenze im Unklaren lassen, können Sie seine Forderung drücken. Vorgesetzte haben heute Wutausbrüche aus nichtigem Anlass und sind morgen wieder die nettesten Menschen, was ihre Angestellten sich meistens mit Unbeherrschtheit oder auch privatem Ärger ihres Chefs erklären. Doch ein cholerischer Anfall von Zeit zu Zeit kann ein raffiniertes Machtinstrument sein: Wer seine Angestellten gelegentlich nach einem kleinen Vergehen zusammenstaucht, lässt sie im Dunkeln darüber, wie viel sie sich herausnehmen können. Als Alphatier immer berechenbar zu sein wäre die schlechtere Alternative. Schließlich legt ein guter Vorgesetzter seine Toleranzschwelle lieber zu hoch als zu niedrig an, weil Menschen einen Vertrauensvorschuss brauchen. Gibt er dies jedoch zu deutlich zu erkennen, weiß jeder übel wollende Mitarbeiter, wie weit er ohne böse Folgen gehen kann.

Willkür stiftet nicht nur Verwirrung, sondern ist auch ein ideales

Mittel, um seine Herrschaft zu sichern. Unberechenbare Despoten wissen das schon lange.

«Anarchie», sagte Napoleon, «ist das Sprungbrett zu absoluter Macht.»[3]

Aufs Geratewohl zum Erfolg

Auf der ganzen Welt spielen Kinder Knobeln, bei uns auch als «Papier, Stein, Schere» bekannt. Auf Kommando machen die beiden Gegner gleichzeitig je eines von drei Zeichen mit ihrer Hand. Welche Figuren aufeinander treffen, entscheidet darüber, wer gewinnt. In Europa schneidet die Schere Papier, das Papier umwickelt den Stein, der Stein bricht die Schere. Junge Indonesier spielen so: Elefant zertrampelt Mensch, Mensch schlägt Ohrwurm, Ohrwurm quält Elefant.

Die besten Aussichten zu gewinnen hat, wer die Absichten seines Kontrahenten durchschaut. Gegen einen naiven Gegner hat man leichtes Spiel: Dieser wird zum Beispiel kaum zweimal nacheinander dieselbe Wahl treffen, oder er wird es versuchen, gerade um den anderen zu überraschen. Mit etwas Menschenkenntnis lässt sich ein solcher Kontrahent in die Enge treiben – aber nur, bis er seinerseits anfängt, sich in die Gedanken seines Mitspielers hineinzuversetzen.

Gibt es nun eine Idealstrategie? Die einfachste Lösung wäre, immer dasselbe Symbol zu wählen, etwa Stein, aber diese Strategie verrät sich schon nach wenigen Runden. Die Züge nach einem bestimmten Muster abzuwechseln ist ebenfalls schlecht, denn der Gegner wird das System bald durchschauen. Auch nicht mehr bringt es, sich nach einem festen Schema vom Spiel des anderen abhängig zu machen, zum Beispiel, indem man nie den letzten Zug des anderen wiederholt. Was bleibt? Seinem Gegner überlegen oder zumindest nicht unterlegen ist nur, wer unvorhersehbar, also rein zufällig handelt – wie das Kaninchen, das auf dem Feld seine Haken schlägt.

Der ungarisch-amerikanische Mathematiker John von Neumann hat bewiesen, dass eine solche Nichtstrategie tatsächlich die beste aller möglichen Lösungen ist. Das ist erstaunlich: Obwohl Papier, Stein, Schere gar kein Glücksspiel ist, handelt am vernünftigsten, wer den Zufall entscheiden lässt.

Die Theorie des Tortenstücks

Papier, Stein, Schere ist ein Paradefall für die Spieltheorie. Dieses Konzept, das von Neumann in den 1920er Jahren begründete, gehört zu den einflussreichsten Ideen der Wissenschaft unserer Zeit.[4] Denn es gilt so gut wie überall, wo Menschen oder auch Tiere miteinander konkurrieren: Bei einer Lohnverhandlung oder im Wettstreit zwischen Adlerauge und Tarnfarben der Schlange, im Kampf der Brauereien um den deutschen Biermarkt oder beim Pokern. Im Kern besagt die Spieltheorie, dass es stets eine Lösung gibt, die jedem Spieler einen minimalen Verlust garantiert – egal, wie der Gegner handelt.

Man kann sich das an zwei gierigen Jungen klar machen, die beide möglichst viel von einem Tortenstück wollen. Wenn der eine teilt und der andere wählt, tut der mit dem Messer am besten daran, den Kuchen genau in der Mitte durchzuschneiden. Dann nämlich bekommt er ein halbes Stück ab, egal, wie der andere sich entscheidet. Schneidet er hingegen zwei verschieden große Stücke zurecht, riskiert er, weniger zu bekommen. In diesem einfachen Fall empfiehlt die Spieltheorie darum, stets «fifty-fifty» zu teilen. Weil der Junge dies vernünftigerweise immer tun wird, handelt es sich um eine «reine Strategie».

Bei Papier, Stein, Schere gibt es keine reine Strategie, wie wir gesehen haben. Hier und in vielen anderen Situationen besteht die optimale Lösung darin, die verschiedenen Möglichkeiten willkürlich abzuwechseln. Das Ergebnis ist eine «gemischte Strategie», auf die sich der Gegner nicht einstellen kann, weil sie unberechenbar ist. Von Neumanns Verdienst war es, die Bedeutung der Information im Wettstreit aufzudecken. Danach richtet sich auch die Polizei, wenn sie ihre Radarfallen wahllos in den Büschen versteckt.

Bloß nicht verlieren

Hilfreich ist die Spieltheorie auch in verwickelten Lagen, die wir schwer überschauen. Doch die Empfehlungen des John von Neumann sind gewöhnungsbedürftig. Normalerweise verfahren wir in solchen Fällen nämlich anders. Wir überlegen uns, welcher Lauf der Dinge wohl am wahrscheinlichsten ist, und entscheiden danach. Ein typischer Gedankengang: Ich sollte das Angebot vom Konkurrenzunternehmen ausschlagen, denn hier in der alten Firma werden sie mich bald zur Abteilungsleiterin machen. Schließlich soll der jetzige Stelleninhaber in Erziehungsurlaub gehen, und er hat mir im Vertrauen gesagt, dass er danach nicht zurückkommen will. Der Chef schätzt meine Arbeit. Er traut mir eine Führungsposition zu und hat sowieso keine Alternative ...

Was die grübelnde Angestellte allerdings übersieht, ist, wie eine Verkettung von Umständen die Wahrscheinlichkeit ihres Szenarios drückt. Die meisten Entscheidungen sind nämlich so komplex, dass schon der geringste Irrtum über die Motive des anderen das ganze Gedankengebäude zum Einstürzen bringt. Selbst wenn unsere Heldin ihre Pappenheimer so gut kennt, dass jede ihrer fünf Vermutungen mit einer Wahrscheinlichkeit von 80 Prozent zutrifft, beträgt die Chance, dass alles genau so kommt, wie sie es erwartet, weniger als ein Drittel! (Das können Sie leicht nachrechnen: Die Wahrscheinlichkeit, dass alle fünf Annahmen zutreffen, ist $0,8 \times 0,8 \times 0,8 \times 0,8 \times 0,8 = 0,327$ oder 32,7 Prozent.) Und diese Rechnung fällt noch optimistisch aus, denn 80 Prozent Treffsicherheit sind viel, und meist spielen mehr als fünf Einflüsse für eine Entscheidung eine Rolle. Darum führt das beliebte Psychologisieren darüber, wie die andere Seite sich wohl verhalten wird, fast immer in die Irre.

Wenn sie will, kann eine Gegenpartei zudem all unsere Prognosen leicht durchkreuzen, indem sie bewusst unberechenbare Züge unternimmt. Wieso sollten wir die Einzigen sein, die von der Spieltheorie wissen? Das ist die Logik hinter von Neumanns Lehre: Wenn wir die Reaktionen eines Widersachers nicht voraussagen können, hilft es nur, sich von seinen Entscheidungen ebenso wie von misslichen Zufällen unabhängig zu machen. Darum streben Anhänger der Spieltheorie nicht vordringlich den Sieg an; es geht ihnen vielmehr darum, die eigenen Verluste unter allen Umständen so gering wie möglich zu halten. Diesem Prinzip folgt die «gemischte Strategie» beim Papier-Stein-Schere-Spiel – egal, was der andere tut, kann er gegen eine Folge von zufälligen Zügen niemals gewinnen. Schlimmstenfalls handelt er ebenfalls wahllos, dann herrscht ein Patt.

Von Neumanns Ideen liegen einer bis heute offiziell gültigen Doktrin der amerikanischen Streitkräfte zugrunde: Erwarte nicht, dass der Gegner die für ihn nützlichste Entscheidung trifft, sondern gehe bei der Wahl deiner Taktik vom Schlimmsten aus, das er anrichten kann.[5] Für die grübelnde Angestellte gilt dasselbe. Sie sollte sich fragen, ob sie auch dann in ihrer Firma bleiben würde, falls die ersehnte Beförderung ausbleibt.

So hat der italienische Schriftsteller Italo Calvino die Spieltheorie auf den Punkt gebracht: «Das Beste, was du erwarten kannst, ist, das Schlechteste zu vermeiden.»[6]

Gleichgewicht des Schreckens

John von Neumann, in eine Budapester Bankiersfamilie geboren und vor dem Krieg in die USA ausgewandert, war einer der brillantesten, vielseitigsten und zynischsten Wissenschaftler des 20. Jahrhunderts. Er erfand nicht nur die Spieltheorie, sondern hat auch bei der Entwicklung der Quantenmechanik, des Computers und der Atombombe Bahnbrechendes geleistet. «Die Klage, dass die Menschen eigennützig und verräterisch sind, ist so dumm, wie es dumm wäre, darüber zu jammern, dass ein Magnetfeld nur in einem elektrischen Wirbelfeld zunehmen kann», lautete eines seiner Bonmots, «beides sind Naturgesetze.» Er war davon überzeugt, dass man dem Schlechten nur aus einer Position der Stärke heraus beikommen kann. Mit der Spieltheorie hatte er ein Mittel dazu in der Hand.

Eine Strategie ist weder gut noch böse; sie lässt sich für verschiedene Zwecke missbrauchen. So führte die erste große Anwendung der Erkenntnisse von Neumanns zu einer nie da gewesenen Katastrophe. Im Zweiten Weltkrieg, als der Forscher eine Professur im amerikanischen Princeton innehatte, ließ er optimale Strategien berechnen, Japan zu bombardieren. Das Problem ähnelte aus seiner Sicht dem Papier-Stein-Schere-Spiel: Wenn Amerika seine Angriffe nur auf die militärisch wichtigsten Ziele richtete, konnten die Japaner dies voraussehen und ihre Abwehr dort konzentrieren. Es galt also, eine Taktik zu finden, die einerseits dem Feind maximale Schäden zufügte und andererseits möglichst unkalkulierbar war.

Was diese Gedanken für die Menschen in Japan bedeuteten, war den jungen Mathematikern um von Neumann, allen voran dem Studenten Merill Flood, nicht bewusst. Aus Gründen der Geheimhaltung hatte man sie nicht eingeweiht, wozu ihre Überlegungen dienten. Von Neumann aber wusste es sehr wohl. Ein Notizzettel, datiert vom 10. Mai 1945 und heute in der Bibliothek des US-Kongresses aufbewahrt, trägt seine Handschrift: Kyoto, Hiroshima, Yokohama, Kokura.[7] Kyoto wurde wegen seiner kulturellen Bedeutung verschont. Am 6. August 1945 warfen amerikanische Piloten eine Atombombe über Hiroshima ab, am 9. August über Nagasaki, weil Kokura an diesem Morgen von dichtem Nebel verhüllt war.

Nach dem Krieg hatte von Neumann ein halbes Dutzend Beraterstellen bei Militär, Regierung und CIA – und noch einmal so viele bei Großunternehmen. Seine Erkenntnis, dass bei einem Konflikt das Vermeiden eigener Verluste das oberste Ziel jeder Seite sein müsse, nahm er wörtlich und zog daraus aus heutiger Sicht wahnwitzige Schlüsse. So drängte er im Jahr 1950 die amerikanischen Politiker zum atomaren Erstschlag auf die Sowjetunion. Städte und vor allem Militärbasen sollten ausgelöscht werden, bevor der Gegner in der Lage sei, seinerseits Interkontinentalraketen zu bauen. Gegenüber dem Magazin *Life* soll er erklärt haben: «Wenn Sie sagen, warum wir sie morgen bombardieren sollen, frage ich, warum nicht heute? Wenn Sie sagen, warum nicht heute um fünf Uhr, frage ich, warum nicht um eins?»[8]

Von Neumann war bereit, einen beispiellosen Vernichtungskrieg vom Zaun zu brechen und den Tod von Millionen hinzunehmen. Dabei war er kein blutrünstiger Militarist. Doch abgrundtiefer Pessimismus verleitete ihn zu seinem Vorschlag, der jeglicher Moral und selbstverständlich auch dem Völkerrecht zuwiderlief: Er hielt Rechtsempfinden und Mitleid für Illusionen, die Menschen jederzeit aufgeben würden, sobald ihnen das nütze.

Wie wir sehen werden, hat von Neumann damit seine eigenen Ideen missverstanden. Die Spieltheorie in Verbindung mit zufälligem Handeln erklärt nämlich auch, warum sehr oft Fairness und Zusammenarbeit von Vorteil sind. Von Neumann aber argumentierte, dass einzig die kalte Logik des Gewinnens unser Wesen bestimme. Zu einem atomaren Showdown würde es ohnehin kommen, glaubte er, und dann solle er lieber Opfer auf der anderen Seite kosten.

Von Neumann war überzeugt, dass eine Weltregierung den tödlichen Konflikt vermeiden könnte, was jedoch in der Praxis nicht durchzusetzen sei. So erfand er das Gleichgewicht des Schreckens. Auf Empfehlung einer von ihm geleiteten Kommission wurde die Aufrüstung Amerikas mit Atomraketen beschlossen. Ganz nach den Theoremen der Spieltheorie sollten die Führer im Kreml wissen, dass sie jeden Angriff binnen Stunden mit ihrem eigenen Leben zu bezahlen hätten – nach der Devise «erwarte das Schlimmste».

Im Jahr 1955, als von Neumanns Einfluss am größten war, erkrankte er an Knochenkrebs und war fortan an den Rollstuhl gefesselt. In dieser Pose wurde er das Vorbild für Peter Sellers als hochintelligenter, aber skrupelloser Wissenschaftler in dem Hollywoodfilm «Dr. Seltsam oder Wie ich lernte, die Bombe zu lieben». Als von Neumann 1957 in Washington starb, ließ das Verteidigungsministerium Agenten an seinem Krankenbett aufstellen, weil man fürchtete, er könne im Todeskampf Geheimnisse preisgeben. Seine Spieltheorie hatte die Welt verändert.

Auge um Auge, Zahn um Zahn

Auch für die aberwitzige Aufrüstung in den Jahren des Kalten Krieges fand die Spieltheorie ein Szenario. Ausgedacht hat es sich ebenjener Merill Flood, der als Berufsanfänger unwissentlich die Bombardierung Japans geplant hatte.

Berühmt wurde sein Gedankengang unter dem Namen «Gefangenendilemma»: Zwei Spießgesellen sitzen in Untersuchungshaft. Sie wissen, dass die Justiz ihnen nur den Besitz von Schusswaffen nachweisen kann – allerdings auch, dass die Bezichtigung des einen reichen würde, um den anderen wegen Bankraubs zu verurteilen. Die beiden können keinen Kontakt zueinander aufnehmen. Im Verhör macht die Polizei jedem ein Angebot: Wer gegen den anderen aussagt, kommt als Kronzeuge frei, während der andere zu fünfzehn Jahren Gefängnis verurteilt wird. Sollten allerdings beide singen, müssen beide zehn Jahre sitzen; die restlichen Jahre werden ihnen als Anerkennung für die Zusammenarbeit mit den Behörden erlassen. Wenn dagegen beide schweigen, reicht die Beweislage nur für eine Verurteilung wegen illegalen Waffenbesitzes, und dies bedeutet ein Jahr hinter Gittern (siehe Graphik).

Würden Sie darauf eingehen? Wenn sich beide verweigern, sind Sie schon im nächsten Jahr wieder frei. Wenn Sie aber den Mund halten und der andere nicht, sitzen Sie fünfzehn Jahre. Da wäre es immer noch besser, selbst zu reden und zehn Jahre zu schmoren – oder vielleicht sogar gleich nach Hause zu gehen, falls der andere dichthält. Die Spieltheorie würde jedem empfehlen, unabhängig vom Handeln des anderen die beste Lösung zu suchen, also zu reden. Der Nachteil ist freilich, dass dann beide viel schlechter wegkommen, als wenn sie einander vertrauen.

Bei Papier, Stein, Schere bedeutet der Verlust des einen immer den Gewinn des anderen. Im Gegensatz dazu ist das Gefangenendilemma ein typisches Nichtnullsummenspiel: Arbeiten die Gegner zusammen, können beide gewinnen. Legen sie es auf eine Konfrontation an, verlieren beide. Solche Situationen, in denen sich alles um Kooperation und Vertrauen dreht, kommen im Alltag häufiger vor

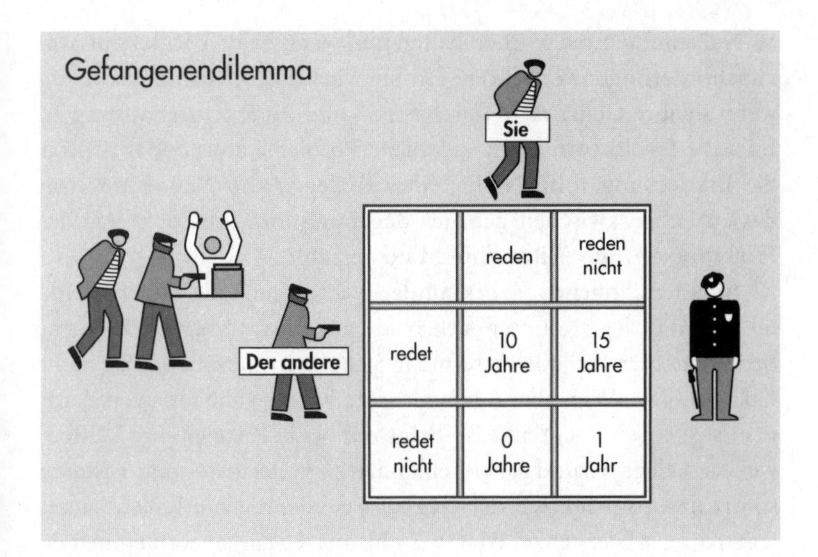

Gefangenendilemma
Sie haben mit einem Spießgesellen einen Bankraub begangen, den Ihnen die Polizei aber nur nachweisen kann, wenn einer von Ihnen auspackt. Bezichtigt einer den anderen, bekommt er Hafterlass; redet keiner von Ihnen, müssen beide wegen unerlaubten Waffenbesitzes ein Jahr einsitzen. Da Sie getrennt verhört werden, wissen Sie nicht, wie sich der andere verhalten wird. Die Spieltheorie rät, dass Sie sich von seinem Handeln unabhängig machen und den anderen verraten. Dann haben Sie auf jeden Fall das ungünstigste Ergebnis vermieden, nämlich 15 Jahre im Gefängnis bleiben zu müssen. Wenn Sie allerdings mit demselben Menschen wiederholt in diese Situation geraten sind, kann es sich lohnen, ihm zu vertrauen. Denn anders als im einmaligen Gefangenendilemma müssen beide damit rechnen, dass der andere Ihnen Ihr Handeln vergelten wird.

als Nullsummenspiele: Ehen halten nur, wenn beide Partner auf Maximalforderungen verzichten; Firmen wie Gewerkschaften verlieren, wenn sie ihre Gegensätze durch Streik und Aussperrung austragen. Dass die Spieltheorie auch auf solche Probleme anwendbar ist, war die Entdeckung John Nashs, eines Kollegen von Neumanns, von dessen Leben zwischen genialer Begabung und Schizophrenie der Hollywood-Film «A Beautiful Mind» erzählt.

In einer ähnlichen Zwickmühle steckten auch die Supermächte im Kalten Krieg. Konnten sich beide auf Abrüstung verständigen, bedeutete dies für jede Seite mehr Sicherheit und obendrein mehr Geld im Etat. Wenn aber nur einer seine Raketen abbaute, verschaffte er sich einen Nachteil. Also behielten beide Parteien ihre Waffen, weil sie keinen Grund sahen, einander zu vertrauen – und rüsteten sofort nach, sobald sich der Gegner irgendeine neue Rakete zugelegt hatte. «Die ganze Welt besteht aus Gefangenendilemmata», schreibt der Schweizer Wissenschaftsjournalist Reto Schneider, «Steuern hinterziehen, Ladendiebstahl, Schwarzfahren: Solange die anderen bezahlen, funktioniert es, wenn niemand mehr bezahlt, sind alle bestraft.»

Gibt es keinen Ausweg? Nicht, wenn die Kontrahenten nur einmal gegeneinander antreten und dann nie wieder. In diesem Fall besteht wenig Anlass, aufeinander zu zählen, weil einer den anderen ohne Folgen für sich selbst ausnutzen kann. Aber das ist eine wenig realistische Bedingung. Man sieht sich im Leben immer zweimal. Wissen beide Parteien, dass sie noch einmal gemeinsam in dieselbe Situation kommen werden, haben sie mehr Anreiz zur Kooperation, die, wenn sie denn glückt, beiden Vorteile bringt. Denn Verrat kann in diesem Fall später heimgezahlt werden.

Beim Gefangenenproblem etwa könnten die beiden Delinquenten nach ihrer Freilassung bei ihrem nächsten Vergehen erwischt werden und erneut vor dem Dilemma stehen. Als der amerikanische Politikwissenschaftler Robert Axelrod Computer als Wiederholungstäter gegeneinander antreten ließ, häuften die elektronischen Häftlinge dann am wenigsten Jahre im Knast an, wenn sie nach dem Motto «Wie du mir, so ich dir» handelten.[9] Sie waren grundsätzlich willig zu schweigen, aber nur, solange sich ihr Komplize des Vertrauens als würdig erwies. Wenn er sie verriet, verrieten sie ihn in der folgenden Runde; wenn er sich wieder zum Miteinander bereit zeigte, waren sie es auch. Wer sich so benimmt, nutzt die Chance auf Kooperation, ohne sich betrügen zu lassen.

Der Nachteil dieser Strategie ist allerdings ihre Unerbittlichkeit: Betrügt der andere nur ein einziges Mal und folgt auch er dem «Wie du mir …», so ist es mit der gemeinsamen Sache vorbei. Ein tragisches Beispiel dafür ist das Palästinaproblem. Israel und die Palästinenser waren durchaus zur Zusammenarbeit bereit, die Führer beider Völker erhielten sogar den Friedensnobelpreis. Als aber wieder Gewalt aufflackerte, schlug die israelische Regierung zurück – und bot damit den Anlass für neuen Terror, der nun erst recht mit Angriffen beantwortet wurde. Bis heute ist im Nahen Osten kein Ende der schrecklichen Logik von Schlag und Gegenschlag in Sicht.

Zufall gegen Zynismus

Allein der Zufall kann den Teufelskreis der Vergeltung durchbrechen. Denn im wiederholten Gefangenendilemma fahren auf Dauer beide besser, wenn sich einer vorsichtig großzügig gibt und manchmal Provokationen duldet, um die Zusammenarbeit nicht zu früh aufzugeben. Allerdings darf er nicht erkennen lassen, welche unfairen Züge des anderen er im Dienst des gemeinsamen Wohls übergeht, weil das Gegenüber ein solches Muster ausnutzen könnte. Nachsicht ist allein dann zu beider Vorteil, wenn man sie nicht zu oft übt – und vor allem wenn dies wahllos geschieht. Nur wenn wir gelegentlich unberechenbar handeln, können wir es uns leisten, gute Menschen zu sein.

Dies fand der Biomathematiker Karl Sigmund denn auch in seinen Computersimulationen heraus: Wenn Spieler im Gefangenendilemma manchmal und unvorhersehbar einen hässlichen Zug hinnehmen, bekommen sie in der Summe weniger Jahre Haft aufgebrummt als ihre Kollegen, die ein strenges «Auge um Auge, Zahn um Zahn» befolgen.[10]

Tatsächlich verhalten sich viele Menschen so. Das stellte sich heraus, als Berner Studenten im Gefangenendilemma gegeneinander antreten sollten; statt möglichst weniger Jahre hinter Gittern winkten Schweizer Franken als Belohnung. Etwa ein Drittel der Studenten wählte Sigmunds «Wie du mir ...»-Strategie mit gelegentlicher Nachsicht nach dem Zufallsprinzip. Die übrigen blieben bei ihrer Entscheidung, wenn sie sich im letzten Zug bewährt hatte, sonst änderten sie ihr Verhalten. Das Schielen auf die Vergangenheit erwies sich allerdings als ungünstig: Da die Spieler abwechselnd an der Reihe waren, fuhren die Anhänger der Zufallsstrategie besser.[11]

Wir profitieren also davon, unvorhersehbar handeln zu können. Das verschafft uns einerseits im Wettbewerb einen Vorteil und macht andererseits in vielen Situationen Zusammenarbeit und Vertrauen erst möglich. Dass es sich so schwer absehen lässt, wie Menschen handeln werden, ist also nicht nur eine unangenehme Folge der Komplexität unseres Gehirns – uns liegt auch daran, unsere Absichten zu verschleiern. Möglicherweise hat uns die Natur eigens dafür eingerichtet.[12]

Manche Evolutionsbiologen wie der Brite John Maynard Smith nehmen an, dass in uns ein Mechanismus wirkt, der unser Handeln zu unserem eigenen Vorteil manchmal unberechenbar macht. Sollte dies zutreffen, bezahlten wir dafür mit weiterer Unsicherheit: Dann wären wir nicht nur unwissend, was die Pläne der anderen angeht, sondern auch über unsere eigenen Absichten.[13] Schließlich gibt nicht nur derjenige, der nach einem festen Muster handelt, seine Pläne mit der Zeit preis. Oft verraten wir uns bereits, wenn wir eine Entscheidung treffen. Perfekte Pokergesichter sieht man selten. Den meisten Menschen ist es so gut wie unmöglich, ein Vorhaben zu fassen, ohne sich dabei zu verraten – durch einen Blick, eine Geste oder eine unkontrollierte Bemerkung. Der sicherste Schutz davor wäre, seine Absichten selbst nicht zu kennen. Genau das vermutete Maynard Smith: «Wir haben ein Rouletterad im Kopf.»

KAPITEL 9 KINDHEIT, LIEBE, PARTNERSCHAFT
Wie der Zufall unser Leben bestimmt

«Erfolg setzt sich nach meiner Überzeugung zu 95 Prozent aus Glück und zu 5 Prozent aus Können zusammen. Sehen Sie mich an: Ich weiß genau, dass sich unter meinen Angestellten unzählige qualifizierte Kräfte befinden, die meine Firma genauso gut leiten könnten wie ich. Aber sie hatten nicht die entscheidenden Chancen. Das ist der einzige Unterschied zwischen ihnen und mir.»
Julius Rosenwald, ehemaliger Vorstandsvorsitzender der amerikanischen Kaufhauskette Sears[1]

Die Wechselfälle des Lebens schienen für Lewis Terman keine Rolle zu spielen. Der Wissenschaftler war vielmehr besessen von der Macht der Intelligenz. Das hatte vielleicht mit seiner Herkunft aus dem ländlichen Amerika zu tun, wo er als zwölftes von vierzehn Kindern auf einer Farm auf die Welt kam. Dort konnte sich niemand in einen Jungen wie Lewis hineinversetzen, der ein Buch nach dem anderen verschlang und im Sport ein Kümmerling war. Allen Hindernissen zum Trotz machte Terman seinen Weg nach Kalifornien, wo er an der damals neuen Stanford-Universität bald zum berühmtesten Psychologen Amerikas aufstieg. Psychologie war seinerzeit eine junge Wissenschaft; dies mag den Optimismus erklären, mit dem Terman seinem Fach prophetische Fähigkeiten zusprach. Er trat an zu beweisen, dass erstens ein scharfer Verstand die wertvollste menschliche Eigenschaft sei – und dass man zweitens einen Lebensweg vorhersagen kann.

Dazu wollte er den menschlichen Geist in Zahlen fassen. Terman erfand den Intelligenztest in seiner heutigen Form, machte den IQ populär und setzte seine Messung für praktisch alle Schulkinder des Landes durch. Sein besonderes Interesse aber galt den Höchstbegabten – dem einen Prozent aller Mädchen und Jungen, die mit einem IQ über 135 abschnitten und damit als Genies galten.[2] Sie sollten seine Kronzeugen dafür sein, in welchem Maß Intelligenz über den Erfolg im Leben bestimmt. Terman schrieb Hunderte Schulen in Kalifornien an und bat sie, ihm solche Ausnahmekinder zu melden.

Im Jahr 1928 hatte er 1500 Namen beisammen. Für jedes Kind legte er eine Akte an, worin er das Leben seiner kleinen Versuchsperson in allen Einzelheiten beschrieb. Gesundheit, Persönlichkeitsstruktur, Interessen, Lektüre, Lieblingsspiele, Verhältnis zu den Geschwistern, die Gewohnheiten im Elternhaus und sogar die Zahl der Bücher, die in den Regalen der Eltern standen (300 im Schnitt), ließ er durch seine Assistenten erfassen. All dieser Aufwand sollte jedoch nur das Eröffnungskapitel eines gewaltigen Romans liefern, in dem die klugen Kinder ungewollt die Hauptrolle spielten. Regelmäßig erhielten die Hochbegabten fortan Post aus Stanford, und in dem Maße, wie sie heranwuchsen, änderten sich die Fragen. Nun wollten Termans Leute wissen, wie ihr Sexualleben lief, wie sie über Politik dachten, wie viel sie verdienten, ob ihre Ehe glücklich war. Termans Kinder, von Eingeweihten bald die «Termiten» genannt, wurden verfolgt bis zu ihrem Tod. Nie wurde das Leben einer größeren Gruppe von Menschen auch nur annähernd so gründlich durchleuchtet und dokumentiert.

Da die Wissenschaftler Anonymität zugesichert hatten, wurde von vielen Menschen erst nach ihrem Tod bekannt, dass sie «Termiten» waren. Wissenschaftler, Hollywoodgrößen und berühmte Journalisten zählten zu ihnen. Jeder zehnte Teilnehmer hatte es ins amerikanische «Who's Who» geschafft, keiner allerdings den Nobelpreis oder den Pulitzerpreis gewonnen. Auch war das Einkommen der Hochbegabten höher, ihr Gesundheitszustand besser und sogar die Selbstmordrate niedriger als im amerikanischen Durchschnitt.

Und doch ist Termans Traum, den Lebenserfolg vorhersagen zu können, verflogen. Zu viele Schicksale verzeichneten seine Akten, die so gar nicht in das Konzept des Psychologen passten. Diese Menschen waren mit ihren Ambitionen gestrandet oder auf der sozialen Leiter gar nicht erst so weit gestiegen, dass sie ihren brillanten Verstand hätten einsetzen können. Unter ihnen gab es Streifenpolizisten, Fliesenleger und Reinigungskräfte – Höchstbegabte, deren besondere Fähigkeiten im Beruf kaum gefordert waren.[3] Offenbar garantiert Intelligenz keineswegs den Weg nach oben. Viel eher als Terman schien sein Zeitgenosse, der Kaufhauskönig Julius Rosenwald, mit seiner Bemerkung Recht zu behalten, dass Aufstieg mindestens so stark vom Glück, sprich von Zufällen, abhänge wie von den Fähigkeiten einer Person.

Dabei hatte Terman in seiner Auswahl Kinder mit guten Startchancen begünstigt. In den Schulen, die er angeschrieben hatte, lernte der Nachwuchs der privilegierten weißen Mittel- und Oberschicht aus den Städten; später mischte sich der Wissenschaftler sogar in das Leben seiner Schützlinge ein, um ihnen den Weg zu ebnen. Nur zwei kleine Afroamerikaner und ein Kind indianischer Herkunft führte seine Kartei. Hätte Terman diese benachteiligten Gruppen stärker berücksichtigt, wäre das Ergebnis noch ernüchternder ausgefallen.

Aber vielleicht hatte sich Terman zu eng auf den Intellekt konzentriert? Möglicherweise zeichnen sich erfolgreiche Leute nicht nur durch einen scharfen Verstand aus, sondern beherrschen auch den Umgang mit Menschen besonders gut.

Gibt es also andere Persönlichkeitszüge, die unser Schicksal vorhersehbar lenken? Mit dieser Frage im Sinn haben sich die amerikanischen Sozialwissenschaftlerinnen Carol Tomlinson und Jessica Gomel noch einmal die Geschichten der Frauen aus Termans einmaligem Archiv vorgenommen. Sie wollten herausfinden, ob man späteren Erfolg oder Misserfolg doch irgendwie aus der Kindheit ableiten kann.[4] Damit die Forscherinnen die vielen Charaktere und Geschichten vergleichen konnten, destillierten sie dreizehn Kriterien heraus – Elternhaus, Kindheit, Persönlichkeit, Ziele und so weiter.

Wenn die Intelligenz allein den Erfolg nicht garantiere, dann könnte sich ja an diesen Einflüssen ablesen lassen, wer einmal Universitätsprofessorin, wer Hausfrau und wer Telefonistin werden sollte.

Aber die beiden Wissenschaftlerinnen täuschten sich. Einzig die Lebensziele, die Frage, wie viel Bedeutung sie der Berufstätigkeit beimaßen, und ihr Geschick im Umgang mit Menschen hatten messbaren Einfluss darauf gehabt, was aus den Frauen wurde. «Doch auch diese Faktoren erlaubten keine sehr genaue Voraussage», schreiben Tomlinson und Gomel. Das ist milde ausgedrückt. Nicht einmal bei einem Viertel der Frauen beispielsweise, die später in einem typischen Frauenberuf beschäftigt waren, hätte sich dies vorher an ihren Lebensvorstellungen ablesen lassen. Damit ist Termans Projekt, die Zukunft eines Menschen aus seiner Persönlichkeit und seiner Vergangenheit vorauszusagen, gründlich gescheitert. Was aber bestimmt dann den Weg unseres Lebens?

Tropfen auf der Wasserscheide

Der Philosoph Ernst Bloch erzählt von einem Mann, der als Student sehr zurückgezogen lebte. Eines Abends aber floh er ausnahmsweise in eine Bar, weil in seinem Haus ein Toter aufgebahrt war und er den Gedanken daran nicht ertrug. In der Bar kam er mit einem Fremden ins Gespräch, über den er eine Studentin kennen lernte. Ihr zuliebe wechselte er an eine kleine Universität, an deren Besuch er sonst nie gedacht hätte. Dort wurde er einer Ungarin vorgestellt, reiste ihr nach Budapest nach, wo er die Bekanntschaft eines berühmten Philosophen machte, der ihn zum Schreiben eines Buchs anregte. Dieses verfasste er in einem abgelegenen Gasthaus, wo unser Held, hinter dem sich vermutlich Bloch selbst verbirgt, schließlich seine spätere Frau traf.[5]

Was hatte der Tote aus dem Mietshaus schon mit dem Studenten zu tun?, fragt Bloch. Wäre sein Leben ohne die Leiche nicht ganz anders verlaufen? Manchmal scheint uns ein einzelner Zufall auf ein neues Gleis zu setzen – jeder hat das selbst schon erlebt. Wie ein

Steinchen auf einer Wasserscheide einen Regentropfen entweder ins Mittelmeer oder in die Nordsee lenken könne, schreibt Bloch, so würden winzige Ereignisse manchmal unsere gesamte Zukunft bestimmen.

Aber man kann die Geschichte auch anders verstehen. War der aufgebahrte Tote wirklich allein ausschlaggebend? Viele andere Begebenheiten, die Bloch weder erwarten noch steuern konnte, haben seinen Weg nicht minder bestimmt. Welches Leben hätte er gelebt, hätte er statt mit dem Freund seiner späteren Geliebten zufällig mit einem anderen Fremden in der Bar ein Gespräch angeknüpft? Die Leiche im Haus war nicht bedeutender, sondern nur einprägsamer als all die anderen kleinen Geschehnisse später. Jedes von ihnen bildete eine Wasserscheide auf dem Weg unseres Protagonisten, doch war dieser selbst kein passives Objekt der Entwicklung. Auch wenn es etwas merkwürdig anmutet, dass der anfänglich so zurückgezogen lebende junge Mann bald eine solche Neugier auf andere Menschen entwickelte – offenbar besaß er die Gabe, Gelegenheiten zu nutzen, die andere noch nicht einmal gesehen hätten. Bloch hat die Zufälle geradezu gesucht.

Die Gelegenheit beim Schopf packen

Nicht jeder Mensch ist ein solches Glückskind, dass er unter vielen Chancen auswählen kann. Manchmal bietet das Leben nur eine einzige Gelegenheit, die es am Schopf zu packen gilt. Carl Friedrich Gauß, in eine wenig angesehene Handwerkerfamilie geboren, soll sich schon mit drei Jahren selbst das Rechnen beigebracht und die Lohnabrechnungen seines Vaters korrigiert haben. Mit acht Jahren verblüffte er seine Lehrer damit, dass er in Windeseile alle Zahlen von eins bis hundert zusammenzählte.[6] Bald hörte sogar der Herzog von Braunschweig von seinem Untertan, dem Wunderkind, und förderte es nach Kräften. So wurde Gauß einer der produktivsten Mathematiker aller Zeiten. Bis vor kurzem war er auf jedem 10-Mark-Schein zu sehen.

Ist es Zufall, dass er es so weit brachte? Einerseits hat Gauß schon von früher Kindheit an die Grundsteine seiner erstaunlichen Karriere gelegt. Andererseits hatte er das Glück, einflussreiche Förderer zu finden – und vor allem, als Junge geboren worden zu sein. Ein Mädchen mit gleichen Talenten hätte damals kaum seine Möglichkeiten gehabt. Viel eher hätte Gauß' Leben dann dem seiner ebenfalls hochintelligenten Mutter geähnelt, die sich bei einem Bauern als Magd verdingen musste. Auch würde Carl Friedrich Gauß heute kaum der Fürst unter den Mathematikern genannt, hätte er seine Jugend ein paar Jahre früher verbracht, während des Siebenjährigen Krieges, als sich Herzog Karl Wilhelm Ferdinand für sein Militär und weniger für das Schulwesen interessierte.

Gauß boten sich wenig Chancen, doch diese hat er genutzt. Damit verdankte er seinen Erfolg in hohem Maß dem Glück. Ein Kind aus reichem Hause mit Privatlehrern hätte dagegen auch in politisch schwierigen Zeiten seinen Weg machen können.

Wie sehr ein einzelner Zufall oder einige wenige Zufälle unseren Weg bestimmen, hängt also stark vom Umfeld ab. Für die Benachteiligten einer Gesellschaft ist der Aufstieg weniger wahrscheinlich; gelingt er gegen alle Widerstände doch, trägt neben Talent und Geschick oft eine unerwartete Koinzidenz entscheidend dazu bei. Wir haben dieses Gesetz schon im Zusammenhang mit der Evolution kennen gelernt: Der Zufall kämpft häufig auf der Seite der Schwachen. Darum besteht Gerechtigkeit vor allem darin, Chancen für möglichst viele zu schaffen.

Wer hingegen in einer Welt voller Möglichkeiten lebt, für den hängt von einem einzelnen Zufall meist weniger ab. Verpasst er heute die eine Gelegenheit, ergreift er morgen die nächste. Wo sich viel bewegt, kommt es im Gesamtbild auf die Einzelheiten nicht so sehr an.

Gene und Umwelt

Doch Gelegenheiten sind nicht einfach da, wir müssen sie sehen und ergreifen. Der Zufall kann unser Leben ändern, aber er wirkt nur in den Grenzen, die unsere Persönlichkeit ihm setzt.

Was aber bestimmt die Persönlichkeit eines Menschen? Schon vor der Geburt unserer Kinder, erst recht danach, fragen wir uns, wie wir ihr Leben am besten steuern können. Zu unseren liebsten Ideen gehört schließlich die Vorstellung, dass wir unsere Kinder gezielt fördern können. Wir wollen ihnen auf dem Weg ins Leben möglichst viel mitgeben – auch wenn es heute niemand so radikal ausdrücken würde, wie Termans Kollege und Zeitgenosse John Watson es tat: «Gebt mir ein Dutzend gesunder Kleinkinder, und ich garantiere, dass ich wahllos jedes Kind zu jeder Art Spezialist ausbilden kann – Arzt, Rechtsanwalt, Künstler, ja sogar Bettler und Dieb, ohne Rücksicht auf seine Begabungen und Neigungen.» Den Beweis ist der Psychologe schuldig geblieben; niemand hat ihm ein Dutzend Babys anvertraut.

Heute ist unstrittig, dass angeborene Talente und Neigungen, die Watson für unwichtig hielt, unseren Lebenslauf sehr wohl beeinflussen. Das haben Untersuchungen an Zwillingen eindrucksvoll belegt: Wenn ein Paar eineiiger, also genetisch gleicher Zwillinge getrennt aufwächst, ähneln sie sich später als Erwachsene in ihrer Intelligenz, in Charakterzügen wie Schüchternheit oder Neugier, aber auch in ihren politischen Einstellungen stärker, als gewöhnliche, zusammen aufgewachsene Geschwister es tun. An einer gemeinsamen Vergangenheit kann dies nicht liegen, da die Zwillinge ja schon in früher Kindheit auseinander gerissen wurden. Also muss das gemeinsame Erbgut für die Ähnlichkeit verantwortlich sein.[7]

Aus solchen Untersuchungen leiten Verhaltensgenetiker die Schätzung ab, dass der Grad unserer Intelligenz zur Hälfte angeboren und zur Hälfte später trainiert ist; bei der Schüchternheit schlägt das Pendel etwas mehr zugunsten der Umgebung aus. Man muss solche Zahlen mit Vorsicht genießen, weil die psychologischen Tests, die unsere geistigen Fähigkeiten oder Persönlichkeitszüge auf eine

Zahl wie den IQ abbilden wollen, selten ganz zuverlässig sind und manchmal unsachgemäß eingesetzt werden.[8] Aber darauf, ob sich die Einflüsse von Genen und Umwelt nun wie fünfzig zu fünfzig oder doch eher wie siebzig zu dreißig verteilen, kommt es letztlich nicht an – viel entscheidender ist, dass beide unser Wesen prägen.

Dieser Einsicht glauben Eltern zu folgen, wenn sie ihre Kinder in eine bestimmte Richtung erziehen wollen, um aus deren Anlagen das Bestmögliche herauszuholen. Aber genau im Wechselspiel zwischen dem angeborenen Wesen des Kindes und seiner Umgebung liegt das Problem. Soll man seinen Söhnen und Töchtern Freiheiten lassen, damit sie die Welt entdecken können? Oder brauchen Kinder doch Grenzen? Kann ein Kind in den ersten drei Jahren nur im Dauerkontakt mit seiner Mutter gedeihen? Oder ist es im Gegenteil vorteilhaft, es schon im Krabbelalter in die Krippe zu bringen, wo es früh Tuchfühlung zu Gleichaltrigen aufnehmen kann?

Eine halbe Milliarde Euro geben verunsicherte Eltern in Deutschland jedes Jahr für Erziehungsratgeber aus. Psychologen und selbst ernannte Experten geben darin mal die eine, mal die andere Empfehlung, je nach Temperament und gerade herrschendem Zeitgeist. Dabei ist klar, dass es allgemein gültige Rezepte nicht geben kann, weil jedes Kind anders auf seine Eltern reagiert. Fachleute sehen das übrigens seit mindestens zwanzig Jahren so – und Mütter und Väter, die mehr als ein Kind großziehen, wussten es eigentlich schon immer.

Kindlicher Eigensinn

Schon früh beginnen wir damit, uns eine eigene Umgebung zu schaffen – wie der kleine Carl Friedrich Gauß, der im Büro seines Vaters ein Betätigungsfeld für seine geniale Mathematikbegabung fand.

Der Eigensinn der Kinder erklärt, warum Geschwister einander immer unähnlicher werden, je länger sie zusammenleben. Eigentlich ist das erstaunlich: Wenn die Umwelt uns prägte, sollte sie umso mehr Wirkung zeigen, je länger wir sie teilen. Eheleute nehmen nach Jahren des Zusammenlebens die Gewohnheiten, die Sprache, sogar die Mimik des Partners an.

Doch bei Schwestern und Brüdern ist das anders, was sich zum Beispiel an ihrer Intelligenz ablesen lässt. Als Kleinkinder liefern Geschwister beim IQ-Test recht ähnliche Ergebnisse, denn sie haben nicht nur einen Teil ihrer Gene gemeinsam, sondern stehen auch unter dem Einfluss derselben Eltern. Schon im Schulalter aber verliert sich diese Entsprechung: Der eine schneidet besser, der andere nicht ganz so gut bei den Tests ab – bei den Zeugnisnoten verhält es sich, zum Leidwesen der Eltern, oft genauso.

Wenn die Kinder ihre Herkunftsfamilie verlassen, in der sie fünfzehn oder mehr Jahre zusammengelebt haben, haben sich die Unterschiede weiter verstärkt. Besonders eindrucksvoll zeigt sich dies bei Adoptivgeschwistern, die sich genetisch so fern stehen wie Fremde: Ihre geistigen Fähigkeiten im Erwachsenenalter ähneln sich nicht mehr als bei zwei beliebig auf der Straße aufgegriffenen Passanten. Der Einfluss der Zieheltern hat sich verflüchtigt; die eigenen Wege, die Heranwachsende gehen, haben die Persönlichkeit verändert.[9]

Genau umgekehrt wie bei Adoptivkindern verhält es sich deswegen bei eineiigen Zwillingen: Sie ähneln sich umso mehr, je älter sie werden! Das ist nicht nur am Grad der Intelligenz zu erkennen, sondern auch an den meisten anderen Wesenszügen – ob musikalisches Talent, Neugier oder Freude am Umgang mit Menschen.[10] Der Grund dafür ist, dass sich das Erbgut von Zwillingen, anders als bei gewöhnlichen Geschwistern, nicht im Geringsten unterscheidet. Haben zwei Menschen dieselben Gene, versuchen sie offenbar, es sich auf ähnliche Weise in der Welt einzurichten. Sie schaffen sich eine zu ihnen passende Umwelt. Dadurch machen sie vergleichbare Erfahrungen, was wiederum auf ihr Wesen zurückwirkt.

Doch selbst dann, wenn zwei Menschen dieselben Gene haben und jeden Moment ihres Lebens zusammen verbringen, entwickeln sie unterschiedliche Persönlichkeiten. Ihr berühmtestes Experiment dieser Art hat die Natur an Chang und Eng Bunker vollführt. An der Brust zusammengewachsen, wurden diese Brüder 1815 nahe

Bangkok geboren, als Thailand noch Siam hieß. Chang und Eng hatten also, da sie eineiige Zwillinge waren, dasselbe Erbgut und konnten bis zu ihrem Tod mit 59 Jahren keinen Schritt ohne den jeweils anderen tun. Nie gebrauchten sie in ihren Briefen das Wort «ich», sondern immer die Mehrzahl. Und doch waren ihre Charaktere so verschieden, dass Mark Twain sie in seiner Geschichte «Die siamesischen Zwillinge» aufseiten der verfeindeten Parteien des Amerikanischen Bürgerkriegs gegeneinander kämpfen ließ. Chang zeigte sich seinem Bruder schon früh geistig überlegen, war der Dominierende, aber auch Hitzköpfigere – einmal soll er Eng mit einem Messer bedroht haben, worauf beide die damals unmögliche Trennung verlangten. Obendrein war Chang zeitweise alkoholabhängig. Eng dagegen trank nicht und erfreute sich auch sonst eines ausgeglicheneren Gemüts.[11]

Offenbar hatten beide Brüder alles Interesse daran, sich von dem jeweils anderen abzugrenzen und einen eigenen Charakter auszubilden. Doch in welche Richtung sie sich entwickeln würden, hätte niemand im Voraus sagen können, denn ihre Startbedingungen waren auf den ersten Blick nahezu identisch. Winzige Unterschiede müssen demnach die Weichen bei der Persönlichkeitsentwicklung der Zwillinge gestellt haben; vermutlich hat eine Rolle gespielt, dass Eng fast fünf Zentimeter größer als sein Bruder war, vielleicht weil er im Mutterleib besser ernährt wurde. Jedenfalls dürften erst die Eltern, später auch andere Menschen die Geschwister etwas verschieden behandelt haben. Die Kinder antworteten darauf, indem jeder ansatzweise sein eigenes Wesen formte, worauf die Umwelt erst recht anders auf Chang als auf Eng reagierte.

So kommt es, ausgehend von Kleinigkeiten, zu einem Schneeballeffekt. Mit der Zeit können die Gegensätze selbst bei siamesischen Zwillingen so groß werden, dass ihnen ein gemeinsames Leben unerträglich erscheint. Der Konflikt kann sich so zuspitzen wie bei den am Kopf zusammengewachsenen Iranerinnen Ladan und Laleh Bidschani. Sie entschlossen sich im Jahr 2003 gegen den Rat fast aller Ärzte zur operativen Trennung, die beide nicht überlebten.

Bei normalen Geschwistern entwickeln sich die Persönlichkeiten noch spürbarer auseinander, denn sie unterscheiden sich in Erbgut und Alter. Von vornherein reagieren die Menschen ihrer Umgebung verschieden auf die Kinder und fördern damit ungewollt die Ausbildung eines eigenen Charakters. Bald wird ein eher neugieriges Mädchen nicht nur die Welt anders erleben als ihre ängstlichere Schwester, sie wird Eltern und Spielkameraden auch ermuntern, ihr aufregende Dinge zu zeigen. Dadurch verstärken sich die Unterschiede weiter. So formen winzige Nuancen im Leben, das wir führen, unser Wesen.

Generationen von Wissenschaftlern zerbrachen sich den Kopf über die Frage, ob unsere Anlagen oder die – häufig zufälligen – Einflüsse der Umwelt die entscheidende Kraft bei der Entwicklung unserer Persönlichkeit sind. Doch diese Frage ist so sinnlos wie die, ob zuerst die Henne da war oder das Ei.

Die Ohnmacht der Eltern

Nachdem sie sich für eine zusammenfassende Studie über die Wirkung von Erziehung durch Berge von Fachliteratur gewühlt hatten, kamen Eleanor Maccoby und John Martin schon 1983 zu einem Schluss, der manchen Eltern einen Stich ins Herz versetzen wird: Sowohl biologische Geschwister als auch Adoptivgeschwister, die in derselben Familie aufwachsen, entwickeln normalerweise stark unterschiedliche Persönlichkeiten, fanden die beiden amerikanischen Psychologen heraus; dies sei nur zu erklären, wenn «das Verhalten der Eltern entweder gar keine Wirkung hat oder sich die Wirkungen zwischen den Kindern ein und derselben Familie stark unterscheiden».[12]

Können wir uns folglich all die Mühen sparen, aus unserem Nachwuchs etwas zu machen? Vor der Antwort auf solch irritierende Fragen lohnt der Blick auf drei Argumente, mit denen Maccoby und Martin ihr Ergebnis untermauern.

Der erste Faktor, der die Anstrengungen der Eltern mitunter durchkreuzt, ist die Gemeinschaft der Gleichaltrigen. Kinder sind weniger auf ihre Eltern ausgerichtet, als diese oft denken. Denn für die neue Generation bedeuten Eltern die Vergangenheit, während es gilt, mit der Zukunft fertig zu werden. Darum lernen die Jungen nicht nur von ihren Eltern, sondern vor allem voneinander. Besonders gut untersucht ist dieser Effekt bei Kindern, die in einer anderen Kultur als ihre Eltern aufwachsen. Wenn auf der Straße anders gesprochen wird als daheim, lernen sie in Windeseile die Sprache der Gleichaltrigen. Wächst ein Junge türkischer Herkunft in einem bayerischen Dorf auf, spricht er bald Bayrisch so gut wie Türkisch und übernimmt im Deutschen nicht den türkischen Akzent seiner Eltern. Hingegen lernt er nur zögerlich Deutsch, wenn er unter lauter Einwandererkindern in Berlin-Kreuzberg groß wird, mögen sich die Lehrer noch so sehr um seine Zweisprachigkeit bemühen.[13] Ähnliches gilt für fast alle Gewohnheiten – Eltern staunen oft, wenn sie sehen, wie sich ihr Kind im Umgang mit anderen Menschen benimmt. Weil Verhalten immer an ein bestimmtes Umfeld gebunden ist, kann ein Mädchen, das daheim ein Teufel ist, anderswo ein Engel sein – oder umgekehrt. Kinder erziehen sich zudem gegenseitig. Die Eltern haben wenig Einfluss darauf, ob diese Prägung durch Gleichaltrige die Normen von Mutter und Vater verstärkt oder ihnen entgegenwirkt. Die Umwelt eines Kindes besteht eben nicht nur aus dem Elternhaus.

Wie sich die Einflüsse der Eltern auf die Entwicklung des Kindes auswirken, ist ebenfalls nicht vorhersehbar – der zweite Grund, warum das Ergebnis von Erziehung mindestens teilweise dem Zufall geschuldet ist. Gezielt formen ließe sich eine junge Persönlichkeit nur dann, wenn die Erbanlagen kalkulierbar auf Reize reagieren würden, die man dem Kind bietet – ungefähr so, wie Nordeuropäer von zu viel Sonne eine rote Haut bekommen. Aber das Gen, das klug oder auch beliebt macht, gibt es nicht. Komplexe Wesenszüge wie Intelligenz oder Extrovertiertheit kommen durch das Zusammenwirken Hunderter Gene zustande. Wenn Wissenschaftler doch mit einem «Intelligenz-Gen» oder ähnlichen Meldungen aufwarten, dann bedeutet dies nie, dass die entdeckten Erbanlagen einen schlauen Kopf garantieren. Allenfalls erhöht ein solches Gen ein wenig die Wahrscheinlichkeit, dass sein Träger sich durch geistige Leistung auszeichnet. Zudem wirken die Erbinformationen indirekt. Die Sequenz IGF2R zum Beispiel, als Kandidat für ein «Intelligenz-Gen» gehandelt, steuert das Andocken bestimmter, dem Insulin ähnlicher Hormone an die Zellwand – und damit vermutlich nicht mehr als die richtige Ernährung des Embryos. Und die lässt sich auch auf vielen anderen Wegen fördern oder stören.

Wie unberechenbar das Wechselspiel von Genen und Umwelt ist, zeigt die Geschichte zweier Schwestern, die an einer großen Zwillingsstudie der Universität von Minneapolis teilnahmen, aus der auch viele andere Erkenntnisse in diesem Abschnitt stammen. Die beiden Frauen waren getrennt aufgewachsen und gingen auch als Erwachsene ihre eigenen Wege: Die eine feierte als Konzertpianistin Erfolge, der anderen fehlte jedes musikalische Talent. Da die beiden als eineiige Zwillinge dasselbe Erbgut hatten, konnte dies nur an der Umgebung liegen. Und wirklich gab die Pflegemutter des einen Mädchens zu Hause Klavierstunden, während die Adoptiveltern des anderen zutiefst unmusikalisch waren. Doch wer glaubt, dies habe die Karriere der späteren Konzertpianistin behindert, unterschätzt den Eigenwillen der Kinder: Gerade in diesem Elternhaus, in dem Musik nie eine Rolle gespielt hatte, wuchs die angehende Pianistin auf. Mit anderen Kindern wäre das ungewollte Experiment anders ausgegangen.[14]

Ist Erziehung sinnlos?

Erst recht unübersichtlich wird das Zusammenwirken von Anlagen und Umwelt dadurch, dass das Verhältnis von Eltern und Kindern keine Einbahnstraße ist. Darin liegt der dritte Grund für den ungewissen Ausgang jeder Erziehung: Eltern versuchen nicht nur ihre Töchter und Söhne zu prägen; die Kinder lösen auch bei ihren Eltern Reaktionen aus. Verlangt ein Junge ständig nach Aufmerksamkeit, weil er sich von seiner Mutter abgelehnt fühlt? Oder wendet sich die Mutter mitunter ab, weil sie das ungewöhnlich fordernde

Wesen ihres Sohnes nicht dauernd erträgt? Vermutlich beides; wie in jeder menschlichen Begegnung zeigen sich auch in der Erziehung die Effekte der Rückkopplung.

Zufälle erleben wir ja immer dann, wenn ein System von seiner Umwelt beeinflusst wird, selbst aber auf diese Umwelt zurückwirken kann. So ist es in der Quantenphysik (das Messgerät stört gerade die Teilchen, die es untersuchen soll), in der Evolution (eine Art passt sich an einen neuen Lebensraum an und verändert ihn dadurch) – und eben überall dort, wo Menschen zusammenleben.

Als meine Frau, damals Wissenschaftsredakteurin beim *Spiegel*, in einem Artikel genau diese Frage stellte, war die Resonanz enorm.[15] Weniger erfreulich als die Zahl der Leserbriefe, die eintrafen, war allerdings deren Inhalt. Die meisten Schreiber reagierten verärgert, einige sogar aggressiv auf die neuen Forschungsergebnisse, wonach der elterliche Einfluss auf ihre Kinder nicht so gezielt wirkt wie gedacht.

Die Irritation ist verständlich. Wir bemühen uns, für unsere Kinder das Beste zu geben, und das soll nun alles vergebens sein? Auch wenn sich insgeheim wohl jede Mutter und jeder Vater schon öfter gefragt haben, ob ihre Ermahnungen und guten Ratschläge nicht beim einen Ohr ihrer Zöglinge hineingehen und beim anderen wieder hinaus – so etwas liest niemand gern.

Doch bevor wir voreilig Schlüsse ziehen, sollten wir uns die Resultate der zugrunde liegenden Untersuchungen noch einmal vor Augen führen. Jedes einzelne der folgenden Ergebnisse wurde in ausführlichen Studien mit sehr vielen Kindern und Eltern so gut belegt, dass es unter Fachleuten unumstritten ist. Die amerikanische Entwicklungspsychologin Carol Tavris hat die wichtigsten Einsichten ihrer Kollegen so zusammengefasst[16]:

- Wissenschaftler entdeckten trotz jahrzehntelangen Suchens keine einzige Erziehungsmethode, die beim Kind eine bestimmte Persönlichkeit, bestimmte Leistungen oder Probleme außerhalb des Elternhauses zwangsläufig hervorbringen oder auch nur wahrscheinlicher machen würde. Ohnehin verhalten sich Eltern in ihrer Erziehung niemals konsequent, weil sie auf den Charakter des

Kindes reagieren. Sie sind normalerweise nachsichtiger mit umgänglichen und strenger mit schwierigen Kindern.

- Die meisten Kinder, die unter schwierigen oder sogar süchtigen Eltern zu leiden hatten, zeigen eine erstaunliche Widerstandskraft und tragen keine dauerhaften seelischen Schäden davon. Umgekehrt stammen viele Kinder, die Drogen nehmen, sich Gangs anschließen oder psychisch erkranken, aus ausgesprochen liebevollen Elternhäusern.
- Man fand nicht den geringsten Zusammenhang zwischen der Persönlichkeit von Adoptivkindern und den Charakteren der Eltern und Geschwister, mit denen sie aufwuchsen. Dies wäre anders, wenn die Umgebung zu Hause einen deutlichen Einfluss hätte.
- In welchen Lebensgemeinschaften Kinder groß werden, hat keine feststellbare Auswirkung auf ihre Persönlichkeit. Statistisch gesehen macht es keinen Unterschied, ob sie den Tag zu Hause oder in einer Kindertagesstätte verbringen; ob beide Eltern oder nur die Mutter oder nur der Vater sie betreuen; ob die Erwachsenen, mit denen sie leben, heterosexuell oder homosexuell sind.
- Wie Eltern ihre Kinder behandeln, beeinflusst vor allem das Verhalten der Kinder zu ihren Eltern, weit weniger jedoch gegenüber anderen Menschen. Wenn zum Beispiel Mütter mit ihren Kindern spielen, reagieren die Kinder nur so lange darauf, wie die Mutter dabei ist. Sobald das Kind allein oder mit einem Kameraden spielt, ist es gleichgültig, was es zuvor mit seiner Mutter gemacht hat. Die Situation bestimmt das Verhalten des Kindes stärker, als es seine Charakterzüge tun. (Derselbe Effekt zeigt sich auch unter Erwachsenen, etwa beim Bewerbungsgespräch, wie in Kapitel 5 beschrieben.)

Kinder leben in ihrer eigenen Welt; offenbar können so winzige Nuancen, dass wir sie als Erwachsene oft nicht wahrnehmen, sie in verschiedene Richtungen lenken. Jedenfalls bestimmen die Faktoren, die wir gemeinhin für entscheidend halten, das Heranwachsen eines Menschen viel weniger als gedacht. Was im Einzelnen die Persönlichkeit formt, entzieht sich zu einem großen Teil der Steuerung durch unseren Willen, lässt sich aber auch durch wissenschaftliche

Beobachtung nicht nachvollziehen. Wenn ein Mensch heranwächst, wirken sich Zufälle stärker als die Absichten der Eltern aus.

Dennoch ist es alles andere als egal, wie wir mit unseren Kindern umgehen. Zuerst ein Wort der Vorsicht: Fast alle Studien wurden in Familien der Mittelschicht durchgeführt, wo sich Eltern gewöhnlich um Verständnis und viel Einsatz für ihren Nachwuchs bemühen. Unter diesen Voraussetzungen kommt es für die Persönlichkeitsentwicklung tatsächlich kaum darauf an, ob Kinder etwas strenger oder etwas freizügiger erzogen werden. Wo dagegen Gewalt herrscht, Eltern ihre Kinder vernachlässigen, regelmäßig schlagen oder gar missbrauchen, können sie dauerhaften Schaden anrichten. Selbst wenn viele, die solche Erfahrungen durchleiden mussten, sich später zu stabilen Persönlichkeiten entwickeln – die Jahre der Kindheit sind für sie verloren.

Zweitens tun Eltern sich zuallererst selbst etwas Gutes, wenn sie ihre Töchter und Söhne achtsam behandeln. Eltern vermögen die Persönlichkeit ihres Kindes zwar weniger zu formen als gedacht. Aber auf die Beziehung der Kinder zu ihren Eltern wirkt es sich sehr wohl aus, wie beide miteinander umgehen. Wer also ein gutes Verhältnis zu seinen Kindern anstrebt, muss sich einerseits um sie bemühen, darf sich andererseits aber nicht alles von ihnen gefallen lassen – wie immer, wenn man mit Menschen auskommen will.

Darum ist Erziehung nicht sinnlos. Als besonders wirkungsvoll haben sich Verhaltenstrainings erwiesen, in denen Eltern lernen, wie sie das Einhalten von Regeln durchsetzen können. Dabei sollen sie die Kinder häufig loben und bei Verstößen nicht Tadel, sondern nachvollziehbare Konsequenzen folgen lassen. Durch solche einfachen Verfahren finden Kinder, die erste Anzeichen einer Verhaltensstörung zeigen, oft wieder zu einer normalen Entwicklung zurück. Doch das Ziel des so genannten Positive Parenting Program ist es nicht, die Persönlichkeit junger Menschen auf Dauer in eine bestimmte Richtung zu lenken, sondern eine momentane Krise zu meistern. Das veränderte Verhalten der Eltern soll den Kindern Sicherheit und Geborgenheit in der Familie geben, sodass sie sich selbst entfalten können.[17]

Drittens bedeuten die neuen Erkenntnisse der Entwicklungspsychologie nicht, dass es gar keine Wirkung der Eltern auf die Persönlichkeit ihrer Kinder gäbe. Nur kann niemand vorhersehen, *wie* die Erziehung den Nachwuchs beeinflussen wird. Damit wirkt sie zufällig. Wer seine Tochter zu Ballettstunden verdonnert, wird entweder erreichen, dass sie sich zu einer begeisterten Tänzerin oder gar professionellen Ballerina entwickelt – oder dass sie den klassischen Tanz hassen lernt und ihn spätestens in der Pubertät für immer aufgibt. Wer dem Mädchen hingegen den Besuch der Tanzschule freistellt, wird wiederum entweder die Ballettbegeisterung des Kindes fördern – oder vielleicht eines Tages Vorwürfe hören, die Eltern hätten die Faulheit der Nachwuchsballerina nicht dulden sollen.

So sehen sich Eltern in derselben Situation wie Glücksspieler. Auch beim Roulette ist es schließlich nicht gleichgültig, aus welcher Höhe der Croupier die Kugel einwirft und wie schnell er das Rad andreht. Es nützt aber nichts, sich darüber Gedanken zu machen – wir können weder steuern noch vorhersehen, in welches Zahlenfach die Kugel fallen wird.

Selbst im Nachhinein werden Eltern nie erfahren, wie sehr mehr Strenge oder auch mehr Geduld die Persönlichkeit ihrer erwachsenen Kinder verändert hätte – und ob überhaupt.

Das mag ernüchternd sein; es kann Eltern jedoch auch von unbegründeten Schuldgefühlen befreien. Wer einsieht, welch enorme Rolle der Zufall in der Erziehung spielt, und sich zugleich vor Augen führt, dass das Heranwachsen eines jungen Menschen dennoch fast immer gut geht, lernt, auf die Lebenskraft seiner Kinder zu vertrauen.

Den Nachwuchs in einer anregenden Umgebung aufwachsen zu lassen und ihm möglichst viele Chancen zu geben, sich auszuprobieren, dient ihm mehr als ausgeklügelte Förderstrategien. Seinen Söhnen und Töchtern Respekt zu erweisen heißt schließlich, sie als eigene Wesen zu behandeln. «Eure Kinder sind nicht eure Kinder. Sie sind die Söhne und Töchter der Sehnsucht des Lebens nach sich selbst», schrieb der arabische Philosoph Khalil Gibran.[18] «Ihr könnt versuchen, wie sie zu sein, doch strebt nicht danach, sie euch gleich zu machen. Denn das Leben geht nicht rückwärts und verweilt nicht im Gestern.»

Wo die Liebe hinfällt

Nicht allein die Erfahrungen der Kindheit formen unsere Persönlichkeit. Wenn wir das Elternhaus verlassen, beginnt unser Lebensweg erst richtig. Die Menschen, die uns jetzt am nächsten stehen und den größten Einfluss darauf haben, wie wir leben, sind die Männer oder Frauen, in die wir uns verlieben und mit denen wir, wenn alles gut geht, unsere Zukunft verbringen. Nicht zuletzt verändern unsere Partner auch unsere Gewohnheiten und bringen Züge unserer Persönlichkeit zum Vorschein, die wir sonst nicht ausgelebt hätten. Ein geduldiger, bestärkender Liebster kann einer unsicheren Frau zu selbstbewussterem Auftreten verhelfen; umgekehrt können etwa wiederholte Enttäuschungen in einem offenen Mann bleibendes Misstrauen wecken.

Doch wer oder was bestimmt, an welchen Partner wir geraten? Nachdem Kuppler nicht mehr modern sind, sehen wir andere Einflüsse am Werk, wenn zwei zueinander finden: Die Sterne, das Schicksal, die Kinderstube oder neuerdings die Gene sollen für eine mehr oder minder glückliche Bindung verantwortlich sein.

David Lykken hat eine einfachere Erklärung: Er sieht bei der Partnerwahl allein den Zufall am Werk. Lykken ist die graue Eminenz der amerikanischen Zwillingsforschung und hat im Lauf der Jahrzehnte Hunderte Persönlichkeitsprofile und Lebensgeschichten gesammelt. Beim Brüten über all diesen Daten bemerkte er, dass die jeweiligen Gatten eines Zwillingspaars kaum mehr gemeinsam haben als beliebige andere Männer und Frauen. Das ist sonderbar. Denn auch wenn eineiige Zwillinge unterschiedliche Persönlichkeiten ausbilden, ähneln sie einander doch zumindest im Durchschnitt weit stärker als anderen Menschen.

In der Liebe scheint es anders zu sein. Würden die Gene steuern, für wen wir Feuer fangen, müssten die Geliebten von genetisch gleichen Zwillingen einander ähnlicher sein als die von zweieiigen Zwillingen. Hätte hingegen die Kinderstube messbaren Einfluss auf den erotischen Geschmack, dann würden sowohl ein- als auch zweieiige Zwillinge ähnlich wählen, denn sie haben die gleiche Erziehung genossen. Aber nichts dergleichen ist zu erkennen. Lykken ließ fünfhundert Zwillinge befragen, ob sie sich eine Romanze mit der Schwägerin oder dem Schwager vorstellen könnten – die Begeisterung war alles andere als überwältigend. Umgekehrt zeigten sich auch die Ehepartner nicht besonders zur Zwillingsausgabe ihres Gatten hingezogen. Bei ihnen war also ebenfalls keine starke Vorliebe für einen ganz bestimmten Typ Mensch festzustellen.[19]

Die Weisheit der Kuppler

Offenbar sind wir nicht unbedingt mit dem Märchenprinzen oder der Traumfrau liiert, denn sonst würden wir nicht so leicht abwinken, wenn uns ein zweites Exemplar dieses Typs angeboten wird.

Was uns wirklich unser Herz verlieren lässt, hat die amerikanische Psychologin Dorothy Tennov mit außergewöhnlicher Systematik untersucht. Sie befragte Hunderte von Liebenden über ihre Gefühle, gab ihnen Fragebogen und wertete zum Teil sogar Tagebücher aus, die ihr anvertraut wurden. Daraus schuf sie, wie der Berliner Wissenschaftsjournalist Bas Kast schreibt, nicht nur eine der umfassendsten, sondern auch «eine der einfühlsamsten Studien über die Entstehung der Liebe, die es gibt».[20]

Entscheidend in dem Moment, wenn Gefühle keimen, ist immer dasselbe, stellte Tennov fest: Die Person, die sich gerade verliebt, bemerkt das Interesse des anderen an ihr. «Ich habe mich in Bernard verknallt, weil ich dachte, er könnte umgekehrt auch mich lieben.» Ein Satz, wie ihn hier eine Frau namens Hilary äußert, fiel so oder ähnlich in fast allen von Tennovs Gesprächen.[21] Es gibt also tatsächlich einen «universellen Auslöser der Leidenschaft», wie Kast es nennt – doch dieser zählt nicht zu den üblichen Verdächtigen wie männlicher Status oder eine üppige Oberweite. Vielmehr erwacht das Begehren laut Tennov dann, «wenn wir das Gefühl haben, *selbst* begehrt zu werden».[22]

Für den anderen verhält es sich natürlich genauso. Er (oder sie) wird erst dann Signale der Zuneigung senden, wenn er (oder sie) selbst welche zu empfangen glaubt: Liebe funktioniert wie ein Zirkelschluss. Leidenschaft ist nicht einfach da, sie muss wachsen – indem sich die Wogen der Gefühle zwischen beiden Partnern aufschaukeln. Ein Mindestmaß an Ansehnlichkeit muss der andere zwar erfüllen. Doch viel wichtiger als die Frage, wie sehr er unseren Idealen entspricht, ist, in welcher Verfassung er und wir selbst gerade sind. Nicht einmal ein Brad Pitt wird bei Frauen punkten, wenn er geistesabwesend oder als Trauerkloß durch die Welt läuft.

Damit es zwischen zwei Menschen funkt, müssen beide zugleich auf Sendung und auf Empfang schalten. Dies tun wir, da meist mit anderen Dingen beschäftigt, nicht oft. Deshalb wird Leidenschaft so selten entfacht, selbst wenn für Außenstehende alles zu passen scheint. Auch verwundert es so gesehen nicht, dass die Schwägerinnen und Schwäger in den Zwillingsstudien des Psychologen Lykken kaum Begeisterung füreinander empfanden: Ein kluger Mann macht der Frau seines Bruders keine Avancen.

Kupplern sind die Erkenntnisse der Psychologin Tennov übrigens von jeher vertraut: Sie pflegen beiden Kandidaten zu erzählen, wie vorteilhaft sich der jeweils andere über sie geäußert habe. Wem es zuwider ist, sich auf solche Weise zusammenreden zu lassen, muss auf den Zufall vertrauen. Immer wieder finden sich schließlich zwei, die gleichzeitig ihre Antennen ausgefahren haben und die Gesten des anderen als Komplimente erkennen oder auch nur missdeuten. Ein Wort kann dann das andere geben. «Der Zufall muss ein b'soffener Kutscher sein», schrieb der Wiener Dramatiker Johann Nepomuk Nestroy. «Wie der die Leut' z'samm'führt, 's ist stark!»

Gegensätze stoßen sich ab

Im Taumel des Verliebtseins sind wir wenig wählerisch. Der andere erscheint uns so wunderbar, wie wir ihn sehen wollen. Fällt uns doch die eine oder andere Eigenheit auf, die uns an jedem anderen abstieße – an ihm oder ihr finden wir gerade sie faszinierend.

Trotzdem ist die Liebe, anders als der Volksmund behauptet, keineswegs blind. Nur entscheidet sie sich nicht im ersten Rausch, sondern später. Nicht aus jeder Hoffnung erwächst eine Affäre und erst recht nicht aus jeder Affäre eine dauernde Partnerschaft. Im Gegenteil: Ein großer Teil der Begegnungen, die im siebenten Himmel begannen, enden in einer Enttäuschung.

In wen wir uns verlieben, haben wir zu einem großen Teil dem Zufall zu verdanken. Je stärker wir uns allerdings binden, desto genauer prüfen wir den anderen. Sobald das erste Herzklopfen nachlässt, sehen wir uns ihn oder sie genauer an – und merken, dass wir es gar nicht erotisch, sondern angeberisch finden, wenn er nach dem Essen an seiner Zigarre nuckelt; oder dass ihre plötzlichen Wutausbrüche uns nicht mehr als Zeichen ungezügelter Leidenschaft, sondern einfach nur kindisch erscheinen. Können wir es uns wirklich vorstellen, mit diesem Menschen unser weiteres Leben zu verbringen?

Gegensätze ziehen sich nicht an, sondern stoßen sich ab, wie psychologische Untersuchungen zeigen. Je länger Paare zusammen sind, desto mehr ähneln die Partner einander. Und das kann nicht daran liegen, dass sich Mann und Frau im Lauf der Zeit immer mehr aneinander anpassen – so, wie der Hund die Züge seines Herrchens annimmt. Viele Grundzüge der Persönlichkeit sind nämlich überraschend stabil. Selbst wenn die Liebe noch so groß ist, wird sich ein introvertierter Grübler an der Seite einer Partylöwin selten in einen Szenetypen verwandeln. Dass Gleich und Gleich sich gern gesellen, ist vielmehr die Folge einer Auslese: Die Beziehungen, in denen die Unterschiede zu groß waren, scheitern meist. Übrig bleiben diejenigen, in denen von Anfang an hohe Übereinstimmung herrschte.

Wie Menschen die einen Beziehungen beenden und an den anderen festhalten, lässt sich zum Beispiel an den Geistesgaben von Paaren ablesen. Selten erträgt es ein Genie auf Dauer an der Seite eines ausgesprochenen Dummkopfs. Eine Langzeitstudie an mehr als 900 Paaren ergab, dass Partner, die es bis zur Ehe schafften, schon während ihrer Schulzeit in Intelligenztests vergleichbare Werte erreicht hatten.[23]

Dass für Wertvorstellungen, Persönlichkeitsmerkmale, aber auch Alter und Ausbildung Ähnliches gilt, zeigte ein Pionier der Paarpsychologie mit dem schönen Namen Zick Rubin. Während zweier Jahre, in denen er anfangs 200 Paare beobachtete, trennte sich beinahe die Hälfte der Liebenden. Dabei gab es zwischen den gescheiterten Partnern von Beginn an weniger Gemeinsamkeit als in den Verbindungen, die hielten.[24]

In Wirklichkeit allerdings steht es um die Passgenauigkeit von Frau und Mann kaum je so gut wie in dem Spruch, nach dem jeder Topf sein Deckelchen findet. Partnerschaft ist auch ein Prozess der Gewöhnung. Wir lernen, den anderen so zu nehmen, wie er eben ist, und das Beste daraus zu machen. Doch gerade das fällt offenbar umso leichter, je geringer die Gegensätze von Anfang an sind. In Lebensbereichen, wo wir ähnliche Interessen und Vorlieben haben, bleiben uns explosive Konflikte erspart. So nennen sich Verheiratete in Untersuchungen im Schnitt umso glücklicher, je stärker sie einander gleichen.[25]

Von diesem Geheimnis einer erfolgreichen Partnerschaft scheinen auch Singles etwas zu ahnen. Als Psychologen der amerikanischen Cornell-Universität fast 1000 Studenten nach den Eigenschaften ihres Traumpartners fragten, beschrieben die meisten ein Spiegelbild ihrer eigenen Person – wohlgemerkt nicht so, wie die Interviewten nach außen wirkten, sondern wie sie sich selbst sahen.[26] Wer sich für treu hält, erwartet dies auch vom anderen; wer glaubt, dass er gut aussieht und es einmal zu Vermögen bringen wird, wünscht sich in aller Regel eine wohlhabende Schönheit an seiner Seite.

Nur leider gehen diese Wünsche selten so reibungslos in Erfüllung. Schließlich sind die inneren Werte eines anderen Menschen alles andere als offensichtlich. Um sie kennen zu lernen, muss die Liebe Umwege gehen, die dem Prinzip des wahllosen Ausprobierens, wie es in der Evolution herrscht, durchaus ähneln: Erst führt der Zufall Frauen und Männer zusammen, die gerade auf der Suche nach der Liebe fürs Leben oder auch nur nach einem Abenteuer sind. Dann erst findet die Auslese statt. Manche Verbindungen halten, andere enden schon nach einer Nacht. Einige Menschen haben Glück, vielleicht auch ein besonders gutes Gespür, und landen bald einen Treffer. Andere brauchen Jahre für ihre Suche: Durch Versuch und Irrtum lernen sie, wer zu ihnen passt – und wie sie Konflikte durchstehen können, ohne dass es zur Trennung kommt.

Im Rückblick allerdings stellt sich die Geschichte ganz anders dar. Wir können uns mit der Wirkung des Zufalls umso weniger abfinden, je stärker uns etwas berührt. Und was beschäftigt unsere Gefühle mehr als die Liebe? So glaubt wohl jeder Mensch in romantischen Stunden daran, dass der oder die Geliebte für ihn ausersehen war. Und vielleicht haben wir sogar die Liebe auf den ersten Blick wirklich erlebt. Doch all die Irrwege, die dorthin führten, haben wir vergessen.

TEIL III **WAHRNEHMUNG**

KAPITEL 10 WAHNSINN MIT METHODE
Warum wir den Zufall unterschätzen

«In unseren Hirnen
spukt es, nicht in unseren Häusern.»
George Miller Beard,
amerikanischer Neurologe[1]

Nachdem seine zweite Ehe gescheitert war, begannen für August Strindberg Jahre der Hölle. Der schwedische Dichter, einer der großen Erneuerer des Dramas zu Beginn des 20. Jahrhunderts, durchlebte eine Persönlichkeitskrise. Er habe «prinzipiell seine Skepsis» aufgegeben, «die alles Leben zu verwüsten gedroht hatte», und sich «experimentierend auf den Standpunkt eines Gläubigen gestellt», schrieb er im Nachwort seines Buchs «Inferno», in dem er seine Erfahrungen mythisch überhöht schilderte. Strindberg glaubte nicht mehr daran, dass Dinge zufällig geschehen.[2]

Er verfocht nun eine kosmische Theorie der Einheit von allem, was ist. Früher waren ihm historische Muster als Täuschungen vorgekommen, jetzt meinte er einen «bewussten Willen in der Weltgeschichte» zu erkennen, der mit Wiederholungen und Übereinstimmungen arbeite.[3]

Solche entdeckte er überall. Bei einem Aufenthalt in Paris hörte er die Glocken der Kirche Sacré-Cœur (heiliges Herz Jesu) läuten, gerade als er zwei herzförmige Kieselsteine aufgehoben hatte. In der Anordnung von Möbeln in einem Zimmer, in dem er sich beobachtet fühlte, sah er einen tückischen Plan: «Durch Zufall, immer denselben teuflischen Zufall, stand das Sofa genau gegenüber dem Fenster, und wie es derselbe Zufall so wollte, fehlte dem Fenster der Laden.» Bei einer ähnlichen Gelegenheit bemerkte er: «Natürlich war es nur eine Koinzidenz. Aber wer hatte sie in die Wege geleitet und warum?» Als er während eines Gewitters einen Donnerschlag hörte, eine Bibel an einer zufälligen Stelle aufschlug und den Vers «Und kannst du donnern mit gleicher Stimme wie Er?» las[4], notierte er: «Ich zweifelte nicht länger. Der Ewige hatte gesprochen.»

«Seine erregte Phantasie suchte einen Sinn», schrieb er in einer damals entstandenen Novelle und meinte vermutlich sich selbst. Nicht nur in seiner Alltagswelt glaubte Strindberg geheimnisvolle Zusammenhänge zu erkennen, er stellte auch alchimistische Experimente an. Er verstand sich als «Poetchemiker», der Naturforschung mit Dichtung vereint. Alles in der Welt, die organische wie die anorganische Natur, hänge nämlich sinnvoll zusammen. Wer es gelernt habe, die Zeichen zu lesen, und dabei alle seine Energien vereine, könne in ihnen den Plan der Schöpfung erkennen.

Wie er sich diese Zusammenhänge vorstellte, zeichnete Strindberg in seinem okkulten Tagebuch auf, das er über ein Jahrzehnt lang führte, dessen Veröffentlichung er aber untersagte. In diese Hefte, die bis heute in keiner vollständigen Ausgabe erschienen sind[5], trug er zum Beispiel am 23. Mai 1904 ein: «Am Morgen, als ich die Gardine hochzog, saßen zwei Tauben auf einem Schornstein und schnäbelten sich, demonstrativ. Harriet» – seine junge dritte Frau, die sich ebenfalls von ihm getrennt hatte – «sandte einen liebevollen, exaltierten Brief.»

Psychiater und Literaturwissenschaftler streiten sich bis heute, ob der Dramatiker geisteskrank war oder nur reichlich überspannt. Die Wahrheit dürfte in der Mitte liegen: Strindberg hatte paranoide Schübe, war aber anders als viele psychisch Kranke sehr wohl Herr seines Handelns.

Menschen mit paranoider Persönlichkeitsstörung suchen überall nach verborgenen Bedeutungen, sie haben übergroßes Vertrauen in ihr eigenes Wissen und misstrauen anderen. Das klingt unsympathisch, aber paranoides Denken hat auch seinen Wert. Machten nicht genau solche Züge viele große Schriftsteller aus? Dichter sind Seher, die mit ihrer überscharfen Wahrnehmung Vorgänge bemerken, die anderen entgehen.

Nicht nur der Geist eines Künstlers arbeitet so. Fast jedem sind Strindbergs Gedanken und Gefühle vertraut. Seine Tagebücher liefern nur ein übersteigertes Beispiel dafür, wie wir alle mit Zufällen umgehen – wie schwer wir uns tun, intuitiv den reinen Zufall als solchen zu erkennen. Wer hat noch nie daran gezweifelt, ob es mit rechten Dingen zugeht, wenn der Regen genau an dem Tag einsetzt, an dem wir den Schirm zu Hause gelassen haben? Wer hat noch nie prophetische Träume gehabt? Für die Macht des Zufalls legen wir höchstens ein Lippenbekenntnis ab; insgeheim sind wir vom Gegenteil überzeugt.

Wer an Hintersinn glaubt, wird klüger

Grundsätzlich tut unser Gehirn gut daran, sich nicht zu schnell mit der Erklärung «Zufall» abspeisen zu lassen. Denn in manch scheinbarer Belanglosigkeit verbirgt sich wertvolle Information. Sie zu lesen macht zum Beispiel den Reiz jeder Detektivgeschichte aus – und ernährt die Kriminalpsychologen, die nach einem Verbrechen aus den kleinsten Indizien eine Theorie des Tathergangs und ein Täterprofil zu destillieren versuchen. Die Wunden am Opfer, eine ungewöhnliche Weise, wie der Täter seine Waffe gehalten hat, eine bei der Flucht offen gelassene Tür: Solche winzigen, vermeintlich zufälligen Hinweise helfen den Ermittlern der Kriminalpolizei, Muster im Geschehen zu erkennen und auf diese Weise dem Täter auf die Spur zu kommen. An die Macht des Zufalls zu glauben widerspricht ihrer Aufgabe, und der Erfolg gibt ihnen Recht: 96 Prozent der Morde in Deutschland werden aufgeklärt.

Auch Wissenschaftler könnten ohne eine Portion paranoiden Denkens kaum zu neuen Erkenntnissen gelangen. Forschung ist die Suche nach Ordnung im Kosmos; jede ihrer Entdeckungen beruht darauf, dass ein aufmerksamer Beobachter plötzlich einen Zusammenhang erkennt, wo zuvor keinem Menschen etwas aufgefallen ist. Dass dieselbe Kraft einen Apfel zu Boden fallen und die Planeten um die Sonne kreisen lässt, mag uns heute als selbstverständlich erscheinen. Nüchterne Zeitgenossen Isaac Newtons dagegen hatten allen Grund, diese Theorie für genauso absurd zu halten wie wir die Vorstellung Strindbergs, schnäbelnde Tauben und Liebesbriefe in der Post könnten etwas miteinander zu tun haben.

Tatsächlich war der Übergang von ernsthafter Wissenschaft zum Obskurantismus von jeher fließend. Schon Pythagoras, mit dessen Lehrsatz über rechtwinklige Dreiecke sich heute jeder Schüler herumschlagen muss, und seine Gefolgsleute gaben sich der Zahlenmystik hin.[6] Sie glaubten, die Harmonien von Ordnungszahlen und der Musik bestimmten auch den Lauf der Gestirne; die Entdeckung, dass manche Größen wie die Kreiszahl Pi sich nicht als Verhältnis zweier ganzer Zahlen darstellen lassen, verwirrte sie tief.

Erst recht waren die Väter der modernen Naturwissenschaft dem Übernatürlichen zugetan.[7] In Newtons Privatbibliothek stapelten sich Werke über Alchimie, Kabbalistik und Zauberei. Er hoffte, nicht nur die Gesetze der Physik, sondern auch den Willen Gottes zu begreifen – in Newtons Welt war für den Zufall kein Platz. Nicht anders als Strindberg verstand er das Universum als ein Ganzes, in dem alles mit allem zusammenhängt. Einem forschenden Geist sollte es möglich sein, von den letzten Dingen mehr als nur eine Ahnung zu bekommen, erklärte er. Für heutige Naturwissenschaftler mag diese Hoffnung vermessen klingen. Doch ohne diesen Antrieb hätten Newton und viele andere vielleicht nie die Anstrengung unternommen, die verborgenen Gesetze der Natur zu erkunden. Denn nur der wird klüger, der den Wunsch verspürt, in der Welt einen Sinn zu erkennen.

Ein Torwächter für das Gehirn

Ein Baby verhält sich nicht anders als ein Forscher, wenn es seine Umgebung erkundet. Indem Kleinkinder unablässig nach Mustern fahnden, lernen sie sprechen, und das mit erstaunlicher Geschwindigkeit: Im Alter von ungefähr einem Jahr beginnen die Kleinen gewöhnlich, auf die ersten Wörter zu reagieren; mit zwei verstehen sie schon mehrere hundert Begriffe und können Sätze bilden; mit drei machen Mädchen und Jungen kaum noch Grammatikfehler. Scheinbar spielend vollbringt das Gehirn eine gewaltige Leistung: An die 500-mal müssen Kinder jedes neue Wort hören, bevor sie es zum ersten Mal selbst benutzen können.

Solche Fortschritte sind nur möglich, weil wir schon als Säuglinge an verborgene Bedeutungen glauben.[8] Schnappen Babys auch nur ein paar Mal dieselbe Lautkombination auf, prägen sie sich die Folge sofort ein – das Gehirn nimmt an, mit den Klängen müsse es eine besondere Bewandtnis haben. Mit acht Monaten bereits analysieren Kinder Wiederholungen und Ordnungen und sind fähig, Silben voneinander zu unterscheiden. Spricht man ihnen zwei Minuten lang unsinnige Lautfolgen wie «golabu tupiro tilado» vor, erkennen sie das Muster später wieder.[9] So eigneten wir uns Sprache an, lange bevor wir zum ersten Mal «Mama» sagten.

Was sich bei diesen Lernvorgängen im Gehirn abspielt, hat der amerikanische Hirnforscher Gregory Berns an Erwachsenen untersucht.[10] Seine Versuchspersonen betrachteten einen Bildschirm, auf dem in scheinbar zufälliger Reihenfolge gelbe, blaue und rote Quadrate aufleuchteten. Tatsächlich aber folgten die Farben nicht völlig wahllos aufeinander, sondern mit bestimmten Wahrscheinlichkeiten – so wie nach dem Wort «ich» sehr oft «bin» steht, niemals «bist». Berns durchleuchtete währenddessen die Hirne der Teilnehmer mit einem Computertomographen und stellte fest, dass beim Beobachten der Farbfolgen das so genannte Wernicke-Areal besonders aktiv war. Ohne dieses Gebiet hinter der linken Schläfe können wir keine Sprache verstehen. Dies fiel dem Breslauer Neurologen Carl Wernicke schon im vorletzten Jahrhundert an einigen seiner Patienten auf: Die Kranken, bei denen diese Gegend durch einen Schlaganfall oder eine Verletzung zerstört war, konnten zwar flüssig sinnloses Zeug reden. Den Sinn von Sätzen, die sie hörten, vermochten sie jedoch nicht zu erfassen.

Die Ergebnisse des Neurobiologen Berns könnten erklären, wie diese Hirnregion funktioniert: Offenbar ist das Wernicke-Areal ständig damit beschäftigt, neue Eindrücke mit unseren Erwartungen zu vergleichen. So passt es auf, dass dem Gehirn nichts Unerwartetes entgeht. Besonders scheint es sich für logische Ordnungen zu interessieren – und damit für die Regeln, nach denen wir aus Lauten Wörter und aus Wörtern Sätze bilden. Sobald dem Wernicke-Areal etwas Außergewöhnliches auffällt, zum Beispiel sich regelmäßig wiederholende Silben oder Symbole, befiehlt es dem Gehirn, sich näher mit der Sache zu befassen.[11] Das Wernicke-Areal arbeitet also wie ein Torwächter: Nur interessante Information findet Einlass. Deshalb sind es die Koinzidenzen, die bemerkenswerten Zufälle, die unsere Aufmerksamkeit erregen. Mit bekannten Mustern brauchen wir uns schließlich nicht weiter zu beschäftigen.

Das Gehirn neu verdrahten

Wer Hunger hat, sollte nicht zu sehr an Zufälle glauben. Das werden Sie auch nicht tun, wenn man Ihnen in einem Haus mit dem Schild «Restaurant» ein Essen serviert. Bei einem Spaziergang durch Budapest allerdings ist der Zusammenhang zwischen der ungarischen Aufschrift «Fülemüle Étterem» und einem Gänsebraten weniger klar. Wenn Sie dort gegessen haben, werden Sie dennoch vermuten, dass diese Begriffe nicht zufällig über der Tür stehen. Erst mit der Zeit werden Sie feststellen, dass das zweite Wort auch an anderen Gaststätten, das erste aber sonst nirgends zu finden ist: «Étterem» heißt Restaurant, «Fülemüle» (Nachtigall) war zufällig der Name dieses für seine Geflügelzubereitungen berühmten Lokals. Doch bis Sie das herausgefunden haben, hat Ihr Gehirn ganz automatisch die beiden Wörter mit der Hoffnung auf Essen verknüpft.

Iwan Pavlows Hunden rannte der Speichel aus dem Mund, sobald der russische Physiologe ein Metronom ticken ließ; der Mechanismus dahinter ist derselbe. Wie das Gehirn solche Verbindungen zwischen Reizen schafft, die zunächst nichts miteinander zu tun haben, hat vor kurzem der Hirnforscher Wolfram Schultz von der Universität Cambridge gezeigt.[12] Er führte Affen erst auf einem Monitor verschiedene Symbole vor und gab ihnen dann, nach jedem Zeichen unterschiedlich häufig, Fruchtsirup.

Zugleich untersuchte er die Tätigkeit von bestimmten Zellen im Vorderhirn der Tiere. Zu Beginn der Versuche wurden diese Neuronen aktiv, wenn der Sirup floss – offenbar als Antwort auf die unerwartete Leckerei. Nach ein paar Runden jedoch feuerten die Zellen schon, sobald die Affen ein verheißungsvolles Symbol auf dem Bildschirm sahen. Ihre Gehirne hatten nun eine Beziehung zwischen dem Zeichen und dem Saft hergestellt. Vorher war ihnen das Aufeinanderfolgen von Bild und Sirup zufällig erschienen, jetzt hatten sie dahinter eine Regel erkannt.

Die Zellen, deren Aktivität der Hirnforscher Schultz gemessen hat, schütten den Botenstoff Dopamin aus. Wie ich in meinem Buch «Die Glücksformel» ausführlich beschrieben habe, ist diese Substanz ein wahres Multitalent im Gehirn. Dieses winzige Molekül aus nur 22 Atomen, dessen Form einer Kaulquappe ähnelt, dient nicht nur als Signal für eine unverhoffte Begebenheit – es steuert auch die Aufmerksamkeit, weckt in uns ein Gefühl freudiger Erregung und macht uns bereit, neue Zusammenhänge zu lernen.[13] Alle drei Funktionen dienen dem Umgang mit Zufällen und Koinzidenzen: Wenn etwas geschieht, womit wir nicht gerechnet haben, bringt Dopamin uns dazu, uns mit der Sache auseinander zu setzen. Oft empfinden wir ein Glücksgefühl dabei, denn das Unerwartete kann Chancen bieten; deshalb verlangt die Natur von ihren Geschöpfen, dass sie begrenzte Risiken eingehen, und verführt sie dazu mit angenehmen Gefühlen.

Vor allem aber fördert Dopamin das Lernen. Dies geschieht, indem es die Signalweitergabe zwischen Neuronen verändert. Auf diese Weise speichert das Gehirn Informationen. Bei den Affen zum Beispiel entstand eine Verbindung zwischen Hirnzellen, die auf das

Computersymbol ansprachen, und anderen, die auf den Sirup reagierten. Über diesen Kanal bekommen die Neuronen, die auf den Saft ansprechen, fortan schon dann ein Signal, wenn das Tier nur das Symbol sieht. Während der Affe diesen Zusammenhang lernt, verändert sich also die Struktur seines Gehirns.

Anfangs werden nur die Trennungen zwischen den jeweiligen Neuronen durchlässiger, mit der Zeit aber bilden sich regelrechte Signalleitungen aus.[14] Denn Dopamin bewirkt unter anderem die Freisetzung von Nervenwachstumsfaktoren. Diese Substanzen sind gewissermaßen die Düngemittel des Gehirns und lassen Verbindungen zwischen Hirnzellen knospen. Solche Umbauten verlaufen erstaunlich schnell: Bei einem ähnlichen Experiment mit Ratten konnten Wissenschaftler schon nach zehn Minuten nachweisen, dass sich die Kopplungen zwischen den Neuronen verändert hatten.[15] Was vorher noch Zufall war, erschien den Tieren jetzt als Regel.

Dieselben Vorgänge spielen sich auch im menschlichen Gehirn ab, wie Computertomographien zeigen.[16] Der Prozessor für das Unerwartete war am Werk, wenn einem Touristen bei seinem zweiten Spaziergang durch Budapest unter dem Schild «Étterem» das Wasser im Mund zusammenläuft; auch hier wurde ein Symbol mit einer Erwartung verknüpft. Nichts anderes geschieht, wenn wir die Bedeutung eines unbekannten Wortes lernen, einen neuen Klingelton auf dem Handy als Anruf für uns identifizieren – oder uns wie der Dichter Strindberg davon beeindrucken lassen, dass vor dem Fenster Vögel schnäbeln und gleich darauf ein Liebesbrief eintrifft.

Sind Rouletteräder vergesslich?

In seinem Drang, Muster im Geschehen ringsum zu erkennen, schießt das Gehirn häufig über das Ziel hinaus – das ging nicht nur dem bedauernswerten August Strindberg so, sondern passiert jedem von uns ständig: Wir sehen Zusammenhänge, die es in Wirklichkeit nicht gibt (siehe Abbildung). Wo uns der Zufall begegnet, wollen wir ihn oft nicht erkennen, ja nicht wahrhaben.

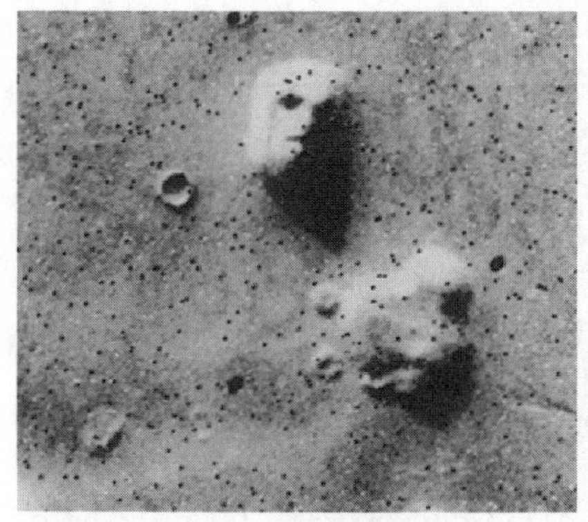

Fotos: Courtesy of NASA/JPL-Caltech

Gesichter auf dem Mars?
In ihrem Drang, Muster zu erkennen, schießt unsere Wahrnehmung fortwährend über das Ziel hinaus. Dies sind Fotos von der Marsoberfläche, aufgenommen von amerikanischen Sonden. Die linke Felsformation misst knapp zwei Kilometer und entstand durch Erosion. Unwillkürlich sehen wir in ihr ein menschliches Antlitz im Streiflicht. Das rechte Bild zeigt den fünf Kilometer großen Einschlagkrater eines Meteoriten. Die gebogene Linie darin ist die Bruchkante des Gesteins beim Aufprall – oder doch der Mund eines lächelnden Gesichts?

Stellen Sie sich zum Beispiel vor, Sie würden im Geiste zwanzigmal eine Münze werfen. Wie könnte die Folge der Ergebnisse aussehen? Wenn Sie Lust haben, dann machen Sie ein kleines Experiment. Führen Sie es aber *zunächst* nicht real durch, sondern nur in Ihrer Phantasie, und schreiben Sie die Resultate bitte auf, also etwa Wappen-Zahl-Zahl-Wappen-Zahl und so weiter. Nun werten Sie aus, wie oft sie dasselbe Ergebnis mehrmals nacheinander aufgeschrieben haben. Notieren Sie also, wie oft ein Ereignis nur einmal auf dem Zettel steht (bei Wappen-Zahl-Zahl-Wappen-Zahl sind das dreimal), in wie vielen Fällen Sie dieselbe Seite der Münze zweimal nacheinander notiert haben (in diesem Beispiel einmal), wie viele Dreier- oder Viererserien Sie verzeichnet haben.

Sie werden sich wundern, wenn Sie nun eine Münze wirklich zwanzigmal werfen und die Folge der Ergebnisse mit derjenigen vergleichen, die Sie sich ausgedacht haben. Auf Seite 202 f. sehen Sie solche Auswertungen von zwanzig echten Münzwürfen. Sehr wahrscheinlich wird es in Ihrer Statistik weniger Serien geben als in der Tabelle, während Sie häufigere Wechsel angenommen haben. So verschätzt sich praktisch jeder.[17] Wir glauben, dass sich der Zufall viel ordentlicher verhält und für mehr Gleichmäßigkeit sorgt, als er es tatsächlich tut. Eine Serie Wappen-Wappen-Wappen kann nicht minder ein Produkt des Zufalls sein als Wappen-Zahl-Wappen. Zur Unordnung gehört eben auch, dass sich bestimmte Ereignisse wiederholen, doch damit rechnen wir nicht. «Der Mensch ist ein ordentliches Tier. Er kann die Unordnung der Natur nicht nachahmen», so hat es der englische Genetiker John Haldane ausgedrückt. Wir können den Zufall nicht simulieren.

Das Ausmaß unserer Fehleinschätzung lässt sich sogar in Zahlen fassen, wie die israelische Psychologin Ruma Falk gezeigt hat. Statt einer Münze nutzte Falk ein Kartenspiel, in dem sich gelbe und grüne Karten abwechselten. Waren sie zufällig gemischt, wechselte die Farbe in einem Packen von 100 Karten durchschnittlich 50-mal (nämlich nach jeder zweiten Karte). Den Versuchspersonen allerdings schien ein solcher Stapel manipuliert. Genauso irren wir uns im Alltag. Wenn sich Ereignisse wiederholen, zum Beispiel wenn wir einen flüchtigen Bekannten unerwartet zweimal nacheinander bei einem Stadtbummel treffen, zweifeln wir sofort, ob alles mit rechten Dingen zugeht. Dabei haben wir einfach nur die Wirkung des Zufalls unterschätzt.

An Zufall glaubten Falks Versuchspersonen übrigens erst, wenn die Farbe nicht 50-, sondern 60-mal wechselte – obgleich diese Folge nicht durch perfektes Mischen, sondern durch die Hand der Wissenschaftler zustande gekommen war. Als die Forscherin die Probanden Reihen so legen ließ, wie sie deren Auffassung von einer zufälligen Mischung entsprachen, wechselte die Farbe ebenfalls um die 60 Mal.

Ausgerechnet vom Zufall erwarten wir also, dass er Ordnung schafft. Nirgends zeigt sich dieser Aberglaube so schön wie im Casino. Ist beim Roulette die Kugel dreimal nacheinander auf Rot gefallen, setzen die Spieler auf Schwarz. Schließlich muss ja der Ausgleich kommen – Sie wissen schon, die Statistik. Niemand erinnert sich daran, was die Statistik wirklich besagt: dass im Laufe sehr vieler Spiele Rot und Schwarz ungefähr gleich häufig auftreten werden und dass Vier wahrlich keine sehr große Zahl ist. Stattdessen glauben viele Casinobesucher anscheinend, das Rouletterad sei so klug, sich an die letzten paar Spiele zu erinnern. Wird nämlich ein Rad, das wiederholt Rot gezeigt hat, ausgewechselt (dies veranlassen die besorgten Spielbanken in Las Vegas tatsächlich), wetten die Spieler wieder gleichmäßig auf Rot und Schwarz, als hätte es nie eine Serie gegeben. Ebenso verhalten sie sich, wenn der Croupier eine kleine Pause einlegt. Spieltische haben in unserer Phantasie also nicht nur ein Gedächtnis. Wir glauben obendrein, ihnen könne wieder entfallen, was sie sich einmal gemerkt haben – Rouletteräder seien so vergesslich wie Menschen.[18]

Die heißen Hände unserer Helden

Besser eine falsche Idee als gar keine: Nach dieser Devise hat uns die Natur programmiert. Denn mit einer Prise Paranoia lernt es sich schneller. Eine unsinnige Vorstellung von der Wirklichkeit kann man später immer noch korrigieren; wer dagegen zu schnell den Zufall am Werk sieht, fängt gar nicht erst an, sich Gedanken zu machen. Darum sehen wir eine Bedeutung schon in den schwächsten Signalen. Statistiker nennen einen solchen falschen Alarm einen Fehler erster Art: Wir glauben an eine Theorie, obwohl wir eigentlich gar keinen Grund dazu haben. So verwechseln wir fortwährend Zusammentreffen mit Zusammenhang (Koinzidenz mit Kausalität), Zufall mit Bestimmung, Glück mit Können.

Wie oft muss etwa ein Ballspieler ins Ziel werfen, damit wir glauben, er sei außergewöhnlich gut in Form? Im amerikanischen Basketball gibt es für eine solche Erfolgssträhne einen eigenen Ausdruck: Die Fernsehkommentatoren sprechen von einer «Hot Hand», mit der ein Spieler gerade gesegnet sei. Wenn einer der hoch bezahlten

1. Z WWW ZZ W Z WWWWW Z WWW Z WW
2. WWWW Z WWWWWWW ZZZ WWW Z W
3. WW Z W ZZ W ZZ WW Z WWWWW ZZZ
4. Z WW Z W ZZZZ WW ZZZ W Z W ZZ W
5. WW ZZ W Z W Z WW ZZ W ZZZZ W ZZ
6. Z WW Z WWW Z WWWW ZZ WWWW Z W
7. W Z W ZZ WW ZZZZ W Z W Z WW Z WW
8. WW ZZ WWW ZZZZZ WW Z W ZZZZ
9. ZZ WWWWWW Z WWWW ZZZ W ZZZ
10. ZZ WWWW Z WW Z WW ZZ W ZZ WW Z
11. Z W Z W Z W Z WW Z WW ZZZZ W Z WW
12. ZZ W Z W Z W Z W ZZZZ W Z W ZZZ W
13. WWW ZZZZZZZ W ZZZ WW ZZ WW
14. WWW Z W Z W ZZZZZZZZZ W Z WW
15. Z W Z W Z W ZZZ WWWW Z WWW ZZZ
16. WW Z W ZZ WW Z W Z W ZZZ W ZZ WW
17. W ZZ WW ZZ W Z W Z WWW ZZZZ W Z
18. WW ZZZ W ZZZ W ZZ W Z W ZZZ W Z
19. Z W ZZZ W ZZZZ W Z W Z W Z W ZZZ
20. ZZZ WW ZZ WW ZZ WWW ZZZZZ

Wiederholungen, die der Zufall schafft

Wir stellen uns vor, dass der Zufall für Abwechslung sorgt. Oben die realen Ergebnisse von zwanzig Folgen mit je zwanzig Münzwürfen. Abwechslung zwischen Wappen und Zahl tritt darin weit seltener auf, als wir es erwarten. In der 1. Folge etwa finden Sie je zwei Paare und Dreierserien sowie eine Fünferserie. In der 14. Folge fällt sogar neunmal hintereinander «Zahl».

	Häufigkeit	
Wieder-holungen	bei 20 Folgen	bezogen auf eine Folge
1er	112	5,6
2er	52	2,6
3er	26	1,3
4er	14	0,7
5er	3	0,15
6er	2	0,1
7er	2	0,1
8er	0	0,0
9er	1	0,05

Oben die Auswertung der Versuche. Im Durchschnitt fällt in jeder 20er-Folge nur bei 6 Würfen (genau: bei 5,6 Würfen) die Münze auf eine Seite und sofort beim nächsten Wurf auf die andere. Knapp 3-mal pro Folge (genau: 2,6-mal) tritt dasselbe Ergebnis zweimal auf, bevor das andere fällt. Je einmal (genau: 1,3- bzw. 0,7-mal) kommt es sogar zu dreifachen und vierfachen Wiederholungen. Weil wir solche Effekte normalerweise unterschätzen, verkennen wir die Wirkung des Zufalls.

Wer in Statistik beschlagen ist, mag sich wundern, warum die Häufigkeiten in unseren Versuchen nicht genau der Binomialverteilung folgen. Dies liegt an der relativ kurzen Folge von je 20 Würfen. Jeweils am Anfang und am Ende werden darum Wiederholungen abgeschnitten, die sich bei einer längeren Serie ergeben würden – ein typischer «finite size effect».

Basketballstars dreimal auf den Korb zuläuft und dreimal trifft, glauben 91 Prozent der befragen Fans nicht an einen Zufall. Sie billigen einem solchen Spieler eine «heiße Hand» zu, wie die amerikanisch-israelischen Sozialpsychologen Thomas Gilovich und Amos Tversky festgestellt haben.[19] Sie meinen eine Regel erkannt zu haben: Der Mann ist eben gerade besonders gut. Seine Mitspieler denken genauso; sie sind der Überzeugung, dass ihr Kollege im Moment «einfach nicht danebenwerfen kann», wie ein Profi der amerikanischen Basketball-Nationalliga es formulierte.

Aber das ist ein Irrtum. Tatsächlich ist eine Serie von Treffern meist auf nichts anderes als den Zufall zurückzuführen – ebenso wie beim Münzwurf oder Roulette. Das fanden Gilovich und Tversky heraus, als sie die Geschichte von Begegnungen der amerikanischen Nationalliga analysierten. Die Spieler trafen keineswegs öfter, wenn sie zuvor den Ball in den Korb befördert hatten. Im Gegenteil ist die Trefferwahrscheinlichkeit sogar etwas höher, wenn ein Basketballer bei den letzten Anläufen danebengeworfen hat. Durchschnittlich landen die Profis bei jedem zweiten Wurf einen Treffer; nach drei Fehlschüssen geht der Ball jedoch mit einer Wahrscheinlichkeit von immerhin 56 Prozent in den Korb. Haben die Spieler hingegen dreimal nacheinander getroffen, sinkt ihre Erfolgsquote auf 46 Prozent. Möglicherweise liegt es daran, dass die Konzentration nachlässt.

Warum hält sich dann der Glaube an die heiße Hand so hartnäckig, wenn er sogar der Erfahrung der Basketballspieler zuwiderläuft? Gilovich und Tversky glauben, es handele sich um eine automatische Fehlinterpretation des Gehirns: Wir neigen dazu, aus einer zu geringen Zahl von Ereignissen voreilig Schlüsse zu ziehen. Dabei lassen wir uns von einer vagen Vorstellung leiten, was typisch für eine bestimmte Situation sein mag. Mehrere Treffer hintereinander erscheinen uns einfach untypisch für das Wirken des Zufalls; wir sehen in ihnen ein Muster.[20]

Das bedeutet natürlich nicht, dass Basketball ein Glücksspiel wäre. Es gibt bessere und schlechtere Spieler, die besseren treffen öfter. Aber bei einem Match bestens trainierter Profis sind die Unterschiede zwischen den Fähigkeiten und auch die Formschwankungen der einzelnen Spieler viel zu gering, um aus dem Ergebnis von drei aufeinander folgenden Würfen eine Aussage treffen zu können. Die Mannschaften kommt der Irrtum der «Hot Hand» übrigens teuer zu stehen, weil die Basketballer bevorzugt den Kollegen anspielen, der angeblich gerade «heiß» ist – auch dann, wenn ein anderer Spieler günstiger steht. Auch das haben Gilovich und Tversky gezeigt.

Das vermeintliche Phänomen der heißen Hand trifft aber auch Geldanleger häufig – dann nämlich, wenn sie in einen Aktienfonds investieren, der in den letzten zwei Jahren überragende Renditen erzielt hat. Kann man diesem Fondsmanager sein Geld nicht bedenkenlos anvertrauen? Hat der Mann nicht besonderes Gespür bewiesen? Hat er nicht. Meist ist die Erfolgssträhne allein auf Zufallstreffer bei der Aktienauswahl zurückzuführen, wie sie sich durchaus in zwei oder auch drei Jahren in Folge wiederholen können. Mit der Geldanlage verhält es sich nicht anders als mit einem Würfelspiel: Statistisch betrachtet hat ein Fondsmanager eine Chance von 50 Prozent, über dem Durchschnitt aller Konkurrenzfonds zu liegen. Dann beträgt die Wahrscheinlichkeit, dass er in zwei aufeinander folgenden Jahren den Mittelwert übertrifft, 25 Prozent, nach drei Jahren 12,5 Prozent.[21] Bei mehr als 3500 in Deutschland angebotenen Aktienfonds werden also im Mittel 0,125 × 3500 = 437 Fonds drei Jahre in Serie überdurchschnittlich abschneiden, ohne dass besondere Talente ihrer Manager dazu nötig wären. Dies erklärt die Enttäuschungen, die Anleger mit solchen Investments häufig erleben. Wie nämlich Fondsvergleiche über längere Zeiträume hinweg zeigen, erzielen Anlagen, die ein paar Jahre lang spektakuläre Renditen abwarfen, auf Dauer keine außergewöhnlichen Ergebnisse. Klein gedruckt gibt jede Bank denn auch bereitwillig zu, dass die Renditen der Vergangenheit nichts über die Zukunft aussagen. Man muss es nur lesen – und glauben.

Im Sog der Klischees

Auch im Verhalten anderer Menschen neigt das Gehirn dazu, vorschnell Muster zu sehen, wo gar keine sind. Oft lassen wir uns dabei von Kleinigkeiten in die Irre führen. Ein berühmtes Beispiel dafür ist Linda. Sie ist 31 Jahre alt, unverheiratet und sehr intelligent. Sie hat Philosophie studiert und mit Auszeichnung abgeschlossen. Außerdem ist sie eine Frau mit starken Überzeugungen. An der Universität hat sie viel Zeit für ihr politisches Engagement verwendet, sich für die Rechte von Minderheiten eingesetzt und an Anti-Atom-Demonstrationen teilgenommen. Was erscheint Ihnen wahrscheinlicher:

a) Linda arbeitet als Kassenangestellte in einer Bank
oder
b) Linda arbeitet als Kassenangestellte in einer Bank und engagiert sich in der Frauenbewegung?

Linda ist eine Erfindung des israelisch-amerikanischen Psychologen Daniel Kahneman; ihr unter anderem verdankt er seinen im Jahr 2002 gewonnenen Nobelpreis für Wirtschaft. Kahneman stellte fest, dass fast 90 Prozent aller Menschen die zweite Variante für wahrscheinlicher halten.[22] Sind auch Sie dieser Meinung? Dann sind Sie einer Täuschung aufgesessen: b) kann gar nicht wahrscheinlicher als a) sein. Denn die zweite Aussage ist eine Einschränkung der ersten, und Einschränkungen sind immer weniger wahrscheinlich als allgemeine Aussagen.

Wenn ich eine Wette eingehe, dass es irgendwann im kommenden April in Berlin regnet, werde ich höchstwahrscheinlich gewinnen. Anzunehmen allerdings, dass es im kommenden April in Berlin regnen und dadurch die Spree über ihre Ufer treten wird, schränkt meine ursprüngliche Vorhersage ein: Die Chancen, diese Wette zu gewinnen, stehen weit schlechter.

Genauso trifft die erste Aussage «Linda ist Kassenangestellte» allein stets eher zu als gekoppelt mit einer Annahme über Lindas politisches Engagement. Wenn unsere Heldin ihren Frauengruppen den Rücken kehrt, weil sie als grüne Gemeinderätin keine Zeit mehr dafür hat, bleibt die erste Aussage richtig, die zweite aber wird falsch.

Das ist nicht schwer einzusehen. Wie aber kann es sein, dass wir uns von so simplen Beispielen in die Irre führen lassen? Abgesehen davon, dass wir uns mit statistischem Denken generell schwer tun, ist die Macht der Vorstellung der Grund, dass sich so viele Menschen über Linda täuschen: Was wir uns besser ausmalen können, erscheint uns wahrscheinlicher. Wir urteilen nicht in erster Linie logisch, sondern prüfen vor allem die Übereinstimmung von Mustern. Zeigt das Roulette dreimal nacheinander Rot, sehen wir sofort eine ordnende Hand im Spiel, weil dem Zufall in unserer Gedankenwelt Bilder von Unordnung entsprechen. Bei Linda erliegen wir einer ähnlichen Täuschung: Entspricht dem Eindruck, den wir von ihr gewinnen, eine Feministin nicht viel besser als eine Kassiererin in der Bank? Kann sich die Tätigkeit einer offenbar so intelligenten Person wirklich nur im Geldzählen erschöpfen? Natürlich hat uns der Psychologe Kahneman mit Bedacht in die Irre geführt: Wir sehen die Dame förmlich in bunten Gewändern und mit hennarotem Haar vor uns, nicht im biederen Business-Kostüm. Indem wir Details wie etwa zu Lindas Lebenswandel hinzuphantasieren, können wir zu einer unsinnigen Einschätzung und oft zu einer falschen Entscheidung gelangen.

Bereitwillig beißen wir in den Köder, den der Wissenschaftler uns hinhält. So eine Reaktion ist nicht zwangsläufig dumm, sondern kann durchaus effizient sein: Wo die Dinge scheinbar klar liegen und unsere Klischees sich glänzend bestätigen, ist es oft Zeitverschwendung, weiter nachzudenken. Doch fatalerweise gehen wir falschen Signalen besonders leicht auf den Leim, wenn es darauf ankommt – in unsicheren Situationen und wenn wir unter Stress stehen. Psychologen nennen diesen Effekt den «Tunnelblick»: Unter hoher innerer Anspannung verengt sich gleichsam das Gesichtsfeld, wir prüfen Überlegungen nicht mehr, sondern halten uns an Vorurteile. Dadurch sparen wir möglicherweise wertvolle Sekunden, bemerken es jedoch in der Regel nicht einmal, wenn unser Denken auf einer unzulässigen Abkürzung zu Fehlschlüssen gelangt und hinter Zufälligkeiten einen Sinn sieht, den es nicht gibt. Denn unter Stress lässt das Gehirn das wahre Maß unseres Unwissens nicht ins Bewusstsein dringen.[23] Stattdessen klammert es sich an jedes Anzeichen von Plausibilität – und verkauft das Nächstliegende für wahr.

Genauigkeit, die in die Irre führt

Diesen Effekt kann man gezielt ausnutzen, um eine Fassade der Seriosität aufzubauen; Boulevardjournalisten, auch Anwälte wissen das. Je genauer eine Angabe ist, desto eher sind wir bereit, sie kritiklos zu glauben. Alibis vor Gericht sind umso wirksamer, je mehr belanglose Einzelheiten der Verdächtige zum Besten gibt. Und in Revolverblättern erfahren wir nicht nur den Hergang der unglaublichsten Morde, sondern auch, welche Farbe der Anzug hatte, den das Opfer an seinem letzten Tag trug. Das regt die Phantasie an – und schafft Vertrauen. Kann sich ein Reporter, der offenbar so viel weiß, seine Geschichte ernstlich ausgedacht haben?

Schon die Autoren der Bibel nutzten solche Techniken, um Glaubwürdigkeit zu schaffen. Die Bundeslade, die Bezalel anfertigte, war nicht einfach sehr kostbar. Sie bestand vielmehr aus Akazienholz, 29 Talenten und 730 Schekeln Gold sowie 100 Talenten und 1775 Schekeln Silber. «Die Hälfte eines Schekels für jeden von zwanzig Jahren und darüber, der zur Veranlagung vortreten musste, also für 603 550 Mann», erklärt der Chronist.[24]

Wir können nicht beliebig viel Aufwand treiben, um uns zu informieren. Darum sind wir bereit, Detailtreue als Zeichen für hohe Qualität von Fakten zu werten – und diesen zu glauben. Selten fragen wir uns allerdings, wie relevant diese Einzelheiten sind. Für das religiöse Leben des Volkes Israel war es gleichgültig, aus welchem Holz Bezalel die Bundeslade schnitzte. Und die Frage, die uns der Psychologe Kahneman stellt, ist eine rein logische. Für ihre Beantwortung spielen weder Lindas Intelligenz noch ihre politische Überzeugung eine Rolle.

Sich Informationen zu besorgen wird dank Computer und Internet von Tag zu Tag einfacher. Trotzdem fällt es uns keineswegs leichter, zu Urteilen zu kommen und Entscheidungen zu treffen. Gerade wenn es um komplexe Fragen geht, drohen wir in einer Flut unerheblicher Daten zu ertrinken. Der einzige Ausweg ist, im Zweifelsfall jedes einzelne Faktum darauf zu prüfen, wie schlüssig und vor allem wie entscheidend für unsere Frage es ist – und besonders misstrauisch zu sein, wenn es die eigenen Überzeugungen perfekt zu bestätigen scheint. Ansonsten laufen wir Gefahr, uns in haltlosen Theorien zu verstricken.

Schließlich kann vorgetäuschte Genauigkeit den größten Unsinn einleuchtend machen. Als im 16. Jahrhundert die Menschen in Europa in Angst vor Seuchen und Hexen lebten, rechnete ein deutscher Physiker ihnen vor, dass genau 7 405 926 Gespenster die Erde bewohnen.[25] Bei so viel wissenschaftlicher Akribie können wohl kaum noch Zweifel bestehen.

Stoff für Verschwörungstheorien

Schützt tägliche Rasur die Gesundheit? Für Bartträger liest sich die vom angesehenen *American Journal of Epidemiology* veröffentlichte Studie jedenfalls bedrückend: Wer sich nicht jeden Morgen rasiert, werde mit 70 Prozent höherem Risiko einem Schlaganfall erliegen als andere Männer. Obendrein erlebe er seltener einen Orgasmus. Um mit solchen Ergebnissen aufwarten zu können, haben der Sozialmediziner Shah Ebrahim und seine Kollegen von der englischen Universität Bristol mehr als zweitausend Männerleben über zwei Jahrzehnte hinweg analysiert.[26]

Beschert etwa ein Mangel an Sexualhormonen nicht nur spärlichen Bartwuchs, sondern auch kranke Gefäße? Oder machen glatt rasierte Gesichter Frauen wild, was zu mehr Orgasmen und weniger Herzleiden führt?

Da das Gehirn programmiert ist, nach Mustern zu suchen, lassen uns Beobachtungen, die wir nicht sinnvoll erklären können, keine Ruhe. Allzu leicht setzen wir voraus, wo Ereignisse zusammentreffen, müsse auch ein Zusammenhang bestehen. Aber eine Koinzidenz ist noch keine Kausalität. Manchmal leuchtet uns das ein: Regnet es gerade dann, wenn wir den Schirm vergessen haben, mag zwar mancher zweifeln, ob alles mit rechten Dingen zugeht. Trotzdem würde wohl niemand annehmen, die dunklen Wolken seien aufgezogen, *weil* er seinen Regenschirm daheim gelassen hat. Schließlich brauen sich Regenwolken zusammen, weil ein Tiefdruckgebiet naht, nicht, weil irgendwo ein Schirm im Ständer steht. Oft aber ist der Unterschied zwischen Koinzidenz und Kausalität weniger offensichtlich. Gerade in verwickelten Situationen, bei denen viele Einflüsse eine Rolle spielen, fällt es schwer zu entscheiden, ob die Vorkommnisse zufällig sind oder ob sich dahinter eine verborgene Gesetzmäßigkeit verbirgt.

Über je mehr Informationen wir verfügen, desto mehr Möglichkeiten haben wir, sonderbare Koinzidenzen zu entdecken. August Strindberg musste noch seine privaten Erlebnisse aufzeichnen, um auf geheimnisvolle Zusammenhänge zu stoßen. Heute überschütten uns Fernsehen und Internet mit einer solchen Fülle von Meldungen, dass wir zwischen ihnen fast nach Belieben Verbindungen herstellen können.

Wer eine Schwäche für das Obskure hat, kann so mühelos Muster finden und über verborgene Botschaften spekulieren. Nehmen wir zum Beispiel das wiederholte Auftauchen der Zahl 11 im Umkreis der Anschläge des 11. September 2001: 11 ist die Quersumme des Datums 11.9. (9 plus 1 plus 1), des 254. Tages im Jahr (2 plus 5 plus 4). Der Flug American Airlines 11 traf die Türme des World Trade Center als erster, 92 Passagiere waren an Bord (9 plus 2); in der zweiten Maschine, die in die Hochhäuser raste, saßen 65 Menschen (6 plus 5). Die Begriffe «New York City» und «Afghanistan», wo sich Osama Bin Laden versteckte, haben jeweils 11 Buchstaben – «George W. Bush» übrigens auch. Und hatten die Twin Towers nicht die Silhouette einer 11?

Das alles ist wahr, doch beweist es allenfalls, dass wir genug Daten haben, um damit zu jonglieren. Gegenprobe: Die Maschine, die den zweiten New Yorker Wolkenkratzer zerstörte, hatte die Flugnummer UA 175; die Boeing, die das Pentagon rammte, war AA 77; und jene, die in Pennsylvania abstürzte, UA 93. Das amerikanische Verteidigungsministerium hat, sein Name sagt es, die Form eines Fünfecks. Und so weiter.

Muster und Zusammenhänge zu sehen, wo keine sind, kann beruhigen. Wir fühlen uns dem Schicksal weniger ausgeliefert, gewinnen nach einer erschütternden Erfahrung die Illusion, zu verstehen, was vorgefallen ist. Auch deswegen erfreuen sich Verschwörungstheorien besonderer Beliebtheit, wenn sie sich um Ereignisse drehen, die viele Menschen aufgewühlt haben – die Schüsse auf John F. Kennedy, der 11. September.

Als Basis für Entscheidungen taugen solche Spekulationen allerdings nichts. In harmlosen Fällen bedeutet die irrige Suche nach Mustern Verschwendung von Zeit – oder Geld. Wer beispielsweise eifrig die Börsenshows verfolgt, die seit ein paar Jahren in vielen Fernsehkanälen laufen, bekommt unablässig suggeriert, es sei ein Leichtes, zu Reichtum zu kommen. Man müsse nur die Informationen der Börsengurus nutzen. Tatsächlich aber handelt es sich bei der Fülle von Charts, Kursen und Analysteninterviews, die auf den Zuschauer einprasseln, um Datenmüll ohne Wert. Wie bei den Zahlenspielen um den 11. September ist jede einzelne Information richtig, aber nicht geeignet, um Schlüsse daraus zu ziehen. Sofern die Neuigkeiten überhaupt von irgendeiner Bedeutung sind, haben die Profis längst gehandelt – der Kleinanleger auf dem Sofa hat das Nachsehen. Eine Voraussage über die künftige Entwicklung der Kurse erlauben solche Nachrichtenschnipsel ohnehin nicht, wie wir in Kapitel 5 gesehen haben. Der Zuschauer wird nur verführt, schnellstens mit seinen Aktien zu handeln, was ihm eine saftige Gebührenrechnung seiner Bank einträgt.

Voreilige Schlüsse

Mitunter führt die Suche nach Zusammenhängen auf Abwege, die mehr als nur Geld kosten. Leiden wir unter Kopfweh, seit in der Nähe unseres Hauses ein Mobilfunkmast steht, glauben wir uns den Gefahren des Elektrosmogs auf der Spur und finden keine Ruhe mehr. Manch ein vermeintliches Opfer verbringt Jahre seines Lebens damit, Behörden in Atem zu halten und sein Haus gegen elektromagnetische Wellen abzuschirmen, obwohl keine einzige seriöse Studie Schäden durch Mobilfunkstrahlen belegt hat.

Das Gehirn ist leichtgläubig. Oft gehen wir in die Irre, weil wir nicht merken, wann wir eine Hypothese bilden und wann wir sie anwenden. Was ist der Unterschied? Wenn uns eine Koinzidenz auffällt – etwa zwischen dem Mobilfunkmast und dem Kopfschmerz –, dann vermuten wir ganz automatisch, beides müsse zusammenhängen. Wir stellen also eine Hypothese auf, und möglicherweise lohnt es sich, der Vermutung weiter nachzugehen. Denn wir haben eine interessante Spur, aber noch keinen Beweis zur Hand. Jetzt müssten wir den zweiten Schritt gehen und nach Belegen für unsere Hypothese suchen. Doch wir neigen dazu, diesen Schritt zu übergehen und uns so zu verhalten, als hätten wir den Beweis schon gefunden. Indem wir etwa die Handystrahlung für schädlich halten, wenden wir die Hypothese bereits an: Wir sehen die Welt durch die Brille einer Vermutung, die nicht begründet ist.

Fehlurteile vermeidet, wer sich bewusst macht, was genau in seinen Gedanken vorgeht: Spielen wir gerade mit Mutmaßungen, um Informationen in einen sinnvollen Zusammenhang zu bringen? Oder haben wir über die Koinzidenz hinaus eine Gesetzmäßigkeit gefunden, die wir nun anwenden? Dazu allerdings braucht es nicht nur eine bemerkenswerte Häufung von Ereignissen, sondern auch eine beweisbare Erklärung, warum diese auftritt: eine Kausalität.

Im Fall der Bartträger, die auffällig oft unter Schlaganfällen und schlechtem Sex leiden sollen, sind die Wissenschaftler noch auf der Suche. Immerhin ist ihnen klar, dass sie über die pure Merkwürdigkeit hinaus eine Begründung anbieten müssen, sollen ihre Mühen zu etwas nütze sein. Die Wirkung von Sexualhormonen meinen sie inzwischen als Ursache ausschließen zu können. Dennoch wollen sich die Forscher nicht mit der simplen Erklärung zufrieden geben, dass sich in einem Datenwust, wie sie ihn erhoben haben, immer irgendwelche Muster entdecken lassen – die Zahlenspielereien um den 11. September zeigen es. Ihr Gehirn ist schließlich, wie bei uns allen, programmiert, den Zufall nicht gelten zu lassen. Nun haben die englischen Sozialmediziner unter ihren Bärtigen auffallend viele Handwerker gefunden. Ob dies zu irgendeiner Erklärung beitragen könnte?

KAPITEL 11 SCHAFE UND BÖCKE
Wie unser Hirn Sinn stiftet, wo keiner ist

Glauben Sie an die Vorsehung? Ziemlich genau die Hälfte aller Deutschen ist dann Ihrer Meinung, unter den Frauen sind es sogar 58 Prozent.[1] Die anderen sind skeptisch und eher bereit, Zufälle und nicht ein planvolles Schicksal für ihren Lebensweg verantwortlich zu machen. Konsequenz mag sonst nicht zu den menschlichen Stärken gehören; doch in dieser Frage sind wir bemerkenswert wenig beirrbar. Wer einmal an das Schicksal glaubt, wird es sehr wahrscheinlich Jahre danach immer noch tun. Und wer umgekehrt den Zufall für eine wichtige Kraft in seinem Leben hält, wird sich auch von unwahrscheinlichen Erlebnissen nicht dauerhaft davon abbringen lassen. Der Glaube an die Macht entweder des Schicksals oder des Zufalls scheint ein fester Zug unserer Persönlichkeit zu sein.

So sieht es die psychologische Forschung tatsächlich. Sie hat sogar Begriffe geprägt, nach denen Wissenschaftler die Menschen entsprechend ihrer Einstellung zu höheren Mächten einteilen – in «Schafe» und «Böcke». Die seltsamen Kategorien gehen auf ein Wort des Evangelisten Matthäus zurück, der prophezeite, Christus werde am Jüngsten Tag die Gläubigen von den Ungläubigen scheiden, «wie ein Schäfer die Schafe von den Böcken trennt».[2]

Egal, welcher Gruppe Menschen angehören – in diesem Punkt pflegen wir uns unserer Überzeugung nicht nur sehr sicher zu sein, sondern auch die Andersdenkenden für ein wenig minderbemittelt zu halten. Wer an verborgene Pläne glaubt, sieht sich meist im Besitz einer besonderen Intuition und meint, sensibler als andere zu sein.

Ihm und all denen, die ähnlich fühlen, stünden Erfahrungswelten offen, von denen die Skeptiker mit ihrer beengten Weltsicht noch nicht einmal ahnten. Manche sehen sogar in bestimmten Menschen Medien für das Außersinnliche, was die Gegenpartei mit Spott quittiert. Die Skeptiker wiederum lästern, Leute, die an Kräfte jenseits der Vernunft glauben, könnten selbst nicht viel Vernunft besitzen.

Die englische Psychologin Susan Blackmore hat versucht, der Sache ohne Emotionen auf den Grund zu gehen. Sie bat Versuchspersonen um ihre persönliche Einschätzung von Sätzen wie:

«Ich erinnere mich an ein Ereignis, das ich mir nur mit Telepathie erklären kann.»

«Ich erinnere mich morgens häufig an meine Träume.»

«Es kommt oft vor, dass ich das Gefühl habe, eine Situation schon einmal erlebt zu haben.»

«Ich kann mir nicht gut vorstellen, dass das Leben auf der Erde durch eine Reihe von Zufällen entstanden ist.»

Nach ihren Antworten schätzte Blackmore ungefähr die Hälfte der Teilnehmer als «Schafe», die Hälfte als «Böcke» ein. Alle sollten nun zwanzigmal eine Münze werfen und bekamen die Aufgabe, das Ergebnis richtig vorherzusagen oder vielleicht sogar mit der Macht ihrer Gedanken zu beeinflussen. Vorher aber ließ die Wissenschaftlerin sie schätzen, wie oft sie zufällig richtig raten würden. Wie hätten Sie ihr geantwortet?

Die «Böcke» machten sich im Durchschnitt bei 9,6 Würfen im Durchschnitt Hoffnung auf einen Zufallstreffer und lagen damit in der Nähe der statistisch richtigen Zahl. Wenn die Münze gleich wahrscheinlich auf Kopf und Wappen fällt, ist die Chance auf einen zufällig korrekten Tipp 50 Prozent oder 10 von 20 Würfen. Auch die Böcke unterschätzten folglich die korrekte Wahrscheinlichkeit. Das erstaunt, weil die Versuchspersonen Medizinstudenten oder Ärzte waren, die eine Ausbildung in Statistik hinter sich hatten.

Die «Schafe» hingegen trauten dem Zufall noch weniger zu – im Mittel schätzten sie die Zahl der ungewollt richtigen Antworten auf nur 7,9. Damit hatten sie beste Aussichten, beim Experiment ihren Glauben an höhere Mächte bestätigt zu finden.[3] Schließlich konnten sie die Differenz zwischen ihrer Annahme (durchschnittlich 7,9) und der statistisch zu erwartenden Trefferzahl (durchschnittlich 10) ihren außergewöhnlichen Fähigkeiten zuschreiben: Zweimal muss es ihnen nach ihrer Lesart gelungen sein, die Münze durch Willenskraft zu steuern. Ein wenig erinnern diese Menschen an Schamanen von Naturvölkern, die zu Beginn der Regenzeit Regentänze vollführen – und es als Beweis für ihre Zauberkräfte ansehen, wenn dann tatsächlich ein Wolkenbruch einsetzt.

Die Illusion der Kontrolle

Aber Hand aufs Herz: Wer hat nicht klammheimlich schon einmal geglaubt, eine Situation durch Telepathie beeinflussen zu können? Oder gelegentlich auf Holz geklopft, aus der Angst heraus, mit seinen Worten ein Unglück heraufzubeschwören? Selbst wenn uns dieser Aberglaube im Alltag gar nicht bewusst ist, lassen wir uns mitunter sehr wohl von ihm leiten, wie der kanadische Sozialpsychologe Lloyd Strickland gezeigt hat.[4] Er beobachtete das Verhalten von Würfelspielern, die er in zwei Gruppen eingeteilt hatte. Die einen mussten ihre Einsätze schon machen, wenn die Würfel noch im Becher klapperten; die anderen sollten setzen, nachdem die Würfel gefallen waren, aber noch unter dem Becher verborgen lagen. Erstaunlicherweise riskierten die Spieler deutlich mehr, solange die Würfel noch in Bewegung waren – offensichtlich waren sie der mehr oder minder bewussten Auffassung, den Zufall mit der Kraft ihrer Gedanken lenken zu können. Als die Würfel lagen, ließ die Wettfreude deutlich nach.

Dies ist auch der Grund, warum wir bei dem Spiel «6 aus 49» die Gewinnzahlen selbst ankreuzen dürfen. Die Lotterieverwaltungen haben herausgefunden, dass Menschen mehr und teurere Lose kaufen, wenn sie ihre Glückszahlen selbst aussuchen können – obwohl die Gewinnchance natürlich nicht geringer wäre, würden sie wie auf der Kirmes Lose mit aufgedruckter Nummer ziehen.

Solche Illusionen der Kontrolle haben wir ständig. Man muss gar keine Geistheiler oder Voodoozauberer bemühen; magisches Denken ist im Alltag überall verbreitet. Ein Fußballfan im Stadion brüllt bis zur Erschöpfung, wenn seine Mannschaft im Vormarsch ist, als könne er dadurch den Ball ins gegnerische Tor lenken; wir bitten Freunde, uns den Daumen zu drücken, wenn wir eine Prüfung bestehen oder ein Vorstellungsgespräch hinter uns bringen müssen.

Ein Stück weit brauchen wir diese Selbsttäuschung. Wer sich nicht als Herr der Lage fühlt, verspürt Niedergeschlagenheit und zieht sich zurück. Wie zahlreiche Studien und Tierversuche belegen, kann das Gefühl, keine Kontrolle über sein Leben zu haben, sogar Depressionen auslösen – man spricht von «gelernter Hilflosigkeit».[5] Hoffen wir dagegen, dass alles nach unserem Willen läuft, geht es uns gut. Das Wohlgefühl hängt kaum davon ab, ob man die Dinge wirklich unter Kontrolle hat oder es nur glaubt. Auf diese Weise kann man sich sogar mit dem unrühmlichen Ende einer Rauferei versöhnen, wie Mark Twain es beschrieb: «Ich hatte mich auf den Rücken geworfen, den Gegner auf mich gelegt und meine Nase zwischen seine Zähne gesteckt.»

Würden kleine Illusionen über die eigene Macht nur gute Gefühle erzeugen, wäre gegen sie nichts einzuwenden. Leider steigern sie zugleich die Risikobereitschaft, wie das Würfelexperiment zeigt. Ein Autofahrer, der sich im vollen Vertrauen auf die eigenen Fahrkünste (und womöglich auf seinen Talisman am Rückspiegel) sicher fühlt und die möglichen Fehler anderer Verkehrsteilnehmer vergisst, lebt gefährlich.

Der Parkplatz und das Universum

Ein Kabinettstück in Sachen magisches Denken stammt von der deutschen Autorin Bärbel Mohr. Wenn Sie in der Stadt leben, wird Ihnen der Dauerkampf um Parkplätze bestens bekannt sein. Autos und Politessen scheint es von Tag zu Tag mehr zu geben, Straßenränder aber nicht. Hoffnungslos ist es, seinen Wagen auch nur halbwegs legal unterzubringen.

Haben Sie es einmal mit einer Bestellung beim Universum versucht? Eine halbe Million Leser sind Bärbel Mohrs Rat bisher gefolgt und haben ihr gleichnamiges Bändchen verschlungen.[6] Auf der Website von amazon.de zeigen sich die Käufer begeistert: «Es funktioniert wirklich!»

Wenn Sie also das nächste Mal ein Viertel ansteuern, in dem selbst die Feuerwehrzufahrten zugestellt sind, empfiehlt Mohr, möglichst schon vor der Abreise beim Universum einen Parkplatz anzufordern. «Schwingungen der Materie» würden dazu führen, dass höchstens dreißig Meter vom Zielort entfernt ein anderer Fahrer gerade dann eine Parklücke verlässt, wenn Sie kommen. «Das belegen die Forschungen der Physiker, insbesondere der Atomphysiker», erläutert Mohr. Auf diese Weise könnten Sie alles bekommen, was Sie wünschen – sogar Zwillinge oder ein Schloss, wenn Ihnen der Sinn danach steht. Die Autorin wollte beides, das Universum habe geliefert.

Zu phantastisch, um wahr zu sein? Eines allerdings müssen Sie bleiben lassen: Sie dürfen den Kosmos keinesfalls bei seinen Besorgungen stören, indem Sie immer wieder an Ihren Wunsch denken, nachdem Sie ihn geäußert haben. So etwas blockiert den Energiefluss. Jetzt kann Mohrs Rezept nur aufgehen: Wenn zufällig ein Parkplatz im rechten Moment frei wird, war das Universum folgsam. Wenn Sie aber ungeduldig um den Block kreisen und Ihnen dabei Ihre vergebliche Bestellung einfällt, brauchen Sie sich nicht zu wundern – Sie haben das Universum verärgert. Und davor hat Sie die Autorin ausdrücklich gewarnt.

Mohrs Erfolgsgeheimnis ist die selektive Wahrnehmung. Dieser Trick lässt uns auch an Gedankenübertragung glauben – etwa wenn die Freundin genau in dem Moment anruft, in dem wir an sie gedacht haben. Die Erklärung ganz ohne Wunder ist, dass wir an uns nahe stehende Menschen sehr häufig denken. Ebenso oft kommt uns irgendein Wunsch in den Sinn: Wie schön wäre es jetzt, wenn … Meist ist der kurze Einfall sofort wieder vergessen. Klingelt aber kurz darauf das Telefon oder geht der Wunsch in Erfüllung, bleibt dieser bemerkenswerte Zufall in Erinnerung. Wer ohnehin zum Glauben an übernatürliche Kräfte neigt, fühlt sich in seiner Auffassung bestätigt – wie auch ein Schamane gewaltig im Ansehen seiner Stammesgenossen steigt, wenn nach einem Zauber das Wetter wirklich umschlägt. Künftig wird der Gläubige erst recht auf den Gleichklang von Innen- und Außenwelt achten. (Derselbe Mechanismus führt übrigens dazu, dass sich nach einem Zusammenstoß zweier Züge in der deutschen Provinz ähnliche Unglücke auf der ganzen Welt zu häufen scheinen: Statistisch betrachtet passiert nicht mehr und nicht weniger als zuvor, doch unsere eigene Wahrnehmung und die der Medien ist vorübergehend geschärft.)

Nur sehen, was ins Bild passt

Im Hollywood-Klassiker «Einer flog über das Kuckucksnest» hat Jack Nicholson einen seiner großen Auftritte: Der Hauptdarsteller, wegen ein paar Schlägereien im Gefängnis gelandet, schafft es, sich «zur Überprüfung seines Geisteszustands» in ein psychiatrisches Krankenhaus verlegen zu lassen. Doch die vermeintlich geniale Flucht vor dem Strafvollzug stellt sich als Sackgasse heraus. Die Ärzte sehen in dem kerngesunden Helden einen seelisch unheilbar Kranken; die Türen der Psychiatrie schließen sich für immer hinter ihm.

Wie glaubwürdig diese Geschichte ist, hat der amerikanische Psychologe David Rosenhan schon 1968 demonstriert. Der Forscher wollte wissen, ob seine Berufskollegen so sicher zwischen einer psychisch kranken und einer gesunden Person unterscheiden konnten, wie man es von ihnen erwarten durfte. Also sandte er gesunde Freiwillige in ein Dutzend psychiatrische Krankenhäuser und bat sie, bei der Aufnahme zu erklären, sie hätten unerklärliche Stimmen gehört. Ansonsten schilderten sie einen unauffälligen Lebenswandel.[7]

Mit diesem Experiment lieferte Rosenhan ein tragikomisches Beispiel für die Macht der selektiven Wahrnehmung, Jahre bevor «Einer flog über das Kuckucksnest» in die Kinos kam: Kein einziger der falschen Kranken wurde nach Hause geschickt. Auf der Station benahmen sie sich, abgesehen von gelegentlich gespielter Nervosität, weiter völlig normal. Die Simulanten sollten allerdings Buch führen, wie das Krankenhauspersonal ihnen begegnete. Erst erfüllten sie ihren Auftrag im Verborgenen; als sie jedoch begriffen, dass sie ohnehin niemand ernst nahm, protokollierten sie das Verhalten der Ärzte und Schwestern ganz offen. Diese schöpften nicht etwa Verdacht – im Gegenteil: Dass die vermeintlichen Patienten immer wieder Stichworte in ihre Blöcke notierten, sahen die Experten als einen Beweis für deren Krankheit. In diesem Sinn deuteten sie jede kleinste Regung. Vertrat sich einer der Simulanten auf dem Gang die Beine, kommentierten die Schwestern mitleidig: «Na, mal wieder nervös heute, Herr X?» Nach 7 Tagen wurde der erste, nach 52 Tagen der letzte Freiwillige aus der Psychiatrie entlassen. Meist war die Diagnose «Schizophrenie».

Ganz gleich, was die Patienten taten, es gelang dem Klinikpersonal mühelos, sich ihr Verhalten entsprechend dem Krankheitsbild zu erklären, auf das der Arzt im Erstgespräch verfallen war. Dabei hätte man ebenso gut zu dem Schluss kommen können, dass ein Patient einfach deswegen auf dem Korridor auf und ab stiefelt, weil ihm im Klinikalltag langweilig ist. Die Mitpatienten saßen der Täuschung übrigens nicht auf: Da sie kein Schema vor Augen hatten, in das Rosenhans Leute passen sollten, durchschauten sie das Spiel bald und sprachen ihre Zweifel auch aus. Freilich gingen die Ärzte solchen Hinweisen nicht nach, galten diese Patienten doch ebenfalls als psychisch gestört.

Als die peinlichen Ergebnisse bekannt wurden, warf die Fachwelt Rosenhan vor, sein Experiment sei aus der Luft gegriffen: Niemand würde sich ohne Grund in die Psychiatrie einweisen lassen; daher sei es kein Wunder, dass man dort nicht mit Simulanten rechne. Rosenhan gab sich einsichtig. Für einen neuen Durchgang seines Versuchs teilte er den Ärzten eines psychiatrischen Krankenhauses mit, dass er ihnen in den kommenden drei Monaten Simulanten vorbeischicken werde; die Aufgabe sei, diese zu enttarnen. 193 Patienten kamen in dieser Zeit in die Klinik, 41 von ihnen wurden als eingebildete Kranke erkannt. Nach Ablauf der Versuchsphase gab Rosenhan bekannt, wen er diesmal in die Psychiatrie gesandt hatte – niemanden. Einzig deswegen, weil die Ärzte nun mit Simulanten gerechnet hatten und sich eine neue Blamage ersparen wollten, hatten sie jeden fünften Patienten abgewiesen. Die Kranken waren alle echt.

Die Lust am Deuten

Die selektive Wahrnehmung, also der Hang, nur das zu sehen, was ins Bild passt, zählt zu den wichtigsten Tricks des Gehirns, den Zufall zu leugnen. Ein anderer ist die Gewohnheit, die Wirkung des Zufalls systematisch zu unterschätzen – wie im Beispiel der Basketballspieler mit der heißen Hand oder des vergesslichen Rouletterads. Aber es gibt noch einen dritten Mechanismus, der zur Spökenkiekerei verleitet: unsere hemmungslose Lust am Deuten.

Träume zum Beispiel bestärken viele Menschen darin, an ihr zweites Gesicht zu glauben. Eine unerwartete, aber wichtige Begegnung oder gar die Ahnung vom Tod eines Verwandten: Haben Sie noch nie nachts Zeichen für etwas gesehen, was später wirklich geschah, oder zumindest von einem solchen Wahrtraum gehört?

Man kann solchen Berichten ruhig Glauben schenken. Denn dass wir im Lauf unseres Lebens einen prophetischen Traum haben, ist zum einen durchaus wahrscheinlich. Die Chance, etwas Erträumtes später wirklich zu erleben, ist mit 1 zu 10 000 pro Nacht sicher vorsichtig eingeschätzt. Wir träumen ja meist von den wenigen Menschen, die uns besonders am Herzen liegen, und spielen im Schlaf durch, was ihnen oder uns mit ihnen zustoßen könnte. Doch selbst wenn wir die Wahrscheinlichkeit eines Zufallstreffers derart niedrig annehmen, werden wir mit einer Chance von mehr als 50 Prozent im Lauf von zwanzig Jahren mindestens einen Traum haben, der sich erfüllt.[8]

Bei Menschen, die nicht nüchtern bis auf die Knochen sind, liegt die Trefferquote noch viel höher. Denn Träume sind selten so deutlich wie ein Hollywoodfilm, und wir sind es gewohnt, die nächtlichen Bilder zu interpretieren. Und darin haben wir Spielraum: Wenn wir von einem gelben Fahrrad träumen und der Postbote tags darauf eine gute Nachricht überbringt, sehen wir unsere Vorahnung bestätigt.

Dasselbe denken wir, wenn wir am Morgen entdecken, dass Diebe nachts unser eigenes Rad mitgenommen haben – oder wenn unser Kind vom Fahrrad fällt und sich das Knie aufschlägt. Mit unserer Assoziationsfreude haben wir eine zufällige Koinzidenz in eine schicksalhafte Begebenheit umgemodelt. (Nach demselben Prinzip gehen die reichlich allgemein geschriebenen Horoskope in Zeitschriften stets in Erfüllung – selbst bei den vielen Menschen, die sich über ihr aktuelles Schicksal aus einem Magazin der Vorwoche informieren.)

Was für kuriose Zusammenhänge wir in unklaren Situationen erfinden, zeigte der Zürcher Neuropsychologe Peter Brugger mit einem originellen Experiment. Er bat Studenten zum Spiel mit einem Würfel, auf dem zwei Seiten mit einer nicht ganz eindeutigen Zeichnung versehen waren. Die meisten erkannten darin eine Ente. Auf den anderen Seiten waren entweder Karotten oder Schilf dargestellt. Die Versuchspersonen würfelten mit verbundenen Augen und sollten bei jedem Wurf raten, wie der Würfel wohl gerade gefallen war.[9] Natürlich erlagen auch sie demselben Irrtum wie die Roulettespieler und Basketballfans des letzten Kapitels und erwarteten, der Zufall müsse für möglichst viel Abwechslung sorgen. Also sagten sie beispielsweise nicht zu oft nacheinander «Ente». Wenn sie allerdings «Ente» getippt hatten, mieden sie anschließend auch den Begriff «Schilf». Warum das? Enten verstecken sich oft im Schilf; deshalb hatten die Hirne der Ratenden eine Verbindung zwischen beiden Bildern hergestellt. Sie gehörten nun in ihrer Vorstellung zusammen. Und obwohl das auf den Ausgang des Würfelexperiments nun wirklich keinen Einfluss haben konnte, verhielten sich die Probanden unbewusst so, als müsse der Zufall ihre Assoziation beachten. Bei dem Begriff «Karotte» unterlief den Teilnehmern dieser Irrtum nicht.

Ungefähr ein Drittel der Versuchspersonen sah auf dem Würfel übrigens keine Ente. Diese Leute hatten den Würfel um 90 Grad gedreht und identifizierten die absichtlich unklare Zeichnung als ein Kaninchen. Was für die anderen Ober- und Unterkiefer des Entenschnabels war, hielten sie für zwei Löffelohren. Die Kaninchen-Fraktion erriet die Häufigkeit von «Schilf» korrekt, dafür scheute sie sich, auf das Kaninchen alias Ente die Karotte folgen zu lassen.

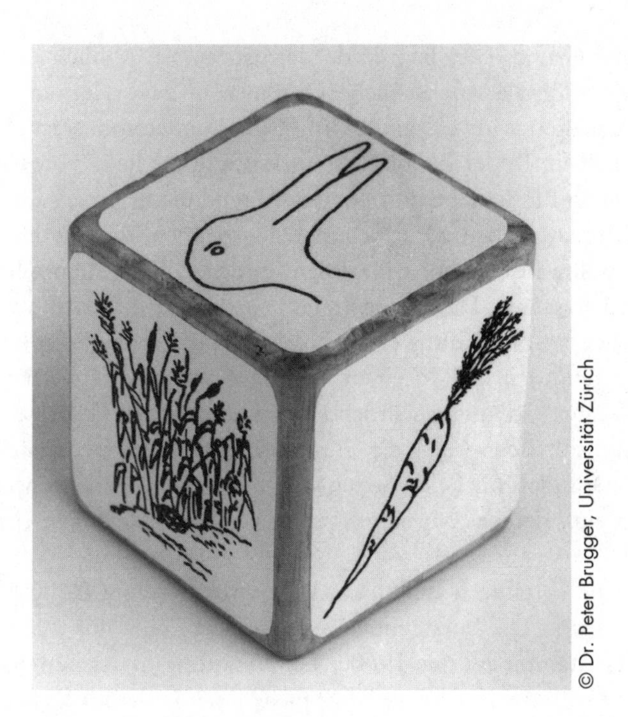

© Dr. Peter Brugger, Universität Zürich

Ente oder Kaninchen?
Manche Leute sehen auf der Oberseite des Würfels einen Entenschnabel, andere Kaninchenohren. Welches Tier die Versuchspersonen identifizieren, bestimmt, welchen Ausgang von Experimenten mit diesem Würfel sie erwarten. Aber weshalb sollte sich die Physik nach unseren Vorstellungen richten?

Die Biologie der Spekulation

Ob Misstrauen gegenüber dem Zufall oder Jagd nach verborgenen Bedeutungen – beides gibt Anlass, sich über höhere Pläne Gedanken zu machen. Und beides erleben wir, weil das Gehirn die Umwelt unablässig nach Außergewöhnlichem absucht: Wir haben Detektoren für das Besondere in unseren Köpfen. Diese Signalgeber sprechen bei leichtgläubigen Menschen vom Typus «Schaf» schneller, bei «Böcken» weniger bereitwillig an.

Der Grund dafür liegt in der Hirnanatomie. Ähnlich einer Walnuss zerfällt das menschliche Großhirn in zwei Hälften; zusammengehalten wird es durch ein dickes Bündel von Nervenfasern, den Balken. In der Populärwissenschaft gilt die linke Hirnhälfte als zuständig für Sprache und Logik, während die rechte als die kreative Seite angesehen wird. Schriftsteller glauben, dass sie links denken, während Graphiker ihr Talent in der rechten Hemisphäre angesiedelt sehen. Diese eingängige Vorstellung hat sich zu einem Klischee unserer Kultur entwickelt, das sogar in die Werbung Eingang gefunden hat. In einem Kinospot versprach etwa die Firma Apple, ihre Computer würden beiden Hälften des Kopfes zu ihrem Recht verhelfen. Auch die Fluggesellschaft United Airlines warb mit «Gründen für beide Seiten»: Der rechten Hirnhälfte werde an Bord ein erlesenes Musikprogramm geboten, der linken ein guter Preis.

Ganz so einfach funktioniert die Arbeitsteilung im Kopf allerdings nicht. Die Vorstellung «Sprache und Logik links, Kreativität rechts» stammt aus den 1960er Jahren und ist inzwischen überholt. Heute wissen wir, dass weder Sprache noch logisches Denken, weder Gefühle noch schöpferischer Geist exklusiv in einem Zentrum rechts oder links angesiedelt sind. Vielmehr müssen bei diesen komplexen Hirnfunktionen stets verschiedene Regionen auf beiden Seiten zusammenwirken, um ein sinnvolles Ergebnis zu liefern.

Dennoch bestehen subtile Unterschiede in der Aufgabenverteilung. Etwas überspitzt könnte man die linke Hirnhälfte als die naivere von beiden bezeichnen, denn sie beschäftigt sich vor allem damit, nahe liegende Zusammenhänge einzuordnen und einfache Regeln zu erfassen. Weil Sprache ein Geflecht grammatikalischer Vorschriften ist, wird die linke Seite des Gehirns besonders aktiv, wenn wir Wörter und Sätze verstehen. Die rechte Hemisphäre erscheint dagegen pfiffiger – sie spürt Beziehungen auf, die nicht auf der Hand liegen. So fällt es der rechten Hirnhälfte beispielsweise leichter, in verschlungenen graphischen Mustern Konturen oder Gegenstände auszumachen. Vermutlich liegen in den beiden Hirnhälften geringfügig abweichende Konzentrationen bestimmter Signalstoffe und Empfängermoleküle (Rezeptoren) vor; diese Unterschiede bewirken, dass die jeweiligen Hälften Informationen auf ihre spezielle Weise verarbeiten.[10]

Logisch, aber absurd

Wie einem guten Bürokraten kommt es der linken Hirnhälfte nicht vordringlich darauf an, dass ihre Ergebnisse der Wirklichkeit entsprechen – solange nur alles seine Ordnung hat. Was nicht passt, wird im Geiste passend gemacht. Das zeigte der amerikanische Neurowissenschaftler Michael Gazzaniga in einem skurrilen Experiment. Gazzaniga arbeitete mit Epilepsiepatienten, die unter einer sehr schweren Form der Krankheit litten. Deshalb hatte man ihnen als letztes Mittel den Balken zwischen den beiden Hirnhälften operativ durchtrennt, was in solchen Fällen oft hilft. Nach dem Eingriff können sich die beiden Hirnhälften nicht mehr verständigen, und genau dies bietet Forschern die Gelegenheit, zu studieren, wie jede Hemisphäre für sich arbeitet.

Um Gazzanigas Versuche zu verstehen, muss man wissen, dass Körper und Gehirn gewissermaßen über Kreuz organisiert sind: Die rechte Hirnhemisphäre steuert etwa den linken Arm und verarbeitet die Eindrücke aus der linken Hälfte unseres Gesichtsfelds. Darum konnte der Wissenschaftler seinen Versuchspersonen Bilder so zeigen, dass nur die eine Hirnhälfte sie sah, während die andere nichts von ihnen wusste – Informationen austauschen konnten die beiden Seiten ja nicht mehr. So bekam also die rechte Hirnhälfte zum Beispiel ein Bild von einem Haus im Schnee vorgeführt, die linke dagegen ein Hühnerbein. Jeweils darunter war ein Satz Karten angeordnet, aus denen die Versuchspersonen das am besten zum großen Bild passende Motiv aussuchen sollten. Ganz korrekt ordneten die Versuchspersonen dann etwa dem eingeschneiten Haus eine Karte mit einer Schneeschaufel darauf zu. Die Wahl traf in diesem Fall die rechte Hirnhälfte. Die linke konnte weder das Haus noch die Schaufel sehen, sondern beschäftigte sich mit dem Hühnerbein.

Fragte der Forscher nun aber: «Warum die Schaufel?», musste dennoch die linke Hirnhälfte antworten, da sie allein bei den Operierten die Sprachverarbeitung bestimmt. Und diese Hemisphäre, die vermeintliche Sachwalterin der Logik, lieferte auch prompt eine Erklärung – irgendeine. Gazzaniga bekam die absonderlichsten Antworten zu hören, zum Beispiel: «Weil man den Hühnerstall ausmisten muss.»

Sie hatte sich also aus den Informationen, die ihr zugänglich waren (das Bild eines Hühnerbeins und die Frage nach der Schaufel), eine in sich schlüssige, gleichwohl aus der Luft gegriffene Begründung zusammengereimt. Zweifel oder Irritationen ließ die brave Buchhalterin erst gar nicht aufkommen – weder wunderte sie sich über die unsichtbare Schaufel, noch gab sie zu, nicht Bescheid zu wissen.[11]

Buchhalterin unter der Schädeldecke

Da die linke Hirnhälfte sich besonders mit Ordnungen beschäftigt, steuert sie auch unser Misstrauen gegenüber dem Zufall. Sie ist für unsere Schwierigkeiten verantwortlich, uns Zufallsreihen auszudenken oder nach den Gesetzen der Wahrscheinlichkeit völlig normale Unregelmäßigkeiten als Zufall zu erkennen. Wiederholungen passen nun einmal nicht in das Bild, das diese Hirnhälfte vom Zufall hat: Nach dieser Vorstellung sind zufällige Ereignisse maximal ungeordnet, so etwas wie drei Sechser nacheinander beim Würfeln dürfte es demnach nicht geben. Patienten, die auf der linken Seite eine Verletzung oder einen Schlaganfall erlitten haben, erliegen solchen Irrtümern nicht. Offenbar funkt ihnen nicht immer die auf Logik und Regeln versessene linke Hemisphäre dazwischen, die sich einfach nicht damit abfinden will, dass der Zufall Unregelmäßigkeiten erzeugt.[12]

Hält sich die linke Hirnhälfte zurück, tun wir uns auch mit Glücksspielen leichter, bei denen es keine Muster zu erkennen gibt. So setzten Psychologen der amerikanischen Universität Dartmouth ihre Versuchspersonen vor zwei Lämpchen und ließen sie raten, welches davon als nächstes aufleuchten würde. Die Probanden ahnten nicht, dass beide Lampen rein zufällig aufflackerten, die eine aber viermal so oft wie die andere. Wer also stur immer auf dieses Licht tippte, wurde in acht von zehn Fällen belohnt. Stattdessen aber entwickelten die meisten Leute komplizierte Theorien, nach welchen Regeln die Lichter aufleuchteten. Das Ergebnis war, dass sie im Schnitt nur in sechs von zehn Versuchen Treffer landeten.[13]

Offenbar kann die linke Hirnhälfte kaum wahrhaben, dass die Welt manchmal einfach ist. Ebenso wenig mag sie sich damit abfinden, dass es Situationen gibt, in denen keine Gesetzmäßigkeiten gelten. Ständig versucht sie Unklarheiten auszuradieren, indem sie scheinbar plausible Zusammenhänge ersinnt. Diese Vorliebe für Systeme und Regeln ist nicht unschuldig daran, wenn Börsenhändler das Geld ihrer Kunden verspekulieren, nachdem sie im wahllosen Auf und Ab eines Aktienkurses einen Aufwärtstrend zu erkennen glaubten: Meist stehen wir unter Führung der linken Hemisphäre, wenn der Zufall uns narrt.[14]

All dies ist ein Preis für unsere hoch entwickelte Fähigkeit, Regeln zu lernen und uns mit ihrer Hilfe in der Welt zurechtzufinden. Dafür müssen wir mit dem systembedingten Handicap leben, dass wir nur schwer entscheiden können, wann die Suche nach Mustern unsinnig ist oder sogar schadet. «Ein wichtiger Teil unserer Welterfahrung besteht darin, zu wissen, was man nicht zu erklären versuchen sollte», mahnte der amerikanische Philosoph Galen Pletcher.[15]

Wo der Humor zu Hause ist

Die rechte Hirnhälfte trägt allerdings ihren Teil dazu bei, dass wir den Zufall so oft verkennen. Ihre Spezialität ist nämlich das Assoziieren – sie ist dafür verantwortlich, wenn uns die Nachricht im Postkasten an das gelbe Fahrrad erinnert, von dem wir letzte Nacht geträumt haben. Zunächst einmal ist sie jedoch, wie gesagt, dafür zuständig, nicht ganz eindeutige Zusammenhänge zu durchschauen.

So haben Patienten nach einem Schlaganfall, der bestimmte Teile der rechten Hemisphäre beschädigte, Mühe, den Sinn etwas anspruchsvollerer Sätze zu verstehen. Vor allem mit den Subtilitäten der Sprache sind diese Menschen überfordert: Sie nehmen alles wortwörtlich. Lässt man eine Wendung wie «diese Trauben sind mir viel zu sauer» fallen, so protestieren sie, weit und breit sei doch gar kein Obst zu sehen! Auch für den Umgang mit Komik, Anspielungen und Zweideutigkeiten brauchen wir diese Teile des Gehirns[16] – Menschen, deren rechte Hirnhälfte nicht funktioniert, sind völlig humorlos.

Wie assoziationsfreudig diese Seite des Gehirns ist, demonstrierte die kalifornische Psychologin Christine Chiarello an gesunden Versuchspersonen. Sie führte den Probanden Wortpaare so vor, dass nur jeweils eine Hirnhälfte sie sehen konnte, ähnlich wie bei dem Experiment mit den Epileptikern. Die Teilnehmer sollten den Zusammenhang zwischen den beiden Wörtern erkennen – und zwar so schnell, dass die beiden Hirnhälften keine Zeit hatten, sich auszutauschen. So erhielt Chiarello die unverfälschte Reaktion jeweils einer Hemisphäre. Sie stellte fest, dass die linke Hirnhälfte schneller war, wenn es um eng verwandte Begriffe ging – wie zum Beispiel «Arm» und «Bein». Hingegen versagte sie, wenn die Wortbedeutungen weiter auseinander lagen, etwa «Arm» und «Nase». In diesen Fällen zeigte die rechte Hemisphäre Glanzleistungen – sie denkt offenbar in weiteren Bahnen.[17]

Von Hölzchen zu Stöckchen

Bei Menschen, die an Übernatürliches glauben und die Bedeutung des Zufalls ablehnen, ist die rechte Großhirnhälfte ungewöhnlich aktiv, wenn ihr Gehirn Wörter verarbeitet. Das fand der Zürcher Neuropsychologe Peter Brugger heraus, als er die Hirnströme von Psychologiestudenten aufnahm, die er zuvor ihrer Einstellung nach in «Schafe» und «Böcke» aufgeteilt hatte.[18] Dieser Befund bestätigte sich, als Brugger das Denken seiner Versuchspersonen untersuchte. Schafe scheinen ausgiebiger zu assoziieren; bei ihnen ruft ein Begriff gleich einen weiten Kreis anderer Vorstellungen wach. Spielt man ihrer rechten Hirnhälfte beispielsweise das Wort «Löwe» vor, so kommen nicht nur nahe liegende Assoziationen wie «Mähne» auf, sondern auch solche, die mit dem ursprünglichen Wort nur indirekt zu tun haben: Sie denken auch an «Tiger» und springen sofort weiter zu «Streifen». Diese Eigenschaft lässt Schafe offenbar auch im Alltag Zusammenhänge sehen, wo andere Menschen keinerlei Auffälligkeit erkennen. Bei Skeptikern ist das anders. «Böcke» reagieren zwar auf offensichtlich gekoppelte Wortpaare wie «Löwe – Mähne», indirekte Verbindungen entgehen ihnen jedoch. Für sie haben «Löwe» und «Streifen» so wenig miteinander zu tun wie «Löwe» und «Glühbirne».[19]

Demnach sieht die Aufgabenverteilung in unseren Köpfen so aus, dass die rechte Hirnhälfte unablässig wilde Assoziationen erzeugt; die linke Hemisphäre bemüht sich anschließend, diese Eingebungen in einen logischen Zusammenhang zu bringen. Bei «Schafen», den Schicksalsgläubigen, scheint jedoch die rechte Hemisphäre bisweilen so überschäumend aktiv zu sein, dass die linke mit dem krausen Input überfordert ist. Statt sinnvolle Schlüsse zu ziehen, fabuliert sie sich dann Theorien zusammen, die zwar in sich schlüssig sind, doch mit der Wirklichkeit nichts mehr zu tun haben. Wie der Versuch des Hirnforschers Gazzaniga mit den Epilepsiepatienten und dem Hühnerbein zeigt, kann auch die eher biedere linke Hirnhälfte dabei einen erstaunlichen Erfindungsreichtum an den Tag legen.

Ihre Assoziationsfreude bedeutet für die «Schafe» Handicap und Vorsprung zugleich: Einerseits laufen sie Gefahr, sich in unsinnige Vermutungen zu verstricken und vor lauter Bäumen den Wald nicht zu sehen. Doch dafür erfreuen sie sich einer reichen Phantasie.

Die dunkle Seite des Gehirns

Die rechte Hemisphäre ist nicht nur die findigere von beiden und diejenige, in der Humor und Ironie entspringen, sondern leider auch die düstere Seite des Gehirns. Das fördert unseren Hang, zunächst immer das Schlimmste zu befürchten – und erklärt, warum Verschwörungstheorien stets um unheilvolle Ereignisse kreisen, so gut wie nie um Glücksfälle. Negative Emotionen beschäftigen uns ja ohnehin stärker als Freude und Glück. Schließlich soll Angst als Alarmsignal dienen, Freude uns hingegen zu Handlungen verleiten, die dem Organismus nützen. Letzteres verträgt Aufschub; bei Gefahr jedoch könnte jede Ablenkung uns den Kopf kosten.[20] Besonders in undurchsichtigen Verhältnissen, wenn uns der Sinn des Gesehenen und Gehörten noch nicht klar ist, sucht das Gehirn deshalb vordringlich nach Hinweisen auf Gefahr. Und solche finden sich fast immer.

Wie sehr gerade die assoziationsfreudige rechte Hirnhälfte zu negativen Gefühlen neigt, zeigte der britische Psychologe Stuart Dimond bereits im Jahr 1976. Er hatte spezielle Kontaktlinsen konstruiert, mit denen er Filme nur der rechten oder nur der linken Hirnhälfte vorführen konnte. Wenn die Versuchspersonen mit der rechten Hemisphäre sahen, empfanden sie die Filme als unerfreulich, feindselig und sogar verabscheuungswürdig. Konnte aber die linke Hirnhälfte dieselben Szenen verarbeiten, sah die Welt gleich viel freundlicher aus – ebenso, wenn beide Hemisphären zugleich aktiv waren.[21]

Eine Fülle von Untersuchungen über Hirnströme und Hirnaktivität hat seither bestätigt, dass die Systeme für Annäherung und Abscheu, Freude und Angst ungleichmäßig auf die beiden Hälften des Großhirns verteilt sind. Menschen, bei denen bestimmte Zentren auf der linken Hirnhälfte stärker tätig sind, fühlen sich im Allgemeinen ausgeglichener. Etwas plakativ formuliert haben wir eine Hirnhälfte für die angenehmen und eine für die unangenehmen Gefühle – links Glück, rechts Unglück.[22]

Wie die Versuche mit den Kontaktlinsen demonstrieren, kann die linke Hemisphäre normalerweise die düstere Gefühlslage der rechten dämpfen. Bei Menschen jedoch, deren rechte Hirnhälfte übermäßig aktiv ist, gelingt der Ausgleich nicht immer.[23] Unbegründete Ängste und phantasierte Bedrohungen sind oft die Kehrseite von Einfallsreichtum und einem Sinn für verborgene Bedeutungen.

Der verräterische Linksdrall

Vermutlich hat die Lust am Assoziieren etwas mit einem erhöhten Pegel des Botenstoffs Dopamin zu tun. Wie wir im letzten Kapitel gesehen haben, fördert Dopamin unter anderem Aufmerksamkeit, Neugier und das Lernen; Wahnpatienten leiden an einem Überschuss dieses Signalstoffs, der sie zum Beispiel Stimmen hören oder überall versteckte Botschaften vermuten lässt. Nach Ansicht des Neuropsychologen Brugger ist dieses Hormon in der rechten Hirnhälfte von «Schafen» besonders reichlich vorhanden. Das schließt Brugger aus Experimenten, bei denen diese Menschen einen Hang zu linkslastigen Bewegungen zeigen: Bittet man sie, eine gerade Linie entlangzutrippeln, driften sie nach links ab; wenn sie von hinten gerufen werden, drehen sie sich vorzugsweise um die linke Schulter; und wenn sie die Mitte einer gezeichneten Figur angeben sollen, deuten sie umso weiter nach links, je stärker sie an Paranormales glauben.[24]

Die rechte Hirnhälfte steuert die linke Körperseite – und Dopamin spielt auch bei der Aktivierung von Muskeln eine wichtige Rolle. Mehr Dopamin rechts sollte demnach zu erhöhter Bewegungsfreude der linken Körperhälfte führen. Laut Brugger kann man die Schicksalsgläubigen sogar daran erkennen, wie sie ihre Hände falten und die Arme verschränken. Normalerweise tun Rechtshänder beides auf die gleiche Weise: Der linke Arm liegt auf dem rechten Arm, der linke Daumen über dem rechten Daumen. Je stärker Menschen an das Schicksal glauben, umso mehr weichen sie im Durchschnitt von diesem Muster ab. Sie arrangieren ihre Gliedmaßen tendenziell gegenläufig: Wenn ihr linker Arm beim Verschränken oben ist, liegt ihr linker Daumen beim Händefalten unten – oder umgekehrt.[25]

Tatsächlich haben Tierversuche gezeigt, dass ein Dopaminüberschuss auf einer Seite des Gehirns zu asymmetrischen Bewegungen führt.[26] Bei Menschen ist dieser Zusammenhang allerdings noch nicht festgestellt worden. So erscheinen Bruggers Spekulationen selbst als typische Hervorbringungen einer rechten Hirnhälfte – rasant und inspirierend, doch leider unbewiesen.

Dass der Botenstoff Dopamin selbst hartgesottene «Böcke» in leichtgläubige Menschen verwandeln kann, hat Brugger immerhin eindrucksvoll gezeigt. Dazu setzte er sowohl Menschen, die an Übersinnliches glauben, als auch Skeptiker vor einen Bildschirm, auf dem manchmal Gesichter, manchmal Zufallsmuster aufblitzten. Wie erwartet erklärten die «Schafe» wesentlich häufiger als die «Böcke», sie hätten ein Gesicht gesehen, wo keines war – ihre Neigung, Zusammenhänge zu sehen, verleitete sie also auch in dieser profanen Lebenslage zum Spekulieren. Dann verabreichte Brugger seinen Probanden L-Dopa, eine Substanz, die den Dopaminspiegel im Gehirn ansteigen lässt. Bei den «Schafen» zeigte die Droge kaum Wirkung. Anders bei den «Böcken»: Nun begannen auch die Skeptiker, überall Gesichter zu sehen.[27]

Die Jagd nach dem Warum

Hartgesottene Zweifler und bedingungslos Glaubende markieren zwei Pole der menschlichen Natur. Die meisten Menschen bewegen sich irgendwo zwischen diesen Extremen, sind manchmal mehr «Bock», manchmal mehr «Schaf».

Besonders wenn wir von Gefühlen aufgewühlt sind, fällt es uns schwer, Ereignisse dem Zufall zuzuschreiben. Vielmehr drängt es uns danach, das Schicksal im Spiel zu sehen. An Kampfpiloten der israelischen Armee wurde diese Wirkung von Stress auf das Denken nachgewiesen: In der Anspannung vor einem Einsatz waren die Piloten eher als sonst bereit, an Übersinnliches zu glauben. Das zeigten Versuche, bei denen sie Wahrscheinlichkeiten in Glücksspielen einschätzen sollten.[28]

Denselben Effekt in einer alltäglicheren Situation demonstrierte ein psychologisches Experiment, in dem Wissenschaftler ihren Versuchspersonen erzählten, dass ein Mann sein Auto am Hang geparkt habe; es sei dann heruntergerollt und habe einen Hydranten getroffen. Andere Probanden bekamen zu hören, der Wagen habe einen Fußgänger angefahren und verletzt. Die erste Gruppe sah in der Begebenheit einen unglücklichen Zufall, die zweite machte den Fahrer verantwortlich.[29]

In diesem Fall mag Argwohn berechtigt sein, doch sehr oft führt der Wunsch nach Deutung zu einem unangemessen schwarzen Bild der Welt. Ein paar dahingesagte Bemerkungen und die unerklärte Abwesenheit des Lebenspartners genügen, um Eifersucht wachzurufen; dem anderen geben wir dann die Beweislast, dass unsere Hirngespinste nicht wahr sind. Mitunter versteigen wir uns in so verwickelte und absurde Gedankenkonstruktionen, dass wir ein paar Tage später darüber lachen.

Gerade in kritischen Lebenslagen richtet sich die Suche nach Erklärungen nicht selten gegen uns selbst. Legion sind die Mütter, die es als ihr eigenes Versagen empfinden, wenn ihr Kind in Schwierigkeiten steckt – dabei hat die Erziehung weit weniger Einfluss auf die Entwicklung einer Person als lange gedacht.

Noch mehr Schaden kann das Bedürfnis nach Sinn anrichten, wenn Menschen eine traumatische Erfahrung durchgemacht haben. Wer einen Flugzeugabsturz überlebt hat, ein Gewaltverbrechen mit ansehen musste oder dem langsamen Tod eines Angehörigen beigewohnt hat, für den gibt es fast nie eine Antwort darauf, warum er davonkam und der andere nicht – und vor allem: warum das Unglück geschah. Aber damit kann sich das Gehirn in seiner Suche nach Gründen kaum abfinden. So beginnt es, sich ohne Anhaltspunkte selbst eine Begründung zu zimmern. Die Folge ist oft das Schuldgefühl, für den Tod des anderen Verantwortung zu tragen – auch dann, wenn der Betroffene nicht den geringsten Einfluss auf das Geschehen hatte.

Klinische Psychologen nennen diese selbstzerstörerische Jagd nach dem Warum, die sie zuerst an ehemaligen KZ-Häftlingen beobachteten, das «Überlebendensyndrom». Heute ist es als eine häufige Reaktion von Menschen auf traumatische Erlebnisse jeder Art bekannt: Statt über das eigene Glück im Unglück erleichtert zu sein, zweifeln viele Opfer an ihrem Recht weiterzuleben.[30]

Auch Frauen und Männer, die selbst von einem schweren Leiden betroffen sind, quälen sich oft obendrein mit der Suche nach Deutung. Viele Krebspatienten sehen in ihrer Krankheit eine Art Strafe für Fehler in ihrem Leben oder für einen falschen Umgang mit ihren Gefühlen. Der verbreitete Glaube, Tumore seien eine Folge verdrängter Sorgen, würde zwar tatsächlich eine Erklärung für ein ansonsten unerklärliches Los bieten. Er ist jedoch nach heutigem Wissen unhaltbar und belastet die Patienten noch zusätzlich. Für seelische Ursachen von Krebs hat die Forschung trotz vieler Studien nicht den geringsten Hinweis gefunden.[31] Überwältigend hingegen sind die Belege dafür, dass Tumore durch eine Verkettung zufälliger Veränderungen im Erbgut ausgelöst werden. Umweltgifte, falsche Ernährung und Zigarettenrauch können die Häufigkeit solcher Mutationen erhöhen, doch letztlich ist jede Krebserkrankung ein Zufallsereignis.

Die Anziehungskraft einer guten Geschichte

Wir tun uns schwer mit solchen Einsichten, weil sie unserer Intuition zuwiderlaufen. Denn wir denken konkret, nicht abstrakt. Eine Erzählung begreifen wir sofort, Mathematik dagegen nur nach jahrelanger Dressur in der Schule – falls überhaupt. Und selbst wenn die Lehrer Begeisterung für die Schönheit von Logik und Abstraktion wecken konnten, leben Menschen dennoch in Geschichten.

Darum rebelliert unser Geist, wenn wir keinen roten Faden einer Erzählung aufnehmen können – und lässt sich manchmal auch durch vernünftiges Zureden nicht beruhigen: Wir *wollen* einen Grund für das, was uns zustößt. Wo wir keinen erkennen können, halten sich viele Menschen an den Glauben, die unverständlichen Begebenheiten des Lebens folgten in Wahrheit einem wohl überlegten Geschick. Die Vorstellung einer Ordnung, einer höheren Absicht beruhigt, selbst wenn wir ihr ausgeliefert sind.

Man kann Religionen als eine Frucht dieser Sehnsucht nach Sinn ansehen. Wie der amerikanische Mathematiker John Allen Paulos angemerkt hat, übersetzen sämtliche Weltreligionen mit Ausnahme des Buddhismus den unpersönlichen Lauf der Welt in eine dramatische Erzählung. Naturgesetze, Zufälle und die Komplexität menschlichen Verhaltens treten in der Erklärung zurück zugunsten eines Gottes oder mehrerer Gottheiten, die bestimmte Ziele verfolgen. So erhalten selbst die unverständlichsten Vorkommnisse im Leben jedes Menschen ihre Bedeutung in einem höheren Plan. Zufälle sind nach Ansicht der meisten Religionen nur eine Illusion der menschlichen Wahrnehmung, die das kosmische Gesetz nicht erfassen kann. «Das Wort Zufall ist Gotteslästerung», lässt Lessing in seinem Drama «Emilia Galotti» die Gräfin Orsina sagen.

Die meisten Strömungen des Christentums argumentieren allerdings etwas pragmatischer: Der göttliche Plan erstrecke sich nur auf die großen Züge der Geschichte, auf die Erlösung der Welt. Im Alltag dagegen könne es sehr wohl Zufälle geben, da die Menschen einen freien Willen haben und Gott zuwiderhandeln können. Doch immer wieder komme Gott dem Menschen zu Hilfe.

Nach dieser Ansicht, die auf den mittelalterlichen Kirchenlehrer Augustinus zurückgeht, fällt es nicht leicht, die Allmacht Gottes zu vertreten, weil die Menschen sich ihm ja widersetzen können. Um diesen Widerspruch zu umgehen, glauben die Calvinisten im Gegensatz zu den anderen Konfessionen, dass alles menschliche Schicksal vorbestimmt sei. Nimmt man aber die logischen Schwierigkeiten um Gottes Allmacht hin, so ist Augustinus' Philosophie unwiderlegbar: Letztlich bleibt es dem Gläubigen selbst überlassen, welche Ereignisse er als Zufälle und welche als Fingerzeige Gottes ansehen will. Denn da Gottes Vorhaben per se unbegreiflich sind, lässt sich sein Eingreifen weder bestätigen noch ausschließen. Und damit führen die Überlegungen des Kirchenvaters letztlich zum selben Ergebnis wie die der modernen Mathematiker: Für den Zufall gibt es keine Beweise.

Doppelte Buchführung lernen

Welche Bedeutung wir Erfahrungen verleihen, ist weitgehend Sache eigener Interpretation. Vergleichen lässt sich das damit, wie die Wahrnehmung arbeitet: Auch wenn wir meinen, nur passive Beobachter unserer Umwelt zu sein, konstruiert in Wirklichkeit das Gehirn alles, was wir erleben. Wenn wir fernsehen, scheinen wir einen gleichmäßigen Strom von Bewegungen wahrzunehmen. Tatsächlich flimmern 25 einzelne Standfotografien pro Sekunde über den Bildschirm, die erst im Gehirn zu einem Film verschmelzen. Nicht anders kommen Deutungen zustande – wir stellen die Verbindungen zwischen Fakten in unseren Köpfen selbst her.

Zwar kann das Gehirn von seiner Suche nach Mustern und Erklärungen kaum ablassen, doch haben wir eine gewisse Freiheit, welcher Deutung wir anhängen wollen. Der plötzliche Tod eines nahen Menschen beispielsweise kann Schuldgefühle wachrufen, für ihn nicht genug getan zu haben, aber auch den tröstlichen Gedanken, dass sich ein Leben erfüllt hat. Beide Sichtweisen ergeben sich nicht direkt aus dem Ereignis, sondern entstehen erst beim nachträglichen Verarbeiten und Überdenken des Geschehenen. Die eine aber lässt die Angehörigen leiden, während die andere sie aufrichtet.

Menschen verlangen in unterschiedlichem Maß nach Bedeutung in ihrem Leben. Bei den eher leichtgläubigen «Schafen» ist dieses Bedürfnis stärker ausgeprägt als bei den skeptischen «Böcken»[32]; ganz fremd ist es keinem. Wenn Kinder Märchen brauchen, wie ein erfolgreicher Buchtitel behauptet[33], dann brauchen Erwachsene Mythen.

Nicht nur in Lebenskrisen und nach Schicksalsschlägen haben viele Menschen den Wunsch, ihre Erlebnisse in einem übergeordneten Zusammenhang zu sehen. Auch im Alltag möchten sie sich an guten Vorzeichen erfreuen, dem sprichwörtlichen «Wink des Schicksals» folgen und insgeheim glauben, dass bei den entscheidenden Wendungen des Lebens höhere Absichten eine Rolle gespielt haben.

Dagegen ist nichts einzuwenden – solange wir zwischen Tatsachen und Deutungen unterscheiden können und die Ausgeburten der Phantasie nicht zur Grundlage von Entscheidungen machen. Um diese zu treffen, gibt es bessere Strategien. Es gilt also, eine Art doppelte Buchführung zu lernen, in der wir Erlebnisse gleichsam in zwei Wirklichkeiten einordnen: Zum einen bewegen wir uns in einer Welt der überprüfbaren Fakten, und allein diese sollten das Handeln bestimmen. Zum anderen können wir in ein Reich der Deutungen und phantastischen Zusammenhänge eintauchen, in dem wir unsere Erfahrungen aus einem magischen Blickwinkel betrachten und möglicherweise aufwerten.

Keine der beiden Perspektiven aufzugeben und dennoch eine klare Trennlinie zwischen ihnen zu ziehen mag ungewohnt, vielleicht unmöglich erscheinen – doch es ist viel einfacher, als es klingt. Im Kino gelingt die doppelte Buchführung mit Leichtigkeit: Wir lassen uns von einem Melodram rühren, Gefühle und Tränen sind echt; dennoch zweifeln wir keinen Augenblick daran, dass das Geschehen auf der Leinwand ausgedacht und nicht die Wirklichkeit ist. Auch im Alltag ist ein solches Leben zwischen Wirklichkeit und phantasievoller Deutung möglich, und wir selbst, nicht ein anonymes Schicksal erscheinen als Hauptakteure darin. Der Dichter Rainer Maria Rilke hat es so ausgedrückt: «Jeder Tag soll und muss einen Sinn haben, und erhalten soll er ihn nicht vom Zufall, sondern von mir.»[34]

KAPITEL 12 EIN SINN FÜR DAS RISIKO

Wie das Gehirn mit Chancen rechnet

Ameisen leben in einer unsicheren und grausamen Welt. Sie sind in Völkern von Hunderttausenden organisiert, die einander Raum und Nahrung streitig machen. Manchmal kommt es zu Kriegen, bei denen die Insekten eine Nachbarkolonie völlig auslöschen.

Meistens aber können die Tiere solch brutale Gemetzel vermeiden. Honigtopfameisen zum Beispiel, eine amerikanische Art, schaffen ihre Grenzstreitigkeiten mit einem Turnier aus der Welt. Sie veranstalten regelrechte Schaukämpfe, bei denen sich die Kolonien gegenseitig einzuschüchtern versuchen. Wie Ritter im Mittelalter fordern sich die Arbeiterinnen zu Duellen heraus. Sie stelzen mit durchgedrückten Beinen umher, heben Kopf und Hinterteil in die Luft und steigen manchmal sogar auf kleine Steinchen oder Erdklumpen, um größer zu wirken.

Wenn sich zwei Kämpferinnen zum ersten Mal gegenüberstehen, beginnen sie ein strenges Ritual: Sie umkreisen sich, berühren einander mit den Antennen, um am Geruch der anderen auszuschließen, dass es sich um eine Nestgenossin handelt. Stammt das Gegenüber aus der fremden Armee, versuchen beide ihre Köpfe noch höher zu strecken, trommeln mit ihren Antennen gegen den Kopf der Feindin und treten mit den Beinen nach ihr. Ohne weiteres könnte jede von beiden nun die Gegnerin packen, sie mit den Kiefern aufschlitzen oder mit Ameisensäure bespritzen. Doch nichts dergleichen geschieht: Nach ein paar Sekunden hält eine der beiden inne, dreht ab und sieht sich nach einer neuen Gegnerin um.

Ernste Folgen haben die Schaukämpfe selten. Anscheinend können die Kämpferinnen die Stärke der anderen Partei einschätzen und dadurch ein Massaker abwenden. So erhalten die Staaten ein fein balanciertes Kräfteverhältnis aufrecht, bei denen die stärkere Kolonie die schwächere von den Futterplätzen verdrängt oder sich die eine Kolonie der anderen unterwirft, ohne dass es jemals zu einer echten Auseinandersetzung gekommen wäre.

Woher haben die Insekten so ein genaues Gespür für die Macht ihrer eigenen und der gegnerischen Truppe? Ameisengehirne sind winzig; viel strategischer Verstand kann darin nicht sitzen. Ohnehin sind die Insekten außerstande, das Gewimmel in der eigenen und in der fremden Kolonie zu überschauen. Selbst ein Mensch wäre mit einer vergleichbaren Aufgabe überfordert. Die Tiere leben in einer komplexen Umgebung, die sie nicht verstehen können. Und doch treffen sie mit erstaunlicher Sicherheit die richtige Entscheidung.

Des Rätsels Lösung fand der Würzburger Ameisenforscher Bert Hölldobler: Die Insekten verschaffen sich auf indirektem Weg ein Bild von der Stärke ihrer Gegnerinnen.[1] Trifft eine Ameise auf dem Turnierfeld deutlich seltener auf Kontrahentinnen als auf Tiere der eigenen Truppe, schließt sie daraus, dass ihre Kolonie mächtiger als die gegnerische ist, und greift an. Dagegen zieht sie sich zurück, wenn sie ungewöhnlich vielen großen Ameisen des anderen Lagers begegnet, denn nur eine zahlenmäßig starke Kolonie kann so viele Soldatinnen ins Feld schicken. Und schließlich schätzen die Ameisen ab, wie lange sie bei einem Turnier auf Gegnerinnen warten müssen, die noch nicht in einen Paarkampf verwickelt sind. Sind diese Wartezeiten kurz, hat die feindliche Truppe viele unbeschäftigte Kämpferinnen aufzubieten – und ist vermutlich überlegen.

Die Ameisen haben sich der Ungewissheit, in der sie leben, angepasst: Bereits diese vergleichsweise simplen Geschöpfe treiben Statistik. Eine sichere Entscheidung ist ihnen nicht möglich, dazu ist die Lage auf dem Schlachtfeld zu verworren. Aber sie sind fähig, aus Indizien Schlüsse zu ziehen und mit Wahrscheinlichkeiten zu rechnen. Meistens liegen sie mit ihrem Ergebnis richtig und vermeiden unnötige Verluste des eigenen Volks. In den Krieg ziehen Honigtopfameisen erst, wenn ihre Kolonie der feindlichen zehnfach überlegen ist – und ihr Sieg damit so gut wie feststeht.

Unbewusste Statistik

Alle Lebewesen müssen mit Unsicherheit und Zufällen fertig werden. Wo es Futter gibt, wo Feinde lauern, kann kein Individuum genau vorhersagen – einem Angestellten geht es im intriganten Gemenge seiner Firma nicht anders als den Ameisen bei ihren Kämpfen im Unterholz. Ungewissheit erschwert auch die Partnerwahl. Niemand kann einen Blick in die Gene des oder der Auserwählten werfen. Hat der Suchende monogame Absichten, kann er erst recht nicht prognostizieren, wie sich das Zusammenleben mit dem Kandidaten in ein paar Jahren gestalten wird. So sind Mensch und Tier auf Andeutungen angewiesen.

Deshalb hat die Natur ihre Geschöpfe programmiert, aus Fingerzeigen das Richtige zu folgern und Chancen abzuschätzen. Wir haben Systeme im Kopf, die auf den Umgang mit Zufall, Risiken und Unsicherheit spezialisiert sind. Die meisten davon arbeiten unbewusst – nicht nur bei Ameisen, sondern auch bei Menschen.

Nicht allein wie, sondern sogar dass diese Kalkulationen ablaufen, bleibt uns in der Regel verborgen. Wenn Sie über eine Straße gehen wollen, beobachtet Ihr Hirn nicht nur den Verkehr, sondern berechnet vor allem die Wahrscheinlichkeit, dass Sie heil davonkommen. So haben Ihre grauen Zellen komplizierte Schätzungen angestellt, noch bevor Sie vom Bordstein steigen.[2] Von alldem bemerken Sie wenig – meist nicht mehr als ein Signal «Jetzt!», wenn Sie auf die andere Seite möchten.

Das Gehirn pflegt uns in unsicheren Situationen mit einfachen Antworten abzuspeisen: «Ja» oder «Nein», «Schwarz» oder «Weiß» – als wollte es unserem bewussten Verstand die Zumutung eines «Ja, wenn» oder eines «Vielleicht» ersparen. Zwischentöne sind nicht gefragt, wo es auf schnelle Entscheidungen ankommt.

Nur ausgeklügelte Experimente können aufdecken, wie unser Gehirn die Zufälle verarbeitet, die uns täglich begegnen. Einen inzwischen klassischen Versuch haben sich amerikanische Wissenschaftler der Universität von Iowa ausgedacht. Ihre Testpersonen beschäftigen sich mit einem Glücksspiel, während sie an einen Lügendetektor angeschlossen sind.[3] Bei dem Spiel, heute als «Iowa Card Test» bekannt, gilt es, immer wieder Karten aus zwei verdeckten Stapeln zu ziehen: Der gute Stoß beschert mäßige Gewinne im Wechsel mit kleineren Verlusten; der schlechte Stoß gelegentlich einen Volltreffer und häufig hohe Verluste. Das aber bleibt den Teilnehmern unbekannt, da sie die Stöße nicht durchsehen dürfen. Wie die kampfeslustigen Ameisen kennen die Spieler ihre Chancen also nicht, sondern nehmen stets nur einen kleinen und zufälligen Ausschnitt des Geschehens wahr.

Dennoch beginnen die Probanden nach ungefähr zehn Zügen den schlechten Stoß zu meiden, und der Lügendetektor zeichnet leichten Angstschweiß und Herzklopfen auf, sobald ihre Hand in diese Richtung greift.[4] Zu diesem Zeitpunkt wissen die Versuchspersonen weder, warum sie so handeln, noch bemerken sie die Reaktionen ihres eigenen Körpers. Erst nach dem fünfzigsten Zug berichten sie gewöhnlich von einer gefühlsmäßigen Abneigung gegen den schlechten Stapel. Noch länger, nämlich ungefähr achtzigmal, müssen die meisten Teilnehmer Karten ziehen, bis sie ihre Empfindung begründen und das Prinzip des Spiels erklären können.

Wir stellen also schon Statistiken an und lassen uns davon leiten, lange bevor wir auch nur ahnen, welche Emotionen uns steuern. Noch mehr Daten benötigt das Gehirn, um die Regeln, nach denen es längst handelt, bewusst nachzuvollziehen. Das Schätzen von Chancen funktioniert ohnehin, gleichgültig, ob wir davon Kenntnis nehmen oder nicht: Beim Kartentest aus Iowa verstehen einige weniger intelligente Versuchspersonen das System bis zum Ende nicht und entscheiden trotzdem richtig.

Diesem angeborenen Sinn für das Risiko verdanken wir unsere Eingebungen in Situationen, die unüberschaubar und vom Zufall geprägt sind. Dass sich solche Intuitionen unbewusst entwickeln, ist eine Stärke und eine Schwäche unseres Verstandes zugleich. Einerseits nützen uns Vorahnungen wie bei dem Kartenspiel, weil unser Gespür für Unsicherheit selbst dann für uns arbeitet, wenn wir bewusst mit etwas anderem beschäftigt sind. Außerdem stehen uns oft gar nicht genug Informationen zur Verfügung, um zu einer vernünftig begründeten Entscheidung zu kommen. Dann bleibt gar nichts anderes übrig, als der Intuition zu folgen. Das sprichwörtliche «Bauchgefühl» gibt sich mit viel weniger Daten zufrieden als die bewusste Vernunft.

Darin liegt andererseits auch eine Gefahr: Wir neigen zu schnellen Schlüssen und Vorurteilen, die in komplizierteren Lagen nicht immer angemessen sind. Darin gleicht der Sinn für das Risiko den in den letzten Kapiteln besprochenen Mechanismen der Mustererkennung, die uns so oft den Zufall unterschätzen lassen. Solche Vorstellungen sind später oft schwer zu erschüttern, weil uns gar nicht bewusst ist, wie wir sie gewonnen haben. Selbst wenn wir genug Fakten kennen, um es besser zu wissen, sind Gefühle vielfach stärker als der Verstand.

Ein Prozessor für Hoffnungen

Wie das Gehirn Statistik betreibt, beginnen Forscher inzwischen auf der Ebene seiner kleinsten Einheiten, der Neuronen, zu verstehen. So haben die New Yorker Neurowissenschaftler Michael Platt und Paul Glimcher Zellen entdeckt, die offenbar Erfolgsaussichten berechnen.[5] Die Forscher arbeiteten mit Affen, die sie für ihre Anstrengungen oft, aber eben nicht immer mit einem Schluck Saft belohnten. Ähnlich gelagerte Situationen erleben wir im Alltag ständig: Welchem Angestellten ist schon eine Gehaltserhöhung für gute Arbeit garantiert? Er kann sich allenfalls berechtigte Hoffnungen machen.

Die eher simple Aufgabe der Versuchstiere war, zwei Lämpchen im Auge zu behalten, die in zufälligen Abständen aufleuchteten. Schnell fanden die Affen heraus, dass es für den Blick auf das eine Licht mit höherer Wahrscheinlichkeit eine Belohnung gab als bei dem anderen. Wie bei dem gerade beschriebenen Kartenspiel, in dem Menschen sich zwischen einem guten und einem schlechten Stapel entscheiden mussten, waren auch hier die Gewinnaussichten unterschiedlich verteilt. Wenn etwa das linke Licht aufleuchtete, gab es bei jedem zweiten Blick darauf zwei Tropfen Saft, beim rechten Licht aber nur bei jedem dritten Blick einen Tropfen. Im Zweifelsfall war «links» also die bessere Wahl.

Wie aber konnten die Tiere diese Entscheidung treffen? Platt und Glimcher nahmen Messungen an Neuronen in einer Hirnregion unterhalb des Scheitels vor, die das Sehen und die Augenbewegungen koordiniert.[6] Die Ergebnisse zeigen, dass manche dieser Neuronen tatsächlich so etwas wie eine Mathematik der Hoffnungen betreiben: Sie feuern umso heftiger, je größer die Belohnung und je besser die Aussicht ist, sie auch zu bekommen.[7]

Statistiker nennen diese Größe den «Erwartungswert». Man berechnet ihn, indem man den möglichen Gewinn mit der Chance darauf multipliziert. Wenn Sie also bei einem Münzwurf zehn Euro kassieren, wenn «Kopf» oben liegt, beträgt der Erwartungswert fünf Euro, denn die Gewinnwahrscheinlichkeit ist 50 Prozent. Wenn Sie also in jeder Runde fünf Euro verwetten, werden sich im statistischen Durchschnitt die Gewinne mit dem Wetteinsatz die Waage halten: Sie gehen ungefähr mit so viel Geld nach Hause, wie Sie anfangs im Portemonnaie hatten. Setzen Sie dagegen jedes Mal acht Euro ein, machen Sie ein schlechtes Geschäft. Ihr Einsatz ist dann in jeder Runde drei Euro höher als die durchschnittlichen fünf Euro Gewinn, die Sie zu erwarten haben. Der Erwartungswert gibt also Aufschluss darüber, wann eine Investition sich lohnt.

Wenn der Ausgang einer Sache ungewiss ist, können wir keine wertvollere Information bekommen als eine Einschätzung der Chancen. Das Gehirn ist deshalb programmiert, ebendiese Größe zu lernen.

Bei den New Yorker Versuchen mit den Affen betrug der Erwartungswert für das linke Licht zwei Tropfen bei jedem zweiten Blick, also einen Tropfen pro Runde; für das rechte dagegen nur ein Drittel Tropfen. Und tatsächlich berechneten die zuständigen Neuronen genau diese Werte. Wenn es links leuchtete, feuerten sie dreimal stärker. Nach diesem Ergebnis handelten die Tiere auch: Sie schauten dreimal so oft nach links wie nach rechts. Offenbar haben sie – und wir – einen Rechner für Hoffnungen im Kopf.

Vom Wert des Zweitbesten

Menschen verhalten sich genauso; dies zeigen nicht nur Laborexperimente. Banken verteilen das Vermögen ihrer Kunden so auf verschiedene Wertpapiere, wie es der erwarteten Rendite und dem Risiko entspricht.[8] Sogar im menschlichen Umgang kalkulieren wir sorgsam mit Erwartungswerten, wie amerikanische Sozialpsychologen festgestellt haben. Bei einer Abendeinladung widmen wir in der Regel den verschiedenen Gästen ungefähr so viel Aufmerksamkeit, wie wir von ihnen Bestätigung bekommen.[9]

Das ist merkwürdig. Denn man könnte vermuten, dass wir mit dieser Strategie viel verschenken. Warum sollte sich eine junge Frau überhaupt einer langweiligen Tischnachbarin zuwenden, wenn der Gastgeber gegenüber einen Mann platziert hat, der geistreich mit ihr plaudert? Und warum blickten die Affen im Experiment mitunter auf das rechte Licht, das ihnen weniger Saft eintrug? Sie betreiben Risikostreuung. Eine klassische Studie der Verhaltensforschung zeigte bereits vor über 40 Jahren, dass Vögel und andere Tiere bei der Nahrungssuche nach diesem Prinzip handeln: Gibt es zwei Möglichkeiten, Beute zu machen, verfolgen sie jede der beiden mit genau so viel Einsatz, wie sie jeweils Ertrag verspricht.[10]

Offenbar ist unser Verhalten auf das Testen von Möglichkeiten programmiert, und wir sind bereit, dafür auf einen Teil des Gewinns zu verzichten. Es könnte ja sein, dass der Partygast im Gespräch mit der scheinbar drögen Tischnachbarin ein gemeinsames Interesse entdeckt, das sie mehr fesselt als ein Flirt mit dem männlichen Gegenüber. Außerdem ist immer damit zu rechnen, dass sich auch andere auf die beste Beute stürzen. In einer solchen Konkurrenz fährt besser, wer sich manchmal auch mit dem Nächstbesten begnügt, dafür aber nicht kämpfen muss.

Die Strategie der Risikostreuung ist uns so tief eingeprägt, dass wir sie erst dann ablegen, wenn wir uns einer Sache sehr sicher sind. Als die New Yorker Forscher Menschen zu dem Experiment mit den zwei Lichtern baten, ging es zwar um Geld statt um Saft, doch ansonsten verlief der Versuch lange Zeit nicht anders als mit den Affen: Die Testpersonen widmeten ihre Aufmerksamkeit genau in dem Maße den einzelnen Lämpchen, wie diese Belohnung versprachen.[11] Erst nach vielen Runden dämmerte ihnen, dass sie weit höhere Gewinne einstreichen konnten, wenn sie nur noch das vorteilhaftere Licht ansahen und das andere ignorierten. Immerhin schlugen sie sich damit besser als die Affen, die das Prinzip nie begriffen. Das Einfache ist manchmal verflixt schwer.

Die Taube in der Hand?

Stellen Sie sich vor, eine gute Fee ruft an und stellt Sie vor die folgende Wahl: Wollen Sie lieber 200 000 Euro sicher oder die Chance, mit 50 Prozent Wahrscheinlichkeit 300 000 Euro zu gewinnen? Sollte Ihnen Fortuna nicht gnädig sein, würden Sie dann allerdings nur 100 000 Euro bekommen. Überlegen Sie es sich gut – im einen Fall können Sie sich eine Eigentumswohnung kaufen, im anderen aber ein Haus.

Wohlgemerkt: Der Erwartungswert ist in beiden Fällen gleich. Auch bei der zweiten Option beträgt er 200 000 Euro (0,5 × 300 000 Euro + 0,5 × 100 000 Euro). Trotzdem ist Ihnen vermutlich der garantierte Gewinn lieber. Die allermeisten Menschen entscheiden sich so.[12] Spatz in der Hand, Taube auf dem Dach: Wir ziehen die Sicherheit in der Regel sogar dann vor, wenn der Erwartungswert bei der riskanten Wahl höher ist – also die Fee uns 350 000 Euro in Aussicht stellen würde.[13]

Machen wir eine Gegenprobe. Die Fee möchte wissen, wie sie den Gewinn auszahlen soll. Sie bietet Ihnen an, die 200 000 Euro in vier Jahren zu überweisen. Sie können allerdings mit 50 Prozent Chance das Geld morgen bekommen, wenn Sie andernfalls bereit sind, acht Jahre darauf zu warten. Was ist Ihnen lieber? Erstaunlicherweise entscheiden sich in diesem Fall die meisten Menschen für die riskantere Variante. Sie sind bereit, es auf die spätere Auszahlung ankommen zu lassen. Dabei ist der Erwartungswert auch hier in beiden Fällen gleich, nämlich vier Jahre: Intuitiv fordern wir Fortuna heraus, um eine Wartezeit zu verkürzen, lassen uns aber die Chance entgehen, einen Gewinn zu erhöhen.

Woher rührt diese Inkonsequenz? Tiere schätzen in vergleichbaren Situationen Risiken ebenso paradox ein wie Menschen.[14] Der Verhaltensforscher Alejandro Kacelnik aus Oxford brachte zum Beispiel Staren bei, zwischen verschiedenen Fütterungsplänen zu wählen, indem die Vögel mit dem Schnabel auf verschiedene Knöpfe hackten. Wenn sich die Stare zwischen immer der gleichen Futtermenge und einmal mehr, einmal weniger Körnern entscheiden konnten, wählten sie das sichere Szenario. Dagegen waren sie für die Chance, früher zu fressen, durchaus bereit, langen Hunger zu riskieren.[15]

Verantwortlich dafür sind die Gesetze der Wahrnehmung, meint Kacelnik. Gleich, ob wir sehen, hören oder denken: Wir überschätzen das Kleine und unterschätzen das Große. Einen Ton, dessen Schall zehnmal intensiver ist, hören wir nur doppelt so laut.[16] Eine solche Verzerrung nennt man logarithmisch. Nur dank ihrer können wir Flüstern ebenso gut verstehen wie Lautsprechergebrüll oder bei Kerzenschein, aber auch im grellen Sonnenlicht lesen. Das Gehirn vergrößert und verkleinert alles auf ein Mittelmaß.

Den Unterschied zwischen verschiedenen Mengen Futter oder Geld behandelt es genauso.

300 000 Euro nimmt die Intuition nicht als dreimal 100 000 Euro, sondern als weniger wahr. Darum scheint uns der Erwartungswert der Wette, die die Fee vorschlägt, geringer als die sicheren 200 000 Euro zu sein. Damit wir uns auf das Angebot der Fee einlassen, müsste die Dame schon mehr bieten. Wer gegen die Mechanismen seiner Wahrnehmung ein Risiko auf sich nimmt, verlangt eine Prämie – im Durchschnitt wollen die Befragten statt 300 000 mindestens 400 000 Euro, um sich das mit der Wette noch einmal zu überlegen.

So sehen es auch die Stare. Wie Kacelnik nachwies, entspricht das Mehr an Körnern, für das die Vögel zum riskanteren Szenario wechseln, genau den logarithmischen Gesetzen der Wahrnehmung: So, wie wir einen Ton mit zehnmal höherer Schallintensität nur doppelt so laut hören, halten wir einen zehnmal größeren Gewinn nur für doppelt so groß.[17]

Mit der Wartezeit verhält es sich genau umgekehrt. Die acht Jahre, nach denen die Fee im ungünstigen Fall überweisen würde, erscheinen uns nicht doppelt so lang wie die vier Jahre, nach denen die sichere Auszahlung auf unserem Konto einginge. Zudem kommen uns die ersten vier Jahre länger vor als die zweiten vier Jahre, die wir zusätzlich warten müssten, wenn wir Pech haben. So erhoffen wir uns einen Vorteil, wenn wir es darauf ankommen lassen.

Lieber nichts verlieren als gewinnen

Manchmal ist der größte Verlust ein entgangener Gewinn. Wer die Wahl hat, einen angenehmen Abend zu Hause oder eine ebenso schöne Zeit auf einer Party zu verbringen, wo er eine attraktive Frau kennen lernen könnte, riskiert nur, sich diese Chance entgehen zu lassen. Den meisten erscheint diese Gefahr erträglich.

Doch stellen Sie sich vor, Sie könnten mit Ihrer neuen Liebe entweder einen Abend daheim oder auf einem Fest verleben. Unter den Gästen allerdings wird ein Mann sein, der Ihnen womöglich Ihre Freundin ausspannen könnte. Dieses Risiko werden Sie viel weniger bereitwillig eingehen.

Ganz logisch sind Ihre Einschätzungen allerdings nicht. Denn am Ende laufen beide Szenarien im schlimmsten Fall auf das Gleiche hinaus – Sie bleiben Single. Doch wir empfinden anders: Etwas zu verlieren ist schlimmer, als etwas nicht zu bekommen.[18] Weil das Gehirn stärker auf negative als auf positive Emotionen geeicht ist, nehmen wir Ärger und Trauer immer intensiver wahr als Freude und Glück.[19]

Darum setzen wir mehr daran, Übel zu minimieren, als Glück zu suchen. Auch dies ist ein Grund, warum wir uns mit Zufällen mitunter so schwer tun: Sie gefährden den Status quo. Und wir halten eine mögliche Verschlechterung unserer Lage für bedrohlicher, als uns eine glückliche Wendung verlockend erscheint.

Sie mögen gegen das Beispiel mit dem Single einwenden, Liebeskummer und Eifersucht seien besonders schmerzlich. Der Psychologe Daniel Kahneman, der sich auch die feministische Bankangestellte Linda ausgedacht hat, verpackte das Problem deswegen etwas anders: Sie haben 50 Euro für eine Konzertkarte bezahlt. Als Sie den Saal betreten wollen, bemerken Sie, dass Sie die Karte verloren haben. Es gibt noch Plätze, aber würden Sie noch einmal 50 Euro ausgeben? Die Mehrzahl der Befragten antwortet «Nein».

Wie aber würden Sie handeln, wenn Sie noch kein Ticket gekauft haben und in der Schlange vor der Abendkasse feststellen, dass aus Ihrer Geldbörse ein 50-Euro-Schein verschwunden ist? In diesem Fall würden fast 90 Prozent von Kahnemans Versuchspersonen die Konzertkarte trotzdem kaufen.[20] Es ist, als würden wir das schon bezahlte Geld im Kopf auf einem anderen Konto verbuchen als eine Summe, die wir noch ausgeben müssen: Im ersten Fall stellen wir uns vor, durch das Missgeschick würde das Konzert nicht 50 Euro kosten, sondern das Doppelte. So viel ist die Musik uns nicht wert. Im zweiten Fall dagegen hat der Verlust mit dem Konzertbesuch scheinbar nichts zu tun. Und doch ist das Ergebnis in beiden Fällen dasselbe: Sie haben 50 Euro eingebüßt. Wie bei der Frage nach dem Partybesuch zählt aber auch bei diesem Beispiel nicht nur, wie wir am Ende dastehen, sondern auch, wie wir in diese Lage gekommen sind. Über solche Fallen des Denkens hat Kahneman eine ganze Theorie der falschen Erwartungen entwickelt – die «Prospect Theory».

Diese erklärt auch, warum so viele Kleinanleger, die am Aktienboom der späten 1990er Jahre verdienen wollten, dafür teuer bezahlen mussten. Finanzlaien versäumen oft, ein Papier loszuschlagen, wenn der Wert unter den Kaufkurs gefallen ist, weil sie partout keinen Verlust realisieren wollen. Dass sie unter dem Strich viel mehr verlieren, wenn sie den Kurs weiter sinken lassen, statt das

Geld profitträchtiger zu investieren, übersehen sie. Vielmehr klammern sie sich an die Hoffnung, dieses eine Aktienpaket werde schon irgendwann wieder den Kaufwert erreichen. Während wir bei einer Gewinnaussicht Risiken scheuen, gehen wir sie bereitwillig ein, wenn wir Verluste zu vermeiden hoffen. Deswegen lehnen wir beim Anruf der Fee eine Wette ab, welche die Auszahlung steigern würde, gehen aber auf ein unsicheres Angebot ein, wenn dieses verspricht, den Schaden einer Wartezeit auf das schon zugesagte Geld zu verringern.

Oft bestimmt allein die Darstellung eines Sachverhalts, ob wir ihn als Glücksfall oder als Übel werten. Für unsere Urteilsfindung ist es keineswegs egal, ob wir erfahren, dass ein Chirurg durch ein neues Operationsverfahren 40 von 100 Kranken das Leben retten kann – oder ob wir hören, dass 60 von 100 Patienten tot den Operationssaal verlassen. So leicht lässt sich unser eingebauter Sinn für Risiken manipulieren.

Das Starenhirn im Chefsessel

Wie sich verzerrte Wahrnehmung auswirkt, lässt sich im großen Stil in Politik und Wirtschaft verfolgen. «Ein Energiekonzern, der Ölquellen ausbeutet, hat durchaus ähnliche Entscheidungen zu treffen wie ein Star auf Würmerjagd», sagt der Biologe Kacelnik. Er hat eine Unternehmensberatung gegründet, die, ausgehend von den Einsichten der Verhaltensforschung, Firmen helfen soll, ihre Entscheidungen zu durchleuchten und falsche Wahrnehmungen auszumachen.

Ein klassisches Beispiel für solche Fehlleistungen ist das Desaster des amerikanischen Papierwarenherstellers Gibson Greetings, dessen Management den gleichen Fehler beging wie jeder statistisch weniger bedarfte Zeitgenosse beim Anruf der Fee – nur mit Millioneneinsatz. Durch eine unglückliche Spekulation hatte die Firma Verluste von 17,5 Millionen Dollar angehäuft; da stellte die Bank den Finanzchef vor die Wahl, entweder diesen Betrag zu überweisen oder eine neue Vereinbarung über eine neue Transaktion mit Börsenoptionen zu unterschreiben. Nach dieser wäre die Forderung auf nur drei Millionen Dollar begrenzt, wenn alles gut lief, sonst aber würden 27,5 Millionen Dollar Nachzahlung fällig. Nach Kahnemans Prospect Theory sollte der Vorstand angesichts eines Verlusts lieber eine riskante Wette eingehen als einen geringeren, aber sicheren Schaden akzeptieren – und genau so entschied er. Als auch diese Spekulation fehlschlug, geriet die Firma noch tiefer in die Miesen.[21]

Aus den Erkenntnissen der Risikoforscher haben die Unternehmen erstaunlich spät ihre Schlüsse gezogen. Erst in den 1980er Jahren begannen die ersten Großkonzerne, eigene Strukturen für den Umgang mit Risiken aufzubauen, und es dauerte bis 1993, dass beim amerikanischen Konzern GE Capital der erste «Chief Risk Manager» seinen Dienst antrat. Seine Aufgabe und die seiner inzwischen zahlreichen Kollegen ist es, alle wichtigen Entscheidungen auf mögliche Gefahren hin zu überprüfen und vorzuschlagen, wie die Firma die Folgen unliebsamer Ereignisse abfedern kann. Zumindest Großunternehmen versuchen inzwischen, dieses Denken auf allen Ebenen ihres Managements zu verankern.[22] Derartiges Risikomanagement hätte beispielsweise der Deutschen Bahn die Kostenexplosion beim Bau ihrer neuen Strecken erspart; ebenso dem Bundesverkehrsminister das milliardenteure Debakel um die Lkw-Maut.

Ebenso nötig, aber viel weniger beachtet ist ein professioneller Umgang mit Chancen. Hier machen es die Trugbilder der Intuition noch schwerer, Gelegenheiten zu erkennen und richtig einzuschätzen, weil die menschliche Aufmerksamkeit auf sie weniger anspringt als auf eine Gefahr. Wie die Stare des Verhaltensforschers Kacelnik es vorziehen, für Sicherheit auf Nahrung zu verzichten, scheuen viele Firmen, aber auch Regierungen die Aussicht auf einen ungewissen Vorteil – sie sind sich nur der Unsicherheit bewusst, unterschätzen aber den zu erwartenden Gewinn. Dabei kann auch übergroße Risikoscheu ein Unternehmen und sogar ganze Volkswirtschaften ruinieren, weil sie die Anpassung an neue Erfordernisse blockiert.

In multinationalen Konzernen beispielsweise investieren die Chefs typischerweise in Gegenden der Welt, die sie nicht gut kennen, zu vorsichtig, während sie in ihrer Heimat viel zu risikofreudig mit ihren Mitteln umgehen. Daheim wiegen sie sich in falscher Sicherheit – selbst dann noch, wenn man ihnen unwiderlegbare Daten präsentiert, dass das Geld in anderen Regionen sehr viel sicherer und effektiver angelegt wäre.[23]

Anbauten im Großhirn

Dass Menschen grundsätzlich zu dumm für Statistik seien und deshalb Chancen und Risiken oft eklatant falsch einschätzten, ist eine verbreitete Weisheit der Alltagspsychologie. Doch wie wir gesehen haben, kann schon das Gehirn einer Ameise mit Wahrscheinlichkeiten umgehen; umso besser sind dazu Stare, Affen und Menschen in der Lage. Allerdings sind die Statistik-Schaltkreise in unserem Gehirn auf die richtigen Daten als Input angewiesen. Und daran mangelt es: Die Wahrnehmung verzerrt das Ausmaß dessen, was wir erhoffen oder befürchten. In unserer Vorstellung nimmt eine Mücke Hornissengröße an, ein Elefant erscheint geschrumpft auf die Dimension einer Kuh. So können wir unmöglich zu einer angemessenen Bewertung der Risiken kommen. In einer unsicheren Situation schätzen wir also weniger unsere Chancen als den wahren Wert von Gewinn und Verlust falsch ein – und entscheiden deshalb zum eigenen Nachteil.

Aus der Perspektive der Evolution ist diese Schwäche hinzunehmen. In einer kritischen Lage hat ein Tier gar nicht die Zeit, alle Eventualitäten seiner Einschätzung zu prüfen. Wer nicht in Zehntelsekunden zubeißt oder rennt, wird selbst gebissen. Ohnehin sind die Gehirne von Insekten und Vögeln nicht komplex genug, von einer höheren Warte aus die eigenen Kalkulationen zu überprüfen. Dass eine Ameise in ihrem winzigen Kopf eine auf Wahrscheinlichkeiten beruhende Kampftaktik entwickeln kann, ist schon Wunder genug.

In unserer heutigen Welt aber genügt ein naiver Umgang mit Statistik nicht mehr. Wir haben Entscheidungen zu treffen, die weit komplizierter sind als «Friss oder stirb». Doch die Mechanismen, die schon im Gehirn von Ameisen ablaufen, arbeiten in unseren Köpfen noch immer. Schließlich verwirft die Evolution fast nie etwas, das sich bewährt hat; wenn eine Lösung nicht mehr ausreicht, baut die Natur gewöhnlich Zusatzvorrichtungen an, die den Mangel oft mehr schlecht als recht beheben. So kann Homo sapiens mit seinem Großhirn zwar abstrakt denken, sofern er sich darum bemüht. Doch diese Fähigkeit hat die schlichte Statistik der Ameisen keineswegs ersetzt; sie ist nur hinzugekommen.

Das spricht nicht gegen unseren Sinn für das Risiko. Niemand wird die erstaunlichen Leistungen des menschlichen Auges und der Sehzentren im Hirn in Abrede stellen, selbst wenn wir manchmal einer optischen Täuschung erliegen.

Nicht minder beeindruckend sind unsere Anlagen für das Bewältigen von Ungewissheit, mit denen der Mensch jedes andere Geschöpf überflügelt. Doch ebenso wenig wie der Sehsinn sind sie unfehlbar. Ratsam ist es daher, sich ihrer Schwächen bewusst zu sein – und sich nicht darüber zu wundern, dass unser Gehirn immer wieder über vertrackte statistische Probleme stolpert und sich nur schwer eines Besseren belehren lässt.

Ein drastisches Beispiel zum Schluss: Wenn jeder Zehntausendste mit HIV infiziert ist und ein Aidstest in 99,99 Prozent aller Fälle das richtige Ergebnis liefert, was hat ein positives Testergebnis dann zu bedeuten? «Dass der Betreffende erkrankt ist», würde wohl jeder antworten – und niedergeschmettert sein, wäre er selbst betroffen.

Tatsächlich aber besteht zu Verzweiflung noch kein Anlass: Die Gefahr, dass sich die traurige Nachricht erhärtet, beträgt nur 50 Prozent. Wenn nämlich von 10 000 Personen eine Aids hat, wird bei ihr der Test so gut wie sicher anschlagen. Unter den 9999, die nicht infiziert sind, werden 99,99 Prozent, also 9998 Menschen, ein negatives Ergebnis bekommen. Bei einem Gesunden aber wird der Test versagen und «positiv» anzeigen. Unter den insgesamt 10 000, die getestet wurden, werden also zwei Personen mit einem positiven Resultat sein: eine tatsächlich kranke und eine gesunde. Damit stehen bei einem positiven Ergebnis die Chancen gleich, infiziert oder gesund zu sein. Wem dies erst beim zweiten Lesen einleuchtet, sei damit getröstet, dass es selbst vielen Experten so geht.[24]

KAPITEL 13 DER FLUCH DER SICHERHEIT

Warum uns das Unwahrscheinliche Angst macht

Für Sicherheit sind wir bereit, viel zu berappen. Stellen Sie sich vor, Sie stehen im Drogeriemarkt vor dem Regal mit Desinfektionsmitteln. Den Warnhinweisen entnehmen Sie, dass eines davon bei vier von 1000 Menschen eine leichte Vergiftung hervorruft. Es kostet 99 Cent. Wären Sie bereit, 1,99 Euro, also doppelt so viel Geld, für ein Mittel auszugeben, das nur bei einem von 1000 Benutzern diese Irritation auslöst? Vermutlich nicht.

Ein Jahr später hat der Hersteller sein Angebot überarbeitet. Das weniger giftige der beiden Mittel kostet jetzt nur noch 99 Cent. Aber für 1,99 Euro können Sie ein Produkt mit einem neuen, völlig unschädlichen Wirkstoff bekommen. Würden Sie dafür bezahlen? Wie psychologische Untersuchungen zeigten, sind die meisten Verbraucher bereit, sich diese absolute Sicherheit so viel kosten zu lassen.[1] Geht es dagegen nur darum, ein vorhandenes Risiko zu senken, siegt die Sparsamkeit.

Das ist unlogisch: Im Vorjahr hätten Sie bei gleichen Mehrkosten die Gefahr stärker verringern können als jetzt. Damals hätten Sie schließlich das Risiko, dass Sie zufällig unter den Erkrankten sind, von vier auf eins zu 1000 vermindert, heute drücken Sie es von eins auf null. Im ersten Fall wird also drei, im zweiten Fall nur einem von 1000 Benutzern die Vergiftung erspart. Der Nutzen der zweiten Produktverbesserung ist damit gerade einmal ein Drittel so groß.[2]

Aber so denken wir nicht. Wir halten Sicherheit für einen Wert an sich – selbst wenn es uns mehr nützen würde, ein Risiko stark zu senken, als es ganz zum Verschwinden zu bringen. Wie bei dem Beispiel mit der guten Fee, die entweder 200 000 Euro sicher oder 300 000 Euro vielleicht anbietet, verzerrt unsere Wahrnehmung die Realität, denn sie interessiert sich nicht für absolute Werte, sondern für Relationen. Und dann sieht die Rechnung ganz anders aus: Im ersten der beiden Beispiele schadet das giftigere Mittel dreimal mehr Menschen als das bessere; im zweiten Beispiel aber erscheint das billigere Produkt unendlich viel schlechter, weil mit dem teuren Wirkstoff niemand leiden muss.

Unser Bedürfnis nach absoluter Sicherheit sitzt so tief, dass es schon der Talente eines Karl Valentin bedarf, um uns dessen Widersinn vor Augen zu führen: In einem Bühnenstück erklärt der Münchner Komiker seiner Partnerin Liesl Karlstadt, dass er sein Haus verkaufen wolle, um in einen 1000 Meter tiefen Bergwerkstollen zu ziehen. «Aber das ist ja unheimlich», erwidert die Karlstadt. «Schon, aber sicher vor Meteorsteinen.» Ihr Einwand, dass «Meteorsteine doch ganz selten» seien, beirrt Valentin nicht. Er antwortet mit einem Satz, den jeder von uns fast täglich aussprechen könnte: «Schon, aber bei mir geht die Sicherheit über die Seltenheit.»

Zufall ist Stress

Jede Gefahr, und sei sie noch so gering, ist schließlich ein Grund, sich Sorgen zu machen. Wie sehr uns Unsicherheit plagt, lässt sich sogar an den Reaktionen des Körpers ablesen. Nicht zu wissen, was kommt, löst eine Stressreaktion aus: Das Herz klopft, der Atem geht schneller, die Schweißdrüsen öffnen sich, Hormone wie Adrenalin und Cortisol gelangen in die Blutbahn.

Ein Widerwille gegen jegliche Ungewissheit scheint dem Organismus evolutionär tief eingeprägt; jedenfalls stellten amerikanische Neurowissenschaftler die typischen Anzeichen von Stress bereits an Ratten fest, die mit nichts weiter als unregelmäßigen Fütterungszeiten fertig werden mussten. Diese Tiere waren weit davon entfernt, Hunger zu leiden, denn sie bekamen Nahrung im Überfluss. Nur wussten sie nie genau, wann ihnen die Forscher die nächste Speise servieren würden. Befürchteten die Tiere, dass die Mahlzeit demnächst ganz ausfallen könnte?[3]

Wenn Menschen ein Unglück trifft, macht es für ihre Psyche erst recht einen Unterschied, ob sie es erwartet haben oder nicht. Während der Bombardierung Londons im Zweiten Weltkrieg häuften sich die stressbedingten Magengeschwüre in den Vororten, nicht in der Innenstadt.[4] Denn die Bewohner der City mussten Nacht für Nacht in die Luftschutzkeller flüchten, weil deutsche Maschinen dort regelmäßig ihre tödliche Fracht abwarfen. In die Außenbezirke dagegen verirrte sich selten ein Bomber. Geschah dies aber zufällig einmal, hatten die Menschen den Schrecken des Unerwarteten zu verkraften.

Wir schätzen stabile Verhältnisse, auch wenn wir unter ihnen zu leiden haben. Auf alltägliche Weise zeigt sich das zum Beispiel im Büro: Sich in Hierarchien unterordnen zu müssen ist für die meisten Menschen erträglicher als Machtkämpfe mit ungewissem Ausgang, denn selbst unter dem Kommando eines unangenehmen Chefs weiß man zumindest, woran man ist. Schon bei Tieren ist diese Vorliebe zu beobachten, und auch bei ihnen äußert sie sich in körperlichen Symptomen. Das hat der amerikanische Neurowissenschaftler Robert Sapolsky an wild lebenden Pavianen in der Serengeti dokumentiert.[5] Sapolsky gelang es, mit Betäubungspfeilen die rivalisierenden Männchen der Horde kurzzeitig außer Gefecht zu setzen und ihnen Blutproben zu entnehmen. Dabei stellte er fest, dass umso weniger Stresshormone in den Adern der Paviane zirkulierten, je fester gefügt die Hackordnung war – selbst wenn ein Tier darin ganz unten stand. In Zeiten des Aufruhrs hingegen litten alle Männchen Stress: die Alphatiere, die um ihre Macht bangen mussten, ebenso wie die Underdogs, deren Zukunft nun ungewiss war.

Wie der Körper für die Scheu vor der Ungewissheit bezahlt

Allerdings wirkt nicht jede Unsicherheit gleichermaßen belastend, wie Sapolsky ebenfalls an seinen Pavianen beobachtete. Auch in einer stabilen Rangordnung gibt es immer wieder Scharmützel zwischen Herr und Knecht, auf die beide unterschiedlich reagieren: Während der ranghöhere Affe Stress leidet, wenn die Beziehung zu einem Untergeordneten instabil wird, scheint der Herausforderer sich ruhigeren Bluts Hoffnung auf Aufstieg zu machen. Die Affen sind also durchaus imstande, die Chancen einer unklaren Lage zu erkennen.

Bei Menschen kann überdies das Wissen oder auch nur der Glaube, eine gefährliche Situation selbst beeinflussen zu können, den Stress der Unsicherheit mildern. Dies erklärt, warum manche Zeitgenossen, die auf einer schweren Maschine mit 200 Stundenkilometern über die Autobahn brausen, sich vor dem sehr viel geringeren Risiko eines Flugzeugabsturzes fürchten: Das Motorrad lenken sie selbst, im Pilotensessel sitzt ein Fremder.

Auch hängt es sehr von den Umständen ab, wie wir Überraschungen empfinden: Im Urlaub beispielsweise sind wir viel stärker als im Alltag bereit, uns auf Unerwartetes einzulassen. Selbst eine Reifenpanne, die uns zu Hause nur fluchen ließe, können wir auf Reisen als eine aufregende Erfahrung verbuchen, die wir noch Jahre später gern zum Besten geben.

Und schließlich ertragen Individuen Risiken in unterschiedlichem Maße. Viele würden sich gar nicht erst auf den Sitz eines Motorrads wagen. Wahrscheinlich hat es in erster Linie genetische Ursachen, ob wir Ungewissheit eher scheuen oder ob wir einen gewissen Nervenkitzel genießen können. Jedenfalls zeigen Studien von Entwicklungspsychologen, dass Kinder, die auffällig das Unbekannte meiden oder es im Gegenteil suchen, sich auch später als Erwachsene so verhalten: Risikoscheu beziehungsweise Neugier gehören zu den stabilsten Persönlichkeitsmerkmalen des Menschen.

Dennoch gewinnt das Unbehagen angesichts einer denkbaren Gefahr im Zweifelsfall immer – nicht nur, weil wir Gewinn und Risiko oft verzerrt wahrnehmen, wie wir gesehen haben, sondern auch, weil sich negative Emotionen stets stärker in den Vordergrund drängen als positive. Die Furcht vor dem Ungewissen, mit der die Evolution uns ausgestattet hat, erklärt die faulen Kompromisse, auf die sich Menschen Tag für Tag einlassen. So leben viele mit einem Partner zusammen, den sie nicht lieben, nur aus Angst, keinen oder keine andere zu finden. Andere harren jahrzehntelang an einem Arbeitsplatz aus, der ihnen nicht behagt, haben aber nicht einmal mit einer Probebewerbung ihre Chancen getestet, einen neuen Job zu finden.

Und das sind noch nicht einmal die größten Verluste, die uns die einprogrammierte Ängstlichkeit beschert. Wenn sie überhand nimmt, erleiden wir dauernden Stress. Steht ein Organismus zu lange oder zu oft unter der Wirkung von Stresshormonen, schwächen diese das Immunsystem, schädigen das Gehirn und fördern die Entstehung von Herz-Kreislauf-Erkrankungen, den häufigsten Todesursachen in den Industrieländern.[6]

Dass man sich buchstäblich zu Tode fürchten kann und dass dies gar nicht selten geschieht, hat die Psychologin Sonia Cavigelli von der Universität Chicago gezeigt.[7] Als Kronzeugin zog sie die Wanderratte heran. Manche dieser durchaus possierlichen Tierchen sind von frühester Jugend an furchtsam – wie besonders schüchterne Menschenbabys, die sofort weinen, wenn sie ein neues Gesicht sehen oder wenn die Mutter sie verlässt. Und ängstlich bleiben sie ihr Leben lang: Während Nager normalerweise jede fremde Umgebung neugierig erforschen, verkriechen sich die mutlosen Ratten auch noch als Erwachsene ins Eck, wenn man sie in einen unbekannten Käfig setzt. In ihrem Blut zirkulieren dabei Stresshormone in Mengen, als würde einem normal veranlagten Artgenossen eine Katze erscheinen. Für ihre extreme Risikoscheu bezahlten sie mit einem frühen Tod: Offenbar hervorgerufen durch das Dauerbombardement mit Stresshormonen, erlagen sie schon nach 600 Tagen der Altersschwäche, hundert Tage vor ihren mutigeren Artgenossen.[8]

An Menschen wurden vergleichbare Untersuchungen noch nicht vorgenommen. Doch da die Mechanismen von Angst und Stress bei unserer Art kaum anders ablaufen als bei der Ratte, steht zu vermuten, dass auch wir mit einer gewissen Bereitschaft zum Risiko besser leben. Auch wenn aus einer schreckhaft veranlagten Person nie ein Draufgänger wird: Anders als Ratten können wir uns im Lauf der Zeit einen Großteil der unnützen Furcht abtrainieren. Übervorsicht schadet Ihrer Gesundheit.

Die gefühlte Sicherheit

Viele Leute fühlen sich heute den Unwägbarkeiten des Lebens hilflos ausgeliefert: wie es im Job weitergeht, ob den Kindern an der Schule die nötige Bildung zuteil wird, ob die Rente sicher ist. Nie zuvor, so scheint es, mussten Menschen mit einem so hohen Maß an Unvorhersehbarkeit leben wie wir.

Dabei hat uns die unübersichtliche Welt von heute zwar der Gewissheit eines vorgezeichneten Lebensweges beraubt. Leicht übersehen wir aber, dass sie umso mehr Sicherheit in den wirklich existenziellen Fragen des Daseins bietet. Die Fortschritte der Medizin haben nicht nur die mittlere Lebenserwartung in Deutschland von ungefähr 40 Jahren im Jahr 1900 auf rund 80 im Jahr 2000 verdoppelt – zugleich hat die Schwankung der Lebenszeiten abgenommen. Früher hatte die durchschnittliche Lebenserwartung wenig Aussagekraft für den Einzelnen: Viele starben jung, andere wurden für damalige Verhältnisse steinalt. Heute garantiert die ärztliche Versorgung, dass die meisten Bürger mindestens ihren 60. Geburtstag erleben. Eine Mutter, die zu Beginn des 21. Jahrhunderts ein Baby auf die Welt bringt, kann davon ausgehen, dass ihr Kind das Rentenalter erreichen wird.

Wenn wir uns dennoch bedroht fühlen, liegt es auch daran, dass wir uns an Sicherheit gewöhnen. Wie soziologische Studien zeigen, nehmen Menschen Gefahren umso stärker wahr, je besser sie gegenüber den eigentlichen Risiken des Lebens abgefedert sind. Darum steigt unser Bedürfnis nach Sicherheit, je mehr wir davon haben.[9] So wird es verständlich, dass sich manche Eltern heute mehr über die möglichen, aber überaus seltenen Nebenwirkungen von Babyimpfungen sorgen, als frühere Generationen die sehr reale Gefahr einer Kinderlähmung fürchteten. Wie die «gefühlte Temperatur» für unser Wohlbefinden entscheidender ist als der Thermometerstand, gibt es offenbar auch eine «gefühlte Sicherheit».

Diese zu steigern bemüht sich eine ganze Industrie. Den Sinn einer Krankenversicherung wird niemand bestreiten; doch ein Blick auf das Angebot des Versicherungsmaklers ums Eck zeigt, wie groß das Verlangen durchaus wohlhabender Mitbürger ist, selbst den kleinsten Widrigkeiten des Lebens vorzubeugen. Wird die Antenne am Auto abgebrochen, bezahlt der Vollkaskoschutz. Sollte ein Vogel so heftig gegen ein geschlossenes Fenster prallen, dass es zerspringt, gibt die Gebäudeversicherung Deckungszusage. Sie haftet allerdings nicht, wenn Schmierfinken die Hauswände bemalen. Für dieses Ärgernis hat die Branche eine spezielle Graffitiversicherung erfunden. Und muss ein Urlaub wegen eines Trauerfalls ausfallen, springt die Reiserücktrittsversicherung ein.

Bezeichnenderweise schützt keine einzige Police aus diesem Portfolio vor einem ernsthaften Verlust. Der Kunde kauft allenfalls eine Illusion von Sicherheit. Wenn eine Ferienreise platzt, weil jemand aus der Familie gestorben ist, dürften die Stornogebühren schließlich die geringste Sorge der Angehörigen sein. Trotzdem scheint es auf jeden Fall erstrebenswert, sich abzusichern, egal, wie viel es nützt. Echte Risiken hingegen versuchen die Anbieter wo immer möglich auszuschließen: Wer etwa im Überschwemmungsgebiet des Rheins wohnt, braucht sich um eine Gebäudeversicherung erst gar nicht zu bemühen.

Sicherheit wird umso teurer, je umfassender sie sein soll. Schutz vor 50 Prozent aller Eventualitäten ist meist günstig zu haben. Für Vorsorge gegen die nächsten 40 Prozent der denkbaren Misslichkeiten ist der Preis schon höher. Und wer dann noch die restlichen 10 Prozent der unangenehmen Zufälle ausschließen will, muss tief in die Tasche greifen. Die letzten 10 Prozent Sicherheit erzeugen 90 Prozent der Kosten, sagt eine Faustregel von Programmierern und Ingenieuren.[10]

Schließlich treten nicht alle Zwischenfälle gleich häufig auf und richten nicht gleich viel Schaden an. Kabelbrände und explodierende Dampfkochtöpfe können Verheerungen anrichten, doch fast zwei Drittel aller tödlichen Unfälle im Haushalt geschehen, weil jemand beim Putzen oder Basteln abstürzt. Gemessen daran fallen Verletzungen durch Brände oder gar durch defektes Kochgeschirr kaum ins Gewicht. Wer sich also eine ordentliche Aluleiter zulegt und sie auch verwendet, hat schon eine Menge für die Sicherheit in seiner Wohnung getan. Um sich darüber hinaus vor Brandschäden zu schützen, müsste er Feuermelder in jedem Zimmer installieren. Diese Maßnahme ist nicht nur teurer als die Leiter, sondern auch aufwendiger, denn die Sensoren müssen regelmäßig auf ihre Alarmbereitschaft überprüft und gewartet werden. Der Nutzen hingegen fällt erheblich geringer aus – nicht, weil die Elektronik wirkungslos wäre, sondern weil Brände so viel seltener sind als Stürze.

In Vorsicht erstarrt

Kaum ein Thema beschäftigt die deutsche Öffentlichkeit derzeit mehr als die Frage, welches Maß an Absicherung der Einzelne heutzutage braucht – und wie viel Sicherheit sich die Gesellschaft leisten kann. Dabei stehen auch sinnvolle Errungenschaften zur Disposition oder erscheinen kaum noch finanzierbar: Der Kündigungsschutz soll Angestellte vor der Willkür ihrer Chefs bewahren, die obligatorische Krankenkasse trägt die Kosten eines schweren Leidens, eine Pflegeversicherung verhindert, dass verarmt, wer im Alter Hilfe braucht. Auf solche Vorkehrungen sind viele Menschen angewiesen, weil ein Schicksalsschlag sonst ihre Existenzgrundlage zerstören könnte. Außerdem steigert ein gewisser Schutz das Wohlbefinden auch dann, wenn der Schadensfall entweder gar nicht eintritt oder von den Betroffenen auch aus eigener Kraft zu bewältigen wäre. Unsere Scheu vor Unsicherheit und Verlusten sitzt so tief, dass das Gefühl «uns kann nichts passieren» einen messbaren Gewinn an Lebenszufriedenheit bedeutet.[11] Das wird beim Klagen über die hohen Kosten der sozialen Sicherung oft vergessen.

Und doch fällt es gerade in Deutschland vielen schwer, eine Grenze zwischen sinnvoller und übertriebener Absicherung zu ziehen. Behörden, aber auch eine große Zahl von Bürgern haben den Hang, andere vor sich selbst zu schützen. Im Kleinen zeigt sich das beim Umgang mit Kindern: Deutsche Eltern, in jeder Minute um die Sicherheit ihrer Sprösslinge besorgt, sind oft entsetzt, wenn sie im Ausland sehen, wie wenig beaufsichtigt sich dort schon Dreijährige bewegen. Ist den Eltern in der Türkei oder in Indien ihr Nachwuchs egal? Keineswegs. Sie haben nur mehr Vertrauen in deren Fähigkeit, auf sich selbst aufzupassen. Psychologische Untersuchungen geben ihnen Recht: Grundsätzlich können Kinder Risiken viel besser einschätzen, als Eltern glauben.[12]

Im Großen gab die Bundesregierung eine Lektion über zu viel Fürsorglichkeit, als sie vom Jahr 2001 an eine in anderen Ländern längst übliche Form der privaten Altersvorsorge fördern wollte. Um die Bürger zu zwingen, ihr Kapital so risikoarm wie möglich anzulegen, tüftelte das zuständige Ministerium eine Unmenge Vorschriften aus. Das System wurde so kompliziert, dass kaum ein Arbeitnehmer es noch verstand. Bis heute nimmt nur ein Bruchteil der Berechtigten die ihm zustehenden Zuschüsse für die «Riester-Rente» in Anspruch.

Deutschland ist Weltmeister im Sicherheitsdenken. Natürlich sind viele Gesetze etwa zum Arbeitsschutz sinnvoll, und der Technische Überwachungsverein ist mit dem Wissen seiner Ingenieure zu einem erfolgreichen Exportunternehmen geworden. Doch um in Dortmund oder München auch nur die Belüftung in einer Garage in Betrieb zu nehmen, sind gut drei Dutzend Vorschriften zu beachten; anschließend ist deren Einhaltung von einem Sachverständigen zu bestätigen. In keinem anderen Land werden Lüftungsanlagen zertifiziert. Vielleicht ist dieser Sonderweg nicht weiter erstaunlich in einer Nation, die selbst das Errichten einer Treppenstufe mit umfangreichen Verordnungen regelt.

Der Preis dafür besteht nicht allein darin, dass Bauen in Deutschland einmalig teuer ist; dass die an sich vernünftige Riester-Rente als gescheitert gilt; und dass es anstrengend ist, unablässig seine Kinder zu bewachen. Vielmehr beginnt die Überfürsorge ein Eigenleben zu entwickeln und schafft Abhängigkeit. Auch den Umgang mit Risiken muss man schließlich trainieren. Kindern, die vor jeder Unwägbarkeit behütet werden, fällt es nicht leicht, einen Sinn für Gefahren zu entwickeln. Und wer jahrzehntelang mit der deutschen Normtreppenstufe von 18 bis 19 Zentimeter Steigungshöhe lebt, stolpert tatsächlich, wenn ein schlampiger Polier einmal um zwei Zentimeter davon abgewichen ist.

Der Perfektionismus ist uns zur zweiten Natur geworden und erschwert die Anpassung an Bedingungen, die sich ändern. Vorschriften sind starr; das müssen sie auch sein. Wenn sich aber die technischen Möglichkeiten so rasant entwickeln wie heute und zugleich die weltweiten Verbindungen immer enger werden, zahlen sich Geschwindigkeit und Flexibilität mehr aus als Berechenbarkeit und Präzision.

Wer in einer komplexen Situation niemals Missgriffe tut, handelt alles andere als optimal. Wir müssen uns irren. Denn Fehlerfreiheit ist nur zu haben, wenn man extrem langsam vorgeht und jeden Schritt nicht einmal, sondern mehrmals auf alle seine Folgen und möglichen Irrtümer prüft. Sofern das überhaupt möglich ist, produziert man einen gewaltigen Überschuss an Information.

Meistens ist der Preis für die Perfektion zu hoch: Der Aufwand übersteigt bei weitem den Wert der Sicherheit, die man gewinnt. So argumentiert der Kieler Wirtschaftswissenschaftler Herbert Giersch: «Wer noch nie ein Flugzeug verpasst hat, hat in seinem Leben viel zu viel Zeit in den Warteräumen der Flughäfen verbracht.»[13]

Der übergroße Wunsch nach Verlässlichkeit ist für ihn die eigentliche Ursache der deutschen Krankheit, die dem Land das niedrigste Wirtschaftswachstum in Europa und eine enorme Arbeitslosigkeit beschert habe. Giersch hat für dieses mehr oder minder auf dem ganzen europäischen Kontinent verbreitete Symptom den Begriff «Eurosklerose» geprägt; sein amerikanischer Kollege Paul Krugman schreibt: «Der Unterschied zwischen den erfolgreichen und den weniger erfolgreichen Volkswirtschaften ist nicht politischer, sondern philosophischer Natur. Was die Deutschen wirklich wollen, sind klare Regeln darüber, was richtig und was falsch ist, wann die Geschäfte offen haben sollen, was die Mark wert ist. Amerikaner sind vergleichsweise schlampig: Sie entscheiden sich für das, was eben mehr oder minder gut funktioniert. Wenn die Leute um elf Uhr abends einkaufen gehen wollen, ist das in Ordnung, wenn ein Dollar manchmal 80 und manchmal 150 Yen wert ist, finden sie das ebenfalls in Ordnung.»[14]

Die hysterische Gesellschaft

Je gruseliger eine Gefahr, für umso größer halten wir sie. Kein Wunder also, dass wir kaum mehr fähig sind, ein saftiges Steak ohne einen Anflug von Zweifel zu genießen – von Kalbshirn oder Markklößchen ganz zu schweigen. Schließlich ist die Rinderseuche BSE ein höchst unheimliches Leiden: Winzige Löcher fräsen sich durch das Gehirn, bis dieses so porös ist wie ein Schwamm; Menschen verlieren erst die Kontrolle über ihren Körper und vergessen dann, wer sie sind. So etwas regt die Phantasie an, auch wenn bis Oktober 2003 von den mehr als sechs Milliarden Bürgern der Erde ganze 139 in Großbritannien und weniger als ein Dutzend anderswo an der durch BSE-Fleisch ausgelösten Variante der Creutzfeld-Jakob-Krankheit gestorben sind.

Die Natur hat uns nicht ohne Grund programmiert, die Bedeutung von seltenen und bizarren Ereignissen zu überschätzen. Denn zum einen fehlt uns die Erfahrung mit solchen Vorkommnissen. Wir können deren Chancen und Risiken deshalb schlecht einschätzen und tun gut daran, wachsam zu sein. Zum anderen lernen wir dazu, wenn wir dem Unbekannten mehr Beachtung schenken als dem Vertrauten. Mitunter kann diese evolutionär sinnvolle Aufmerksamkeit allerdings in Hysterie umschlagen – besonders leicht in einer Zeit, da Massenmedien jedes Schreckgespenst binnen Stunden auf der ganzen Welt verbreiten. Das setzt die Menschen nicht nur vermeidbarem Stress aus; die Hysterie selbst hat oft schlimmere Folgen als der eigentliche Gegenstand der Angst.

Eine ebenso eingebildete wie gefährliche Erkrankung ist beispielsweise das Koro-Syndrom. Bei dieser in Asien und Afrika verbreiteten Störung leiden vor allem Männer, mitunter auch Frauen massenhaft unter dem Wahn, dass sich ihre Geschlechtsteile in ihren Körper zurückziehen und sie dann umbringen könnten. Koro, in der medizinischen Literatur als Wahnerkrankung beschrieben, kann schreckliche Folgen haben[15]: Als im Jahr 1967 eine Epidemie in Singapur ausbrach, nachdem angeblich verseuchtes Schweinefleisch auf den Markt gekommen war, waren die Krankenhäuser überfüllt von Männern mit Verletzungen am Penis. Mit eisernen Stiften, Klammern und Gewichten hatten die Patienten versucht, ihr befürchtetes Schicksal abzuwenden. Die bisher letzte Koro-Welle erfasste 2001 die westafrikanischen Länder Niger und Benin; mehr als ein Dutzend Menschen wurde ermordet, weil der Mob sie der Zauberei an ihren Geschlechtsteilen bezichtigte.

In der westlichen Welt löste vor über 50 Jahren der Privatpilot Kenneth Arnold eine nicht minder hartnäckige Massenhysterie aus. Am 24. Juli 1947 beobachtete Arnold über den Bergen des amerikanischen Bundesstaates Washington neun seltsame Objekte, die in Formation und mit hoher Geschwindigkeit ungefähr dreißig Kilometer vor seiner Propellermaschine vorbeischossen. Der Lokalpresse schilderte er, die Dinger seien von der Größe eines kleinen Düsenflugzeugs gewesen und hätten hüpfende Bewegungen gemacht: «Wie Untertassen, wenn man sie auf einem See springen lässt.»

Arnolds Bericht machte seinen Weg über die Agenturen in die meisten Zeitungen Amerikas. Am nächsten Tag meldeten sich im ganzen Land Bürger, die ebenfalls fliegende Untertassen gesehen hatten. Arnold hatte zwar nie behauptet, dass die rätselhaften Flugkörper von Untertassenform seien, aber das Phänomen hatte seinen Namen weg. In den kommenden Wochen gab es Sichtungen in jedem US-Bundesstaat, aber auch in Kanada, England, Australien, sogar im Iran. Die amerikanische Luftwaffe startete eine fünfzehnmonatige Geheimoperation, Codename «Projekt Untertasse». Jede einzelne Sichtung, der sie nachgingen, konnten die Militärs mit einer Fehldeutung von Wolken, Luftspiegelungen oder Vogelschwärmen erklären – zu beruhigen vermochten sie die Öffentlichkeit damit nicht. Doch die Ermittlungen kosteten drei Soldaten das Leben; einer von ihnen stürzte mit seinem Kampfjet aus 20 000 Fuß Höhe ab, als er einem vermeintlichen UFO nachjagen wollte.

Wie man echten Risiken beikommt

BSE-Steaks, exotische Seuchen wie SARS und Ebola, Biowaffen – anders als fliegende Untertassen und verhexte Genitalien sind diese Gefahren real. Dennoch steht das Risiko, das von ihnen ausgeht, in keinem Verhältnis zu der Aufmerksamkeit, die wir ihnen schenken. Hat ein Bedrohungsszenario erst einmal eine Gesellschaft erfasst, starren alle darauf wie das Kaninchen auf die Schlange. Politikern bleibt dann kaum eine Wahl, als durch Aktionismus ihr Verantwortungsbewusstsein zu demonstrieren. So waren die vergleichsweise wenigen wahnsinnigen Rinder auf dem europäischen Kontinent Anlass, in der EU zwei Millionen Kühe und Ochsen abzuschlachten und ihr Fleisch im Verbrennungsofen zu vernichten; Ende 2003 bewog der erste BSE-Fall der Vereinigten Staaten mehr als 30 Länder, den Import amerikanischen Rindfleischs zu stoppen. Den Viehzüchtern der USA brachen damit auf einen Schlag zwei Drittel ihres Exportmarktes weg. Die Lungenseuche SARS erschütterte im Frühjahr 2003 die Volkswirtschaften mehrerer ostasiatischer Staaten.

Derlei panische Reaktionen kommen eine Gesellschaft nicht nur teuer zu stehen, sie täuschen zudem über die echten Risiken des Alltags hinweg. Wegen falscher Ernährung und Übergewicht sein Leben zu lassen ist für einen Deutschen unendlich viel wahrscheinlicher, als dem Rinderwahn zu erliegen, der hier zu Lande bislang bei keinem einzigen Menschen ausgebrochen ist. Doch 350 000 Frauen und Männer in Deutschland erkranken jährlich an Krebs, bei etwa einem Drittel von ihnen spielt die Ernährung als Auslöser eine Rolle.[16] Etwa 42 000 Mitbürger sterben im Jahr an den Folgen des Alkoholkonsums, von all denen, die als Angehörige darunter leiden, gar nicht zu reden. Zigaretten bringen schätzungsweise 110 000

Deutsche jährlich um.[17] Während sich die politisch Verantwortlichen allerdings durch das geringe BSE-Risiko zu Schlachtfesten makabren Ausmaßes hinreißen ließen (und sogar zwei deutsche Minister ihren Posten räumen mussten), scheint es nach wie vor unmöglich zu sein, wenigstens die Werbung für Tabak zu verbieten.

Dabei zweifelt keiner ernsthaft daran, dass Rauchen tödlich ist, wie es die nunmehr riesigen Schriften auf den Zigarettenschachteln verkünden. Eine Botschaft, die niemand mehr interessant findet, kann allerdings auch als Mahnung nicht wirken. Ohnehin nützt alle Einsicht wenig, solange wir eine Gefahr nicht in ihrem wirklichen Ausmaß empfinden.

Doch ebender Hang zu Schreckensbildern, der uns so oft unberechtigt in Panik versetzt, lässt sich verwenden, um Menschen den tatsächlichen Grad einer Bedrohung ins Bewusstsein zu rufen. Wie es geht, hat die kanadische Regierung vorgemacht. Statt der vormals üblichen Aufschriften muss die Tabakindustrie in diesem Land seit dem Jahr 2000 Bilder auf ihre Packungen drucken. Die Fotos von Menschen an der Herz-Lungen-Maschine und von Lippen, zwischen denen der Mundkrebs wuchert, weckten bei landesweit fast der Hälfte aller Raucher den Wunsch, ihre Sucht aufzugeben. Und drei Jahre nach Einführung der drastischen Graphiken war der Anteil der Jugendlichen, die rauchten, um fast ein Viertel gesunken.[18]

Nicht von dem, was wir wissen, sondern von der Phantasie hängt die gefühlte Sicherheit ab. Gefahren, die wir uns ausmalen können, erscheinen real. Daher stammt letztlich auch das unvernünftige Bedürfnis nach Risiko null. Wie selten ein Desinfektionsmittel im Supermarkt Vergiftungen auslöst, wie unwahrscheinlich einem Karl Valentin «Meteorsteine auf den Kopf fallen», ist für unsere Wahrnehmung viel weniger entscheidend als der Umstand, dass dies immerhin möglich ist und damit die Vorstellungskraft beschäftigt.

Davon, wie wenig sich mitunter selbst Experten der Faszination des Schreckens entziehen können, erzählt eine Anekdote aus dem Zweiten Weltkrieg. Ein berühmter sowjetischer Professor für Statistik tauchte bei einem der vielen deutschen Luftangriffe im Bezirksluftschutzkeller auf, wo er bislang nie erschienen war: «Moskau hat sieben Millionen Einwohner. Warum sollte ich damit rechnen, dass es mich trifft?» Umso erstaunter waren seine Nachbarn, ihn nun zu sehen. Was hatte ihn bewogen, seine Meinung zu ändern? «Schauen Sie», gab er zur Antwort, «in Moskau leben sieben Millionen Menschen und ein Elefant. Letzte Nacht hat es den Elefanten erwischt.»[19]

TEIL IV **STRATEGIEN**

KAPITEL 14 DER ZUFALL ALS ZERSTÖRER
Gefahren realistisch einschätzen

«Anything can happen to anyone
at any time. It's best to be prepared.»
Arundhati Roy

Albert Camus hatte sich zeit seines Lebens mit dem Absurden beschäftigt; widersinnig war auch sein eigener Tod. Am 4. Januar 1960 wollte der Schriftsteller aus der Provence mit der Bahn nach Paris zurückkehren. Niemand weiß, weshalb er sich überreden ließ, stattdessen im neuen Sportwagen des Neffen seines Verlegers mitzufahren – Camus benutzte das Auto ansonsten höchst ungern. Nahe der Stadt Sens kam Michel Gallimards Wagen von der Fahrbahn ab und prallte mit 130 Stundenkilometern an einen Alleebaum. Wahrscheinlich war ein Reifen geplatzt. Camus war als Einziger sofort tot. Gallimards Familie dagegen wurde aus dem Wagen geschleudert und überlebte. In der Tasche von Camus' Anorak fanden die Helfer eine ungenutzte Fahrkarte. «Es gibt keine absurdere Weise zu sterben als bei einem Verkehrsunfall», hatte der Autor einmal gesagt.

In Camus' berühmtestem Roman «Der Fremde» erschießt der Held aus einer Laune heraus einen Araber, den er zufällig am Strand von Algier getroffen hat. Er wird zum Tode verurteilt, weil das Gericht den Mord aus Willkür besonders verabscheuungswürdig findet. Ebenso schwer fällt es uns zu akzeptieren, wie wahllos Menschen Opfer von Unglücken werden. Wenn schon schreckliche Dinge geschehen, wollen wir Gründe dafür. Darum können wir uns mit dem Sterben eines Menschen im Bett eher versöhnen, als wenn er bei einem Flugzeugabsturz umkommt, weil er sein Ticket im letzten Moment umgebucht hat.

In den Gefängnissen der russischen Geheimpolizei des 19. Jahrhunderts sollen Wärter Häftlinge gezwungen haben, sich einen mit nur einer Kugel geladenen Revolver an die Schläfe zu setzen. Dann musste der Gefangene das Magazin in Drehung versetzen und abdrücken; die Wärter wetteten indes um sein Leben. Das russische Roulette ist eine der grausamsten Foltermethoden, denn es versetzt das Opfer in Angst vor einem unkalkulierbaren und völlig sinnlosen Tod.

Seuchen sind so unheimlich, da sich ohne ein nachvollziehbares Muster jeder anstecken kann. Und Terror versetzt eine Gesellschaft nicht deswegen in Panik, weil durch Attentate besonders viele Menschen ums Leben kämen (im Jahr 2001 tötete der Verkehr auf amerikanischen Straßen 14-mal mehr Menschen als die Anschläge des 11. September), sondern weil sie ohne Ansehen der Person jeden Beliebigen treffen können: Die Bedrohung scheint allgegenwärtig.

Zufälle, durch die ein uns nahe stehender Mensch schuldlos zu Schaden kommt, erscheinen uns zynisch. Dabei erwarten wir gar keine Welt ohne Desaster. Dass Tausende jährlich auf Deutschlands Straßen sterben, finden wir normal; das Gefühl der Sinnlosigkeit stellt sich erst ein, wenn das Unglück jemanden aus unserer Umgebung trifft. Warum ausgerechnet er oder sie?, fragen wir dann. In einer solchen Lage sind wir viel zu verzweifelt, um uns vor Augen zu führen, dass das Leid, von dessen Existenz wir wohl wissen, schließlich irgendjemanden treffen muss. Denn der Zufall ist auch ein Zerstörer.

Das sicherste Fahrzeug der Welt?

Albert Camus' Unfall war schrecklich, doch überschaubar. Häufig aber werden wir Zeugen von Unglücken, bei denen Hunderte ums Leben kommen – Opfer einer Technik, die mächtiger und mächtiger wird. Dabei ist die Allgegenwart immer ausgefeilterer Maschinen nur ein Beispiel für eine zunehmend komplexe Welt; andere sind die steigende Verflechtung von Unternehmen, Märkten und Staaten oder der stetig anschwellende Fluss der Information. Weil allerdings die Probleme und Folgen bei der Technik besonders deutlich zutage treten, wird sich dieses Kapitel auf sie konzentrieren. Viele der Schlüsse, zu denen es kommt, gelten allgemein.

Besonders irritierend ist, dass am Anfang von Katastrophen fast immer ein Zusammenwirken von Kleinigkeiten steht, mit dem offenbar niemand gerechnet hat. So geschah es am 11. November des Jahres 2000. Strahlend schön war dieser Tag, und Tausende Skifahrer und Snowboarder waren nach Kaprun in den Salzburger Alpen geströmt, um den Beginn ihrer Saison zu feiern. Schon früh am Morgen herrschte Hochbetrieb an der Standseilbahn, die in nur zehn Minuten von den Almböden ins Eis der Gletscher fährt. Weil die Luft noch kalt war, hatte der Fahrer, selbst an der Spitze des Zuges im Einsatz, auch im hinteren Führerstand einen kleinen Heizlüfter angestellt – einen Apparat vom Typ «Hobby» der Firma Fakir, wie er in unzähligen Haushalten steht.

Der Heizlüfter hatte einen Fabrikationsfehler: Mit bloßem Auge unsichtbare Haarrisse schwächten die Aufhängung von Heizspirale und Ventilator, sodass sich zufällig genau an diesem Morgen eine ihrer beiden Befestigungsschrauben löste. Als der Wagen die Talstation verließ, riss der Ventilator aus seiner Verankerung und kippte nach unten. Nun berührte der 600 Grad heiße Heizdraht das Gehäuse; es fing Feuer. Der kleine Brand wäre schnell zu löschen gewesen, hätte ihn jemand bemerkt. Aber der Fahrer saß ja am anderen Ende des Wagens, im vorderen Führerstand.

Dennoch hätte die Panne keine größeren Folgen gehabt – wäre nicht hinter dem Gerät eine dünne Messleitung für die Bremshydraulik verlaufen. Diese führte zu einem Kontrollgerät im Führerstand und war für das Funktionieren der Bremsen unbedeutend, doch das Öl darin stand unter Druck. Im ungünstigsten Moment, nämlich als der Wagen «Kitzsteingams» auf seinem Weg bergauf in den langen Tunnel einfuhr, ließ die Hitze den Messschlauch platzen.

Jetzt kam es zur Katastrophe. Das Öl schoss mit einem Druck von 180 Bar in die Flammen. Sie loderten auf, erfassten den Kunststoff im Führerstand und die Gummimatten am Boden, breiteten sich über Kabelkanäle aus und zündeten schließlich die Anoraks von mehr als 150 Skifahrern an. Das Feuer setzte in der engen Röhre einen Luftzug in Gang, der die Flammen erst recht anfachte – eine fatale Rückkopplung. Der Strom fiel aus; der Zug kam zum Stehen, aber die Türen ließen sich nicht öffnen. Als die Menschen mit Skiern die Scheiben eingeschlagen hatten, versuchten die meisten dem Inferno instinktiv nach oben zu entfliehen. So rannten sie, aber die aufsteigenden Schwaden giftigen Rauchs holten sie ein. Selbst in der weit entfernten Bergstation starben drei Personen an Vergiftung durch den Qualm, der durch den Tunnel heraufzog. Nur zwölf Menschen, die bergab geflüchtet waren, überlebten.

Wer trägt die Schuld an diesem Desaster? Das Gerichtsverfahren, in dem die Katastrophe aufgearbeitet wurde, dauerte drei Jahre. Es war einer der größten Prozesse, die in Österreich jemals geführt wurden. Sechzehn Beschuldigte saßen auf der Anklagebank – der technische Direktor der Seilbahngesellschaft, Ingenieure, TÜV-Prüfer, Ministerialbeamte. Doch auch nach 62 Verhandlungstagen konnte das Gericht keinen Verantwortlichen finden. Alle Angeklagten wurden freigesprochen – zum Entsetzen der Menschen, die bei dem Brand ihre Angehörigen verloren haben, und der Medien. «Die Unschuld aus den Bergen», wetterte die *Süddeutsche Zeitung*.[1]

Aber wen hätte das Gericht belangen sollen? Bis zu dem Unglück war die Bahn mehr als ein Vierteljahrhundert störungsfrei gelaufen. Die Wagenaufbauten waren zwar zwischenzeitlich erneuert worden, aber auch die überholten Züge hatten schon sieben Jahre lang ihren Dienst getan, als einer der beiden in Brand geriet. Die Angeklagten beriefen sich darauf, dass sie weder beim Bau noch beim Betrieb der Bahn auch nur eine einzige Vorschrift verletzt hätten – und das stimmte. Dabei gehören die österreichischen Auflagen zum Betrieb von Seilbahnen zu den schärfsten der Welt. Aber an eine solche Verkettung von unglücklichen Zufällen, die schließlich zur Katastrophe führte, hatten der Gesetzgeber und seine Sachverständigen einfach nicht gedacht.

Keiner der Konstrukteure behielt den gesamten Apparat im Blick. Der Verantwortliche für die Bremsleitungen war nicht mit dem Heizlüfter befasst, und umgekehrt. Und selbst wenn – wohl niemand hätte das Problem gesehen. Schließlich hängt die Sicherheit eines Seilbahnwagens im Normalfall nicht von einer Hydraulik-Messleitung ab. Und der mit Schwachstrom betriebene Heizlüfter galt als ein belangloses Detail, nicht als ein gefährliches Gerät.

Tatsächlich gehen die wenigsten Katastrophen auf das Konto so genannter Risikotechnologien. Wenn man drohende Gefahren kennt, kann man vorbeugen; wer mit Dynamit hantiert, setzt sich einen Helm auf und evakuiert die Umgebung. Zu Desastern kommt es meistens dann, wenn harmlose Details auf unvorhergesehene Weise zusammenwirken. «Der Unterschied zwischen einem unbedeutenden und einem fatalen Fehler liegt meist nicht im Fehler selbst, sondern darin, in welchem Zusammenhang er steht», schreibt der amerikanische Fachjournalist James Chiles, der die großen technische Unglücke des 20. Jahrhunderts analysiert hat.[2]

Ein Heizlüfter für sich genommen ist harmlos, eine Messleitung ebenso, doch gemeinsam können sie mörderisch sein – wenn sie auch noch mit entzündlichen Fußmatten und Kabelkanälen zusammentreffen. Niemand kann alle Kombinationen von Umständen, die irgendwann gefährlich werden könnten, voraussehen. Doch dies hatten sich die Ingenieure von Kaprun offensichtlich nicht bewusst gemacht. Ihr größtes Versagen lag nicht in einer Fehlkonstruktion, sondern darin, dass sie sich in falscher Sicherheit wiegten. Im Unglückswagen von Kaprun gab es weder Feuerlöscher noch Nothämmer zum Einschlagen der Scheiben, weil ein Brand einfach nicht vorgesehen war. Offenbar dachte die Seilbahngesellschaft, die alle

Vorschriften penibel befolgte, jegliches Risiko ausgeschaltet zu haben. «Ich hielt die Kapruner Gletscherbahn für das sicherste Verkehrsmittel der Welt», erklärte der Betriebsleiter vor Gericht.

So handelte man nach einer Devise, die der Dichter Christian Morgenstern schon zu Beginn des technischen 20. Jahrhunderts verspottet hatte:

«Weil, so schließt er messerscharf,
nicht sein kann, was nicht sein darf.»[3]

Dieses Denken wurde 155 Menschen zum Verhängnis.

Kleinigkeiten, die zur Katastrophe führen

Der Experte Chiles nennt ein Unglück wie dieses einen Systembruch. Der Begriff stammt aus der Sprache am Bau: Ein winziger Riss in einem Stahlträger, den niemand erkennt, kann sich immer weiter vergrößern, bis der Träger bricht und schließlich ein ganzes Gebäude zusammenstürzt. Nach diesem Muster kam es zum Unglück im Stollen von Kaprun. Der defekte Heizlüfter steckte das Öl aus der Bremsleitung in Brand, die Flammen breiteten sich aus, gewannen ihre zerstörerische Gewalt aber erst durch den Luftzug im Tunnel. Katastrophen entfalten sich schrittweise.

Entscheidend ist, dass sich das System in jeder Phase des Desasters selbst weiter aus dem Gleichgewicht bringt. Wenn aufgereihte Dominosteine umkippen, stößt ein jeder seinen Nachbarn um. Ein Systembruch ist schlimmer – als würde ein nur leicht wackelnder Dominostein den nächsten in Schwingung versetzen, dann die ganze Reihe ins Schlingern geraten und diese, nachdem einzelne Steine schon gekippt sind, plötzlich an der gesamten Front zugleich zusammenbrechen. Gerade weil Systembrüche ihre eigene Dynamik entwickeln, können sie unvorhersehbar sein. Wenn nämlich ein Vorgang, einmal begonnen, sich per Rückkopplung selbst verstärkt, genügt oft als Auslöser ein für sich belangloser Zufall.

Als im Juli 2000 die Concorde auf ein Pariser Hotel stürzte, war der Anlass ein Metallstreifen, den eine andere Maschine kurz zuvor auf der Rollbahn des Flughafens Charles de Gaulle verloren hatte. Das Überschallflugzeug rollte darüber; das kleine Teil aus Titan genügte, um eine Kettenreaktion auszulösen, in der ein System der Maschine das nächste zerstörte. Erst platzte ein Reifen. Die Fetzen wurden gegen einen Tank auf der Unterseite des Flügels geschleudert; die Schockwelle des Aufpralls durchquerte den Tank und ließ ihn platzen. Kerosin trat aus und wurde statt Luft in das linke Triebwerk gesaugt, das nun einen Feuerstrahl ausstieß und nicht mehr die nötige Leistung erbrachte.

Was konnte der Pilot Christian Marty in diesen letzten zwei Minuten seines Lebens noch ausrichten? Als er im Cockpit die Feuerwarnung für das linke Triebwerk aufleuchten sah, zog sein Flugzeug schon einen zweihundert Meter langen Flammenschweif hinter sich her. Ohnehin war es ein Fehlalarm, denn die Turbine spie zwar Feuer, brannte selbst aber nicht – Sicherheitsvorkehrungen stiften in kritischen Situationen mitunter mehr Verwirrung, als sie nützen, weil sie das wahre Problem verdecken können. Als nämlich Marty das linke Triebwerk wegen des Feueralarms abschaltete, brachte er das Flugzeug erst recht aus dem Gleichgewicht. Mit 109 Menschen fiel die Maschine vom Himmel.[4]

Die Kosten der Komplexität

Gebilde von einiger Komplexität sind launenhaft. So argumentiert der amerikanische Techniksoziologe Charles Perrow, der im Auftrag des US-Präsidenten den Reaktorunfall von Three Miles Island analysierte; kaum jemand auf der Welt hat mehr Unglücke und verschiedenartige Katastrophen untersucht als er. Perrows Erfahrungen, von denen er in einem Buch mit dem Titel «Normale Katastrophen» berichtet, ernüchtern. Bedienungsfehler und Materialmängel, die wir gemeinhin als die Ursache technischer Desaster ansehen, gibt es seiner Ansicht nach zwar durchaus. Gefährlich werden sie aber erst durch das System, in dem sie wirken – durch die engen Verknüpfungen zwischen den einzelnen Teilen, die das Ganze unberechenbar machen. Je komplizierter die Welt wird, die wir uns schaffen, desto schwerer können wir deshalb die Folgen unseres Tuns voraussehen, desto weniger vermögen wir harmlos von riskant zu unterscheiden.

Das folgt aus der großen Zahl von Möglichkeiten, die eine immer umfassendere Technik erzeugt. Ein Flugzeugcockpit mit vierzig Schaltern ist sparsam bestückt, doch schon diese Tasten ermöglichen mehr als eine Billion Kombinationen von «Ein» und «Aus». Die meisten Einstellungen davon sind sinnvoll oder zumindest unproblematisch. Aber manche können lebensgefährlich sein – nur welche?

Schon eine Standseilbahn, wahrlich keine Ausgeburt der Hochtechnologie, besteht aus Tausenden Teilen. Selbst in solch einem mäßig komplizierten System ist es kaum menschenmöglich, alle Eventualitäten zu bedenken – etwa welch tödliche Überraschung ein Heizlüfter und eine Bremsleitung anrichten können.

Warum Murphys Gesetz stimmt

Mitunter erscheint selbst eine Kleiderkommode verhext. Verschwinden auch bei Ihnen die Socken, und zwar ausgerechnet so, dass die Schublade immer voll unbrauchbarer Einzelgänger ist? Da der statistisch nicht ausgebuffte Verstand sich das kaum erklären kann, stehen wir vor zwei Möglichkeiten: Entweder wir zweifeln an unserer Wahrnehmung und glauben, wir haben uns das Phänomen nur eingebildet. Oder aber wir ergehen uns in leichter Paranoia und bezichtigen je nach Lebenslage und Temperament die Putzfrau, den Partner oder gar das Universum der Bösartigkeit.

Tatsächlich ist das Prinzip der größten Gemeinheit in der Kommode höchst real. Doch dahinter steht nichts weiter als die Zahl der möglichen Kombinationen, von denen die meisten für uns ungünstig sind. Weil Strümpfe nicht wissen, zu wem sie gehören, und folglich unabhängig voneinander vom Trockengestell fallen oder im

Spalt hinter der Waschmaschine verschwinden, ist es höchst unwahrscheinlich, dass nach ein paar Verlusten alle Paare vollständig sind. Das hat der englische Physiker Robert Matthews vorgerechnet: Wenn Ihnen von zehn Paar Socken sechs einzelne abhanden gekommen sind, ist das denkbar schlechteste Ergebnis (nur noch vier Paare und sechs einzelne Strümpfe in der Schublade) hundertmal so wahrscheinlich wie das beste (sieben Paare).[5]

Noch simpler ist die Erklärung dafür, dass die Schlange, in der wir warten, so oft die langsamste ist. Wenn wir im Stau vor der Supermarktkasse nach rechts und links blicken, muss in den meisten Fällen schon der Blick auf die unmittelbaren Nachbarn deprimieren: Inklusive unserer eigenen beobachten wir dann drei Schlangen; folglich beträgt die Chance, dass es gerade in unserer am schnellsten vorwärts geht, nur eins zu drei – nicht besonders viel. Und je mehr Kassen wir beobachten, umso öfter muss der Vergleich ärgerlich ausfallen.

«Wenn irgendetwas schief gehen kann, dann geht es auch schief», soll der amerikanische Flugzeugingenieur Edward A. Murphy nach dem Zweiten Weltkrieg gesagt haben, als bei seinen Versuchen mit einem raketengetriebenen Schlitten im entscheidenden Augenblick die Messgeräte versagten. Was uns immer wieder ein Bein stellt und manchmal Opfer fordert, sind allerdings nicht ein hinterhältiges Schicksal, die Schlechtigkeit der Mitmenschen oder unser eigenes Versagen, sondern schlicht die unerbittlichen Gesetze der Wahrscheinlichkeit. Der Satz, der Murphy unsterblich machte, ist übrigens selbst ein Beispiel für seine Gültigkeit. Murphys Witwe schwört nämlich, ihr verstorbener Mann habe etwas anderes gesagt: «Wenn es mehr als eine Möglichkeit gibt, eine Sache zu erledigen, und eine der Möglichkeiten endet in einem Desaster, dann findet sich jemand, der diesen Weg einschlägt.»

Gefährliche Netze

Besonders anfällig für die Bosheiten von Murphys Gesetz ist die Software, die längst nicht mehr nur in Computern, sondern überall ihre Dienste tut: in Flugzeugen, Autos, Handys, Spülmaschinen, Spielzeug. Denn wo immer sie können, ersetzen Ingenieure Mechanik durch Elektronik. Das ist billiger und im Normalfall auch zuverlässiger, weil Chips nicht verschleißen. So sind wir abhängig von Programmen geworden – und vergessen dabei, dass versteckte Tücken in nahezu jedem von ihnen lauern. Umso größer fällt der Schaden aus, wenn sich ein winziger Softwaredefekt Bahn brechen kann. Dann spielen Roboter verrückt, Telefonnetze, Stromversorgung und Banken brechen zusammen. Raketen fallen zu Boden, wie die europäische Ariane 5, in deren Steuercomputer sich ein winziger Programmierfehler verbarg. Flugzeuge stürzen ab, wie im Jahr 1991 eine brandneue Boeing 767 der österreichischen Lauda Air mit 223 Urlaubern an Bord. Der Hersteller hatte eine selten gebrauchte Funktion der elektronischen Triebwerkssteuerung nicht genügend getestet.

Wie sich Komplexität in Pannen übersetzt, kann jeder auf seinem Schreibtisch im Kleinen erfahren. Als Microsoft im Jahr 1981 die Urversion seiner Betriebssysteme auf den Markt brachte, bestand das Programm aus 4000 Befehlszeilen. MS-DOS war alles andere als ein Meisterstück der Softwaretechnik, doch es lief – meistens – fehlerfrei. Seither sind Umfang und Unübersichtlichkeit um das fast Zehntausendfache gewachsen. Damit stieg auch die Wahrscheinlichkeit, dass das Programm nicht so funktioniert, wie der Benutzer es will. Die aktuelle Version von Windows mit dem Kürzel XP umfasst 30 Millionen Zeilen. Wie viele Fehler darin stecken, kann bei Microsoft niemand sagen[6]; mit unvorhergesehenen Systemabstürzen und Sicherheitslücken hat die Firma längst ihren Frieden geschlossen. Alle paar Monate erhalten die Kunden eine neue CD-ROM, die zwischenzeitlich entdeckte Probleme beheben soll.

Programme verhalten sich schon unvorhersehbar, wenn sie nur drei bis vier unerkannte Fehler pro tausend Anweisungen enthalten.

Mit halb gar auf den Markt gebrachter Software verdient die Industrie viel Geld; dennoch wäre es ungerecht, für den unablässigen Ärger mit dem Rechner allein Bill Gates und Co. zum Teufel zu wünschen. Die Wurzeln der Misere liegen tiefer: Wir verlangen von unseren Computern immer mehr.

Was kommen würde, sah schon Alan Turing, der Vater der Informatik, voraus. Er bewies, dass es grundsätzlich keinen Weg gibt, die Fehlerfreiheit eines Programms unter allen möglichen Eingaben zu beweisen. Für einen vollständigen Test müsste der Benutzer nämlich von vornherein im Besitz allen Wissens sein, das er mit seiner Software überhaupt gewinnen kann. Aber dann könnte er sich das Programm natürlich auch sparen.

Je leistungsfähiger ein Rechner ist, desto mehr Daten stammen nicht vom Menschen an der Tastatur, sondern aus der Maschine selbst – etwa die Signale irgendeines Maustreibers, der sich aus unerfindlichen Gründen mit dem Tabellenkalkulationsprogramm nicht verträgt. So entwickelt das Gerät ein Eigenleben, das dem Nutzer weitgehend verborgen bleibt. Turings Einsichten erklären auch, warum alle mit dem Internet verbundenen Anwendungen besonders pannenanfällig sind: Mit dem weltweiten Netz erklimmen die Rechner eine neue Stufe der Komplexität. Nicht nur können sich Störungen rasend schnell über die ganze Erde ausbreiten – der Benutzer hat auch kaum Chancen, zu verhindern, dass Daten seinen Computer erreichen, mit denen dieser nicht umgehen kann.

Leider hilft es nicht weiter, in Software zusätzliche Sicherungen einzubauen. Jede Zeile Code für den doppelten Boden bläht das Paket zusätzlich auf und erzeugt neue Fehlerquellen. Und aus Gründen wie denen, die Turing erkannte, kann das Überwachen eines Programms aufwendiger sein, als die Ergebnisse zu berechnen, die man eigentlich von ihm will.[7] So bleibt Herrn und Frau Jedermann am Computer nur, sich damit abzufinden, dass sich ein großes Programm manchmal wie zufällig verhalten muss – und sich zu wundern, dass ihr Rechner nicht noch öfter abstürzt. Ein schwacher Trost.

Oldtimer im All

Heute verliert allein die US-amerikanische Wirtschaft durch Softwarefehler mehr als 100 Milliarden Dollar im Jahr.[8] Und in jenem Maße, in dem Computer weitere Verbreitung finden und stärker miteinander vernetzt werden, dürften die Schäden noch wachsen.[9] Ein großer Teil der Systemabstürze ist dem Tempo des technischen Fortschritts geschuldet. Tester haben einen schweren Stand, wenn über die Chancen eines neuen Produkts vor allem die Geschwindigkeit entscheidet, mit der es auf den Markt kommt. Heute tüfteln Entwickler bereits an neuen Produktgenerationen, wenn noch nicht einmal deren Vorvorgänger Marktreife erreicht haben. Das ist, als würde eine schwangere Frau ihren Urenkel zur Universität anmelden. Das Resultat ist Technik mit schweren Geburtsfehlern – wie die Pentium-Prozessoren gleich mehrerer Generationen, die sich teils beim Dividieren verrechneten, teils ihre Arbeit unvermittelt ganz einstellten.

Die Lösung des Problems liegt auf der Hand. Gerade bei Systemen, die so komplex sind, dass sie keine Voraussage über ihr Verhalten erlauben, hilft es nur, sie unter möglichst vielen Umständen kennen zu lernen. Auf besonders radikale Weise praktiziert dies die NASA. Weil das Leben der Astronauten an ihren Computern hängt, versieht die amerikanische Raumfahrtbehörde ihre Stationen im Orbit grundsätzlich nur mit längst veralteten Rechnern. Auch wenn sich auf der Erde niemand mehr mit einem 386er Prozessor abgeben würde – gerade weil diese Technik ihre große Zeit hinter sich hat, bietet sie optimale Sicherheit. Zwar müssen die Astronauten mit Geräten auskommen, die viel weniger leistungsstark sind, als sie sein könnten; sie profitieren aber von den Erfahrungen, die Millionen Benutzer mit dieser Technik gesammelt haben, als sie aktuell war. Aus diesem Grund hat die amerikanische Raumfahrt, obwohl sonst wahrlich nicht vor Katastrophen gefeit, in den letzten Jahrzehnten zumindest keine Schäden durch eigenwillige Computer erlitten.

Dass ein derart umsichtiges Vorgehen keineswegs den Verzicht auf Fortschritt bedeuten muss, ja ihn nicht einmal zwangsläufig verlangsamt, hat die Mozilla-Stiftung bewiesen. Dieser weltweite Verbund von Programmierern arbeitet an einem Internetbrowser, der auf allen Systemen laufen und den unsicheren Explorer von Microsoft ersetzen soll. Dabei entsteht die Software nicht wie ein fest gefügtes Gebäude, sondern wächst eher wie eine Pflanze heran, die sich ständig verändert. Entscheidend ist die Häufigkeit, mit der die Programmierer Informationen über ihr System einholen: Jeden Monat verteilen sie eine verbesserte Programmversion an die Benutzer. Tausende Computerfreaks lassen sich sogar jede Nacht eine neue Fassung auf ihren Rechner laden. Wenn der Browser abstürzt, tritt eine Routine in Aktion, die den Programmierern über das Internet automatisch die Umstände des Versagens meldet. Der umfassende Entwurf, der große Sprung nach vorn ist also ständigem Weitertasten gewichen. Zwar wirkt das Rennen zwischen Programmentwicklern und Softwareabstürzen immer noch wie der Wettkampf von Hase und Igel, doch ist der Vorsprung des Gegners auf Haaresbreite geschrumpft. Einmütig loben Anwender und Presse Mozilla als den besten heute erhältlichen Browser.[10]

Mit dem Schlimmsten rechnen

Kein Fußballteam würde ohne eine größere Zahl Ersatzspieler auf der Bank zu einer Meisterschaft antreten. Dabei ist es extrem unwahrscheinlich, dass alle diese Männer auf das Feld dürfen. Wann haben schon drei Mittelfeldspieler gleichzeitig ein Formtief, müssen zudem gleich mehrere Stürmer und Verteidiger nach ein paar Fouls vom Rasen getragen werden? Aber mit dem Schlimmsten ist immer zu rechnen.

Ein Trainer, der mit überzähligen Spielern anreist, handelt fehlertolerant. Darin liegt nach der Mozilla-Methode des ständigen Weitertastens die zweite Strategie, um den Zerstörer Zufall in Schach zu halten.

Wer fehlertolerant denkt, ist sich bewusst, dass er Pannen nicht ausschließen kann. Das Abschließen einer Haftpflichtversicherung oder das Anlegen eines Sicherheitsgurts sind fehlertolerantes Verhalten. Nach derselben Maxime handelt ein Softwareingenieur, der sein Programm so schreibt, dass es auch dann nicht abstürzt, wenn eine Katze über die Tastatur läuft; ebenso ein Zirkusdirektor, der unter dem Hochseil ein Netz spannt. Sie alle schalten den Zufall nicht aus, mindern aber dessen unliebsame Folgen.

Bei komplizierten Systemen bedeutet Fehlertoleranz oft, einen Systembruch zu verhindern. Das lässt sich erreichen, indem man Sperren vorsieht, an denen sich ein Schaden nicht weiter auszubreiten vermag. In Fabriken, die mit Risikosubstanzen hantieren, liegen die verschiedenen Gefahrenzentren so weit voneinander entfernt, dass eine Explosion die anderen Gebäude nicht in Mitleidenschaft ziehen kann. Ähnlich hat die amerikanische Marine auf die Entwicklung neuer Gefechtsköpfe reagiert, die jede Panzerung durchschlagen: Neue Kriegsschiffe müssen so ausgelegt sein, dass sie sogar nach einem Treffer ins Munitionsdepot kampftauglich bleiben.[11]

In einer Sprengstofffabrik oder auf einem Schlachtschiff ist völlige Sicherheit Illusion. Sie wird gar nicht erst angestrebt. Stattdessen bemüht sich fehlertolerante Planung um größtmögliche Schadensbegrenzung, und diese Strategie eignet sich ebenso für den Umgang mit anderen komplexen Systemen. Die Sehnsucht nach Risiko null hingegen schafft oft mehr Gefahren, als sie beseitigt.

Auch das ist eine bittere Lehre aus der Katastrophe von Kaprun: Unter der Maßgabe, dass ein Brand im Stollen unter allen Umständen ausgeschlossen sein soll, hätte die Gletscherbahn nie in Betrieb gehen dürfen. Denn ein solcher Nachweis lässt sich in Wahrheit gar nicht führen. Die Betreiber allerdings wähnten sich in der Sicherheit, sie hätten ihn geführt. So kam ihnen der Gedanke an Feuerlöscher gar nicht in den Sinn.

Wie viel wirkungsvoller es sein kann, den Schaden eines Unglücks möglichst gering zu halten, statt auf das Abwenden aller Unglücke zu setzen, zeigt der Vergleich von Eisenbahnunfällen in Deutschland und England. Zwar ist die Deutsche Bahn der britischen darin weit überlegen, Unfälle zu vermeiden.[12] Aber bei der Katastrophe von Eschede am 3. Juni 1998 waren 101 Tote zu betrauern, fast drei Viertel von ihnen erlagen schweren Kopfverletzungen. Sie waren in dem entgleisten ICE umhergeschleudert worden und gegen Sitze und Wände geprallt.

Drei Jahre später raste im nordenglischen Selby ein Hochgeschwindigkeitszug in einen Güterzug. Weil sich beide aufeinander zubewegten, war die Aufprallenergie mehr als doppelt so groß wie in Eschede. Doch nur zehn Personen starben, mehr als hundert wurden gerettet. Sie haben ihr Leben der Konstruktion der britischen Waggons zu verdanken: Zwischen den meisten Sitzreihen stehen Tische, welche die Fahrgäste bei einem Aufprall wie Sicherheitsgurte an ihren Plätzen fixieren. Die Lehnen der Sitze dagegen sind so flexibel gebaut, dass sie nachgeben, wenn ein Passagier gegen sie stößt. So kamen die meisten Menschen im Unglückszug von Selby mit leichteren Verletzungen davon.

Die Last auf vielen Schultern tragen

Systembrüche gibt es auch im menschlichen Körper. Krebs beispielsweise entsteht, wenn in einer Körperzelle zufällig Gene mutieren. Die Veränderungen bei der Mutation betreffen zunächst nur einige Atome, die weniger als einen millionstel Millimeter messen. Doch wenn aus irgendeinem Grund die Reparaturmechanismen versagen, kann sich die gestörte Zelle unkontrolliert vermehren; ein Tumor wächst, der seine Ableger im ganzen Körper streut. Von der ersten Mutation bis zum Tod des Patienten können Jahre vergehen, in denen der Defekt zunächst unbemerkt bleibt, bis den Ärzten am Ende die Mittel fehlen, noch einzugreifen.

Doch dies ist die tragische Ausnahme. Denn zu Mutationen kommt es ständig im Körper, und fast immer bleiben sie folgenlos. Der Fehler im Erbgut wird ausgebessert; im schlimmsten Fall bringt die betroffene Zelle automatisch ein Selbstmordprogramm in Gang, damit sich der Defekt nicht weiter ausbreiten kann. Sollte dennoch ein Tumor heranwachsen, wird offenbar automatisch die Blutzufuhr dorthin gedrosselt, damit das Geschwür klein bleibt.[13]

Vermutlich existieren weitere solcher Sicherheitsmechanismen: Unser Körper ist ein so komplexes Gebilde, dass wir trotz aller Fortschritte der molekularen Medizin die Bandbreite all dessen, was darin geregelt wird, noch nicht einmal erahnen.

Ingenieure können von ihrem eigenen Körper einiges lernen, denn dieser ist nach einem ganz anderen Prinzip organisiert als die meisten ihrer Konstruktionen – und weit weniger störanfällig als alle Technik, die es je gab. Jede Aufgabe in unserem Organismus ist auf zahllose Zellen verteilt. Eine jede von ihnen ist mit einer Membran, die nur wenige Öffnungen aufweist, von der Außenwelt abgeschirmt und funktioniert wie eine eigene, weitgehend unabhängige Maschine. Tag für Tag sterben Tausende von Zellen ab; ebenso viele werden neu gebildet, ohne dass wir etwas davon merken. Selbst wenn wir eine ganze Niere oder, wie nach einem Schlaganfall, einen Teil unseres Gehirns einbüßen, leben wir weiter. Gerade bei Hirnschäden springen oft benachbarte Zellen ein und übernehmen die Arbeit des zerstörten Gewebes. Das können sie nur, weil es keine Zentralgewalt gibt. Ein Gedankenexperiment zeigt, wie überlegen diese verteilte Architektur ist: Wäre unser Gehirn aufgebaut wie ein Computer, gäbe es darin einen zentralen Prozessor, der für die Steuerung aller Hirnfunktionen zuständig ist. Dann könnte ein dummer Zwischenfall den Absturz des ganzen Systems auslösen, mit fatalen Folgen: Weil jemand beispielsweise eine unerwartete Bemerkung losgelassen hat, würden wir aufhören zu atmen – und sterben.[14]

Zufälle verlieren ihre Schrecken, wenn man eine kostbare Last auf viele Schultern verteilt. Dies ist eine der wirkungsvollsten Strategien, um mehr Sicherheit in komplexen Gebilden zu schaffen. Zumindest ansatzweise verwirklichen Ingenieure dieses Prinzip heute bereits. Im Airbus A 320 zum Beispiel können vier verschiedene Computer das Höhenleitwerk betätigen. Fallen sie allesamt aus, gibt es zudem eine elektromechanische Steuerung. Noch weiter sind Konstrukteure des Space Shuttle gegangen. Die drei Rechner, welche die Raumfähre steuern, arbeiten nicht nur unabhängig voneinander, sondern wurden obendrein von verschiedenen Teams programmiert. Manchmal kommen sie zu unterschiedlichen Ergebnissen, dann entscheidet die Mehrheit. Diese Demokratie der Computer verringert die Gefahr, dass ein Programmfehler den Shuttle zum Abstürzen bringt.[15]

Sich verstehen oder untergehen

In jeder durchschnittlichen Arbeitsstunde machen wir drei Fehler.[16] Die meisten Irrtümer sind unbedeutend und werden sofort korrigiert. Nur selten ziehen diese Schnitzer weitere Kreise. Aber Maschinen sind wie verlängerte Arme des Menschen, sie verstärken unser Handeln im Guten wie im Schlechten. Darum kann Technik selbst dann riskant sein, wenn sie störungsfrei arbeitet. Denn je mächtiger sie ist, desto verheerender können sich die Versehen auswirken, die ihren Bedienern unterlaufen.

Zudem fordern Maschinen mit mehr Leistung in kritischen Momenten auch mehr Aufmerksamkeit. Ein Pilot muss beim Landen eines Propellerflugzeugs sechsmal pro Minute, beim Anflug eines Düsenjägers auf einen Flugzeugträger hingegen sechzigmal pro Minute Entscheidungen treffen.[17] Dabei hängen von seinem Handeln im Propellerflugzeug die Leben einer Hand voll Passagiere, auf dem Flugzeugträger aber die von vielen hundert Soldaten ab: Ein kleines Missgeschick würde das ganze Schiff in Flammen aufgehen lassen.

In solchen Augenblicken müssen Mensch und Technik, aber auch die Menschen untereinander perfekt zusammenarbeiten, wenn es nicht zur Katastrophe kommen soll. Die kleinste Störung im Ablauf wird sofort bestraft. Schon ein Missverständnis kann zu einer falschen Entscheidung führen, deren Folgen sich nicht mehr ausbügeln lassen.

Wie lebenswichtig reibungslose Kommunikation ist, hat Reiner Kemmler gezeigt, der den psychologischen Dienst der Lufthansa leitet. Er hat fast 2000 Zwischenfälle ausgewertet, die sich in Maschinen seiner Gesellschaft ereignet haben – von der harmlosen Unregelmäßigkeit bei der Landung bis zum Beinahezusammenstoß. Bei zwei Dritteln dieser Ereignisse gaben die anonym befragten Besatzungsmitglieder zu, dass ihre Zusammenarbeit nicht geklappt habe.[18]

Wenn Pilot und Kopilot einander anschreien, können Missverständnisse nicht ausbleiben. Obendrein bindet der Ärger Aufmerksamkeit, welche die Besatzung für Wichtigeres brauchte. Ziehen dann auch noch Turbulenzen herauf oder legt ein Vogel eine Turbine lahm, schweben die Insassen der Maschine in Gefahr. Glücklicherweise hat das Personal der Lufthansa derartige Situationen bislang immer gemeistert.

Doch ebensolche Missverständnisse, falsch verstandene Autorität und eine gespannte Atmosphäre waren die Ursache des schwersten Unglücks der Luftfahrtgeschichte. Am 12. März 1977 war auf dem Flughafen von Las Palmas eine Bombe explodiert, deshalb mussten ein amerikanischer Jumbojet und ein zweiter der holländischen KLM nach Teneriffa ausweichen. Beide Besatzungen ärgerten sich über die unerwartete Zwischenlandung: Die Amerikaner waren schon seit mehr als zehn Stunden bei der Arbeit, und die Holländer fürchteten, nicht mehr vor Dienstschluss Amsterdam zu erreichen.

Als Las Palmas endlich wieder freigegeben war, sollte erst die holländische, dann die amerikanische Maschine starten. Inzwischen war dichter Nebel über die Insel gezogen. Als der KLM-Jet das Ende der Startbahn erreicht und gewendet hatte, gab Kapitän Jacob van Zanten das Kommando zum Abheben. Auf einem später geborgenen Tonband hört man erst den Kopiloten einwenden, dass der Tower noch keine Freigabe erteilt habe, dann den Bordingenieur fragen, ob nicht die PanAm-Maschine noch auf der Bahn unterwegs zu ihrer Startposition sei. Doch als van Zanten in harschem Ton widersprach und den Triebwerken vollen Schub gab, beugten sich beide; schließlich galt der Mann als erstklassiger Pilot. Fünf Sekunden später sah der Pilot der PanAm die andere Maschine aus dem Nebel auf sich zurasen. Ein Ausweichmanöver schlug fehl, 583 Menschen kamen um.

In der viel einfacheren Welt des 18. Jahrhunderts forderte der Philosoph Immanuel Kant seine Zeitgenossen auf, nichts unbesehen zu glauben, sondern sich ihres eigenen Verstandes zu bedienen. Was Obrigkeiten in der Gesellschaft angeht, sind wir ihm gefolgt. Von jedem Politiker und Polizisten verlangen wir heute, sich zu erklären. Doch es kommt auch überall dort, wo Menschen Risiken bewältigen müssen, auf die kritische Vernunft jedes Einzelnen an – und auf das Vermögen, Meinungsverschiedenheiten schnell und wirkungsvoll zu lösen. Je komplizierter eine Umgebung ist, desto weniger Raum bietet sie für unangreifbare Autorität. Nicht nur in der Technik ist grenzenloses Vertrauen auf eine Zentralgewalt gefährlich. Ob es, wie bei der Steuerung des Airbusses, um Computer geht oder um Menschen – das Maß der Sicherheit steigt, wenn mehrere Instanzen parallel mit Entscheidungen betraut sind und erst handeln dürfen, wenn sich alle geeinigt haben.

Dies haben auch die Fluggesellschaften erkannt. Seit der Katastrophe von Teneriffa bemühen sie sich um ein besseres Verständnis im Cockpit. Der Pilot hat keine unumschränkte Befehlsgewalt mehr, und die Besatzungen werden nicht nur am Flugsimulator, sondern auch im kollegialen Verhalten geschult. Kommandoton ist verpönt, weil er in kritischen Situationen gefährliche Folgen haben kann. Unter Anleitung von Psychologen müssen Kapitäne, Offiziere und Kabinenpersonal üben, offene Kritik anzubringen und zu akzeptieren; die eigenen Absichten, aber auch Zweifel kundzutun; Reibereien in der Mannschaft direkt anzusprechen. All das sei kein Luxus für gesteigertes Wohlbefinden bei der Arbeit, sondern vielmehr unverzichtbar, sagt der Lufthansa-Psychologe Kemmler: «Die Maschinen sind heute so weit entwickelt, dass sie uns spüren lassen: ‹Wenn ihr nicht miteinander könnt, bringe ich euch um.›»

Der Lohn der Angst

Die Insassen der beiden Jumbojets starben, weil Kapitän van Zanten sich zu sicher fühlte. Er ließ seinen Kopiloten nicht noch einmal bei der Flugsicherung rückfragen, weil er offenbar mit seinen Gedanken woanders war und einen Zusammenstoß auf der Startbahn gar nicht in Betracht zog – so, wie die Betreiber der Kapruner Gletscherbahn sich kein Feuer in ihrer Seilbahn vorstellen konnten. Doch wer sich außer Gefahr glaubt, lebt riskant. Zu den meisten Unfällen in den Alpen kommt es keineswegs beim Erklettern senkrechter Wände, denn wer in den siebenten Schwierigkeitsgrad einsteigt, seilt sich an. Bergunfälle ereignen sich vielmehr, wenn Unerfahrene in leichtem Gelände ihre Grenzen nicht kennen.

Dass zu viel gefühlte Sicherheit schadet, zeigt sich schon im Kleinen. Wo würden Sie eher stolpern: in einem dunklen Gang voller Hindernisse – oder auf einem hellen Bürgersteig? Arbeitspsychologen haben in zwei Bergwerken die Probe gemacht. Die Stollen des einen waren gut beleuchtet und am Boden asphaltiert, die des anderen düster und uneben. Es gab mehr Unfälle auf den befestigten Wegen.[19] Zu einer ähnlichen Einsicht gelangten schwedische Verkehrspsychologen, die nach der optimalen Straßenmarkierung suchten. Dazu versahen sie Landstraßen mit unterschiedlichen Leuchtzeichen – und stellten fest, dass auf den am besten ausgestatteten Abschnitten die meisten Unglücke geschahen.[20]

Wenn wir kein Risiko sehen, machen wir Fehler, denn unsere Wachsamkeit lässt nach. So ist unser Gehirn programmiert. Angst und Aufmerksamkeit sind wie zwei Seiten derselben Medaille. Sobald wir irgendwo eine Gefahr zu erkennen glauben, springt ein Netzwerk von Neuronen an, das vom Hirnstamm ausgehend den gesamten unteren Teil unseres Gehirns durchzieht und für die Wachheit des Bewusstseins zuständig ist. (Darum verbringen wir bei Sorgen schlaflose Nächte.) Dieses so genannte retikuläre Aktivierungssystem bewirkt erhöhte Aufmerksamkeit, steigert die Muskelspannung und fordert die Großhirnrinde zu vermehrter Tätigkeit auf. In diesem Zustand sind wir bereit, schnell und richtig auf jeden unguten Zufall zu reagieren. Darum haben wir keinen Grund, die Angst zu fürchten, sondern sollten im Gegenteil dankbar sein, dass wir Angst empfinden können. Furcht lähmt erst, wenn sie überhand nimmt; doch meist bleibt sie im Hintergrund und ermöglicht dann fast schlafwandlerisch sicheres Handeln.[21] Auf dieser Erregung aus unterschwelliger Angst beruht die erstaunliche Leistung der Kampfpiloten, im Zehnsekundentakt sicher auf einem Flugzeugträger zu landen.

Umgekehrt ist es vielen Schauspielern mit Recht unheimlich, wenn sie kein Lampenfieber plagt: Im Zustand wohligen Gelöstseins lassen die Aufmerksamkeit und letztlich die Leistungsfähigkeit des Gehirns nach. Routinen laufen ohne Kontrolle des Bewusstseins ab, wir machen Fehler. Weil Angst, Erregung und Muskelspannung so eng zusammenhängen, führen Entspannungsübungen direkt in den Schlaf.

Damit kämpfen auch die Piloten großer Linienflugzeuge auf ihren Interkontinentalreisen. Seit Computer das Steuern der Jets übernommen haben, ist es schwierig geworden, ständig aufmerksam zu bleiben, um bei Problemen sofort eingreifen zu können. Zu viel Entlastung kann ein Risiko sein.

Ernüchterung breitete sich auch bei Polizei und Versicherern aus, als in den 1980er Jahren die ersten Autos mit Antiblockierbremsen fuhren. Zwar war das neue System technisch gesehen ein voller Erfolg – Fahrzeuge mit ABS kamen viel seltener ins Schleudern als gewöhnliche Wagen. Aber wer gehofft hatte, so die Unfallzahlen zu senken, irrte. In Wahrheit stießen Autos mit der neuen Technik nicht seltener als ältere Modelle mit anderen und mit Bäumen am Straßenrand zusammen. Denn wer ABS eingebaut hatte, war weniger aufmerksam und fuhr zudem aggressiver. Psychologen nennen das «Risikokompensation»: Wenn es dem Esel zu wohl wird, geht er aufs Eis.[22]

Abschied von Abrahams Schoß

Noch im Jahr 1995 schrieb sich der amerikanische Transportminister Federico de la Pena Risiko null auf die Fahnen: «Unser einziges Ziel für den Flugverkehr kann es sein, dass wir gar keine Unfälle mehr haben.» Nach den Anschlägen von Washington und New York, nach dem Absturz über dem New Yorker Stadtteil Queens kurz darauf klingt diese Forderung wie eine Parole aus einer fernen

Epoche. Tatsächlich hat die Branche die Hoffnung auf restlose Sicherheit aufgegeben. Nüchtern kalkuliert man heute bei der Lufthansa mit 25 «Totalverlusten» im gesamten weltweiten Luftverkehr jährlich.[23] Ein solches Wort für einen Unfall, bei dem die Maschine und das Leben aller Insassen zerstört werden, mag zynisch klingen. Das dahinter stehende Denken jedoch ist vernünftig.

Denn den Zerstörer Zufall in seine Schranken zu weisen heißt, ein Paradox zu akzeptieren: Wir können gegen unvorhersehbare Gefahren nur dann etwas unternehmen, wenn wir ständig mit ihnen rechnen. Wenn die Dinge allzu glatt gehen, erwarten wir kein Risiko mehr, und die Aufmerksamkeit wird eingelullt. Umso schrecklicher ist oft das Erwachen. Auch dafür sind die Attentate des 11. September 2001 ein Beispiel. Die Terroristen konnten nur deswegen vier Maschinen gleichzeitig in ihre Gewalt bringen, weil kein Mensch in den USA ernsthaft an eine Flugzeugentführung glaubte; entsprechend lax waren die Kontrollen auf den Flughäfen.

Eine Umgebung ohne spürbare Risiken ist gefährlich. Darum machen sich Sicherheitsexperten wie der Franzose René Amalberti dafür stark, «Zwischenfälle leben zu lassen».[24] Das fällt uns verständlicherweise nicht leicht. Wir wollen uns jederzeit sicher fühlen wie in Abrahams Schoß. Doch die Vernunft rät uns, von dieser Illusion Abstand zu nehmen. Das bedeutet nicht, in stoischen Gleichmut zu verfallen. Mit Zwischenfällen leben zu lernen heißt, sehr wohl jede sinnvolle Vorkehrung gegen echte Gefahren zu treffen. Nur gilt es zu verhindern, dass sich eine allzu beruhigte Stimmung breit machen kann.

Ein Beispiel dafür sind die zugegebenermaßen lästigen Prozeduren am Flugsteig. Technisch gesehen ist mit der Durchleuchtung des Handgepäcks und der Pforte des Metalldetektors, die der Passagier durchschreiten muss, der Kontrolle Genüge getan. Wer dies hinter sich gebracht hat, kann keine Waffe aus Metall bei sich haben. Dennoch gibt der Detektor, von einem Zufallsgenerator gesteuert, in unregelmäßigen Abständen Signal. Dann muss der Fluggast sich von Hand abtasten lassen. So wird das Sicherheitspersonal gezwungen, in der Aufmerksamkeit nicht nachzulassen.

Gerade um uns vor ihm zu schützen, sollten wir akzeptieren, dass der Zerstörer Zufall zu unserem Dasein gehört. Denn am sichersten leben wir dann, wenn wir uns ein wenig unsicher fühlen.

KAPITEL 15 FLIRT MIT DEM ZUFALL
Entscheiden in unklaren Lebenslagen

«Es gibt Regeln für das Glück,
denn für den Klugen ist nicht alles Zufall.»
Baltasar Gracián

Freudige Überraschungen gibt es sogar im Betrieb. Soeben hat Ihnen die Personalabteilung eröffnet, dass Sie aus dem vorigen Jahr noch zehn Urlaubstage guthaben. Allerdings müssen Sie den Resturlaub sofort nehmen, da der Anspruch sonst verfällt. Ihr Chef hat nichts dagegen, dass Sie sich für zwei Wochen verabschieden, und Ihr Partner ist begeistert, spontan mit Ihnen auf Reisen zu gehen. Aber wohin? Die Last-Minute-Angebote, die Sie im Internet finden, bieten alle Möglichkeiten: Darf es der Ferienclub in der Karibik, das Apartment auf Kreta oder das Landhotel in der Toskana sein?

Da fällt die Wahl schwer. Weil wir uns so oft mit Entschlüssen plagen, haben sich kluge Menschen Gedanken über hilfreiche Verfahren der Entscheidungsfindung gemacht. Was sie vorschlagen, liest sich in einem Standardlehrbuch der Entscheidungstheorie so: «Man sollte vor einer Entscheidung: a) die Handlungsmöglichkeiten auflisten; b) die möglichen Folgen dieser Handlungsalternativen identifizieren; c) die Wahrscheinlichkeit jeder dieser Folgen der entsprechenden Handlung bewerten; d) die Bedeutung oder den Nutzen jeder dieser Folgen bestimmen und schließlich e) all diese Werte und Wahrscheinlichkeiten so verrechnen, dass sich ein zu bevorzugender Handlungsverlauf ergibt.»[1]

Hilft Ihnen das? Wohl kaum. Sie wären ja schon mit den ersten beiden Punkten überfordert. Sich sämtliche Angebote zu notieren mag noch möglich sein. Aber woher wollen Sie wissen, was Ihnen während der nächsten beiden Wochen auf den Bahamas oder auf Kreta alles zustoßen könnte? Möglicherweise lernen Sie hier Leute kennen, die zu Freunden fürs Leben werden, während man Ihnen dort den Mietwagen aufbricht. Erst recht sind die nächsten Punkte selbst bei diesem einfachen Problem absurd. Wenn Sie ernst nehmen, was der Katalog Ihnen aufträgt, müssten Sie sich darüber klar werden, mit welcher Wahrscheinlichkeit im Karibik-Hotel die Wasserleitungen klopfen und Sie sich auf Kreta an ranzigem Olivenöl den Magen verderben. Und dann gilt es, alle Schäden und Nutzen zu verrechnen: Wie interessant muss eine Begegnung am Ferienort sein, damit sie möglichen Ärger über Quallen im Meer aufwiegt?

Selbst wenn Sie das alles bedenken wollten, hätten Sie dazu gar nicht genug Zeit. Schließlich wollen Sie spätestens in ein paar Tagen in Urlaub fahren, nicht über Tabellen brüten. Um zu einer Entscheidung zu kommen, müssen Sie das Wichtige vom Unwichtigen trennen – und Zufälle in Kauf nehmen.

Vor vollen Töpfen verhungern

Oft wägen wir nicht lange ab, sondern wählen, wie uns gerade der Sinn steht. Doch anders, als es die Redewendung behauptet, ist es nicht «der Bauch», der entscheidet. Was immer wir tun, hat das Gehirn angeordnet; mitunter neigt es jedoch zu gefährlich vorschnellen Schlüssen. (Hätten Sie Linda, die Bankangestellte, richtig eingeschätzt?) Sowohl, um einer Überfülle an Daten Herr zu werden, als auch, um einen Mangel an Information auszugleichen, täuscht das Gehirn mehr Sicherheit vor, als angebracht ist.

Sich dessen bewusst zu sein nützt auf jeden Fall. Doch nicht immer verhilft allein die Kenntnis der Tricks unseres Gehirns zu einer besseren Entscheidung. Dies ist das ernüchternde Resultat vieler psychologischer Experimente: Sobald die Aufgaben im Labor nur annähernd lebensnah sind, tappen die Versuchspersonen auch dann in die Fallen des Denkens, wenn sie darüber aufgeklärt wurden und genau wissen, wie man sie vermeidet.[2] Offenbar überfordert es uns häufig, unter Unsicherheit eine vernünftige Wahl zu treffen.

Das Gehirn kann nicht beliebig viele Informationen verarbeiten. Es versucht sich ja gerade vor einer Überflutung zu schützen, indem es die Wirklichkeit vereinfacht. Wenn wir uns bewusst machten, dass die Dinge komplizierter liegen, als wir denken, bedeutet dies also nicht unbedingt eine Erleichterung – im Gegenteil. Zwar wissen wir nun, dass, wie und warum wir uns irren. Aber wer mit dieser Information im Hinterkopf einem Problem gerecht werden will, müsste beim Abwägen noch mehr Daten berücksichtigen. Wohl lässt er sich nun nicht mehr so leicht täuschen, kann aber die Realität in ihrer ganzen Vielschichtigkeit kaum würdigen. Vielmehr wird die Angelegenheit unüberschaubar – und der Mensch, der wählen muss, konfus. Wer zu wenig weiß, kann nicht richtig entscheiden; wer zu viel weiß, allerdings auch nicht.

Wollten wir in einer komplexen Situation alles Für und Wider abwägen, würden wir im Extremfall handlungsunfähig – wie der Esel des mittelalterlichen Logikers Johannes Buridan. Das Tier soll zwischen zwei Heuhaufen verhungert sein, weil es keinen vernünftigen Grund gab, vom einen und nicht vom anderen zu fressen.[3]

Der Preis der besten Entscheidung

In einer unübersichtlichen Lage hilft oft nur der Mut, Fehler zu machen. Dabei müssen wir uns nicht unbedingt auf das mitunter trügerische Bauchgefühl verlassen. Denn es gibt ein paar einfache Techniken, die Wahrscheinlichkeit und die möglichen Folgen von Irrtümern zu begrenzen.

Eine solche Strategie ist, sich für die erste Möglichkeit zu entscheiden, die bestimmte Mindestanforderungen erfüllt – unabhängig davon, ob es bessere Alternativen gibt. Wer sich schnell für ein Reiseziel zu entscheiden hat, kann sich einige wenige Kriterien überlegen, die erfüllt sein müssen. Sie könnten etwa «sonniges Klima», «Ruhe», «schöne Natur» und «Anreise in weniger als sechs Stunden» lauten. Sie suchen dann nur so lange nach einem Angebot, bis Sie eines finden, das diesen Kriterien gerecht wird. Diese Reise buchen Sie. Nun haben Sie eine gute Chance, einen angenehmen Urlaub zu verbringen. Sicherlich hätte es bessere und billigere Ziele gegeben, aber nur bei erheblich höherem Zeitaufwand für Recherche und Entscheidung.

Solch ein einfaches Denkmuster, um Entschlüsse in unsicherer Lage gleichsam nach Kochrezept schnell und sicher zu treffen, nennen Kognitionspsychologen eine «simple Heuristik».[4] Der Begriff kommt vom griechischen «Eureka» – «ich habe gefunden».

Vielleicht erscheint es Ihnen übertrieben, eine Last-Minute-Reise nach einem festen Schema auszuwählen. Tatsächlich aber kann ein solches Vorgehen in Situationen, in denen viel auf dem Spiel steht, das einzig Vernünftige sein. So trainiert etwa die Lufthansa ihre Piloten, sich bei kritischen Entscheidungen im Cockpit grundsätzlich an dieses Muster zu halten.[5] Wenn es an Bord brennt, die Triebwerke ausfallen oder sich eine andere gefährliche Lage abzeichnet, erwägt der Pilot den ersten möglichen Ausweg, der ihm einfällt. Wenn dieser das Problem löst und sicher ist, handelt er sofort – egal, ob er damit die Fluggäste strapaziert oder Schäden an der Maschine hervorruft. Sonst überlegt er weiter. Wahrscheinlich wird der Pilot keine optimale Entscheidung treffen. Aber jede Sekunde, die auf der Suche nach einer besseren Lösung verginge, könnte Hunderte Menschenleben kosten.

Wenn Raten Leben rettet

Ernten die dümmsten Bauern die dicksten Kartoffeln? Der Psychologe Gerd Gigerenzer, Direktor am Berliner Max-Planck-Institut für Bildungsforschung, scheint genau das zu behaupten: Oft führe sogar Raten zu einer besseren Entscheidung als eine detaillierte Analyse – und zu einer viel besseren als die oft gelobte Intuition.[6]

In einem seiner liebsten Beispiele für den Nutzen der simplen Heuristiken geht es um Leben und Tod: Ein Mann wird mit Schmerzen in der Brust ins Krankenhaus eingeliefert, es besteht Verdacht auf Herzinfarkt. Die Ärzte müssen nun innerhalb von Minuten festlegen, wie sie den Patienten versorgen wollen. Sollen sie ihn in die Intensivstation einweisen? Oder genügt es, den Kranken in einem gewöhnlichen Bett unter Beobachtung zu stellen? Normalerweise entscheiden die Mediziner nach Erfahrung und Intuition. Verständlicherweise wählen sie im Zweifelsfall so gut wie immer die aufwendigere Betreuung – und irren sich häufig: Fast zwei Drittel aller Patienten, die mit Verdacht auf Herzinfarkt auf der Intensivstation liegen, benötigen diese Art der Versorgung gar nicht, wie amerikanische Untersuchungen zeigen.[7] Von den enormen Kosten abgesehen, bringt die unnötige Einweisung ein Risiko für den Patienten mit sich. Auf Intensivstationen wimmelt es von Krankheitskeimen, die Ansteckungsgefahr ist entsprechend hoch.

Amerikanische Kardiologen haben deshalb ein computergestütztes System für die Entscheidung entwickelt. Dabei werden ein Dutzend Kriterien abgefragt; je nach Diagnose kann der Arzt dann aus einer Tabelle die Wahrscheinlichkeit ablesen, dass sein Patient ein Risikofall ist.[8] Tatsächlich wurden die Entscheidungen besser. Doch viele Ärzte verweigerten sich dem neuen Verfahren, dessen komplizierte Berechnungen sie nicht nachvollziehen konnten. Und welcher Mediziner überlässt seine Autorität schon gerne einem Computer?

So überlegten sich Gigerenzer und seine Kollegen eine Alternative, die jeder Kardiologe versteht. Nur drei Punkte soll der Arzt prüfen, in einer strengen Reihenfolge ähnlich dem Vorgehen im Lufthansa-Cockpit: Zeigt das EKG des Patienten eine bestimmte Unregelmäßigkeit[9], wird er sofort in die Intensivstation eingewiesen. Falls dem nicht so ist, fragt der Arzt, ob die Schmerzen in der Brust die stärksten aller Beschwerden sind. Wenn nein, bekommt der Kranke zunächst ein gewöhnliches Bett. Wenn ja, entscheidet der Mediziner danach, ob ein anderer Risikofaktor wie etwa ein früherer Herzinfarkt vorliegt. Vor einer solchen simplen Ja-Nein-Technik haben die Ärzte keine Scheu – und erreichen auf diese Weise laut Gigerenzer eine ähnliche Treffsicherheit wie mit dem weit komplizierteren mathematischen System.[10]

Weniger Information ist oft mehr: Diese Erkenntnis lässt sich auf viele Probleme übertragen, bei denen Entscheidungen notorisch schwierig sind. Gigerenzer regt an, es bei der Bewerberauswahl in Unternehmen einmal mit einer simplen Heuristik zu versuchen. Die angebliche Menschenkenntnis der Interviewer, die, wie wir sahen, unbewusst gleich nach dem «Guten Tag» über die Tauglichkeit des Kandidaten befinden, führt zu oft in die Irre. Mit besseren Erfolgen richten Konzerne heute so genannte Assessment Center ein, in denen die Bewerber für viel Geld tagelang beobachtet werden. Eine einfache Ja-Nein-Abfrage ausgewählter Kriterien könne schneller und billiger dasselbe leisten, glaubt der Berliner Psychologe.

Unter Skibergsteigern sind solche Entscheidungen nach einfachem Schema schon üblich. Früher rieten die Alpenvereine, bei Lawinengefahr vor der Tour einen Schnitt durch die Schneedecke zu graben. An der Art, wie die verschiedenen Schneeschichten aufeinander liegen, lässt sich theoretisch die Wahrscheinlichkeit von Lawinenabgängen ablesen. Tatsächlich aber hilft diese Strategie nur sehr bedingt weiter – nicht nur, weil sie zu viel Aufwand erfordert. Vielmehr ist jeder Hang, jede Wetterlage etwas anders; deshalb kann auch das mühsam gegrabene Schneeprofil keine Sicherheit bieten. «Vorhersage von Schneebrettern: Mission impossible», lautete das Fazit des französischen Geologen Alain Duclos, nachdem er jahrelang Lawinen beobachtet hatte. Allein im schneereichen Winter 1999/2000 starben mehr als zwei Dutzend Alpinisten unter der Obhut von Bergführern, die mit der Materie gut vertraut waren. Unter ihnen waren zwölf Teilnehmer eines Lawinenkurses für Skilehrer in Kitzbühel, die vor der Abfahrt mehrere Schneeprofile gegraben hatten.[11]

Unter dem Eindruck solcher Katastrophen lehren die Alpenvereine inzwischen ein radikal anderes Denken. Die Bergsteiger sollen sich nie in Sicherheit vor Lawinen wähnen und sich stattdessen bewusst sein, dass jede Tour ein Risiko darstellt. Dieses aber lässt sich nach einer einfachen Heuristik abschätzen: Der Alpinist hat nur Neigung und Himmelsrichtung eines fraglichen Hanges sowie eine Gefahrenstufe zu beachten, die der zentrale Lawinenwarndienst täglich herausgibt. Das Rezept ist so simpel, dass jeder es im Kopf behalten oder als Gedächtnisstütze ein rot-gelb-grünes Plastikkärtchen benutzen kann. Dennoch hätte dieses kleine Einmaleins vor jedem der Unglücke im Winter 2000 eine dringende Warnung gegeben.

Mittlerweise haben die Bergsteiger offenbar akzeptiert, dass es keine absolute Sicherheit gibt – und profitieren von dem neuen Ansatz: Obwohl immer mehr Menschen im Winter Berge besteigen, hat sich in den letzten Jahren die Zahl der Lawinentoten in den Schweizer Alpen halbiert.[12]

Die richtige Checkliste

Das Unwichtige zu übersehen ist bei komplexen Problemen oft der Schlüssel zum Erfolg. Nur einfaches Denken hat hier eine Chance.

Sind solche Methoden auch im Alltag zu gebrauchen? Wenn sie richtig angewandt werden, ja! Wollen wir die Wahl einer neuen Einbauküche, einer Wohnung oder eines Urlaubsziels nicht ganz dem Zufall überlassen, müssen wir uns erst einmal ein sinnvolles Rezept für die Abwägung zusammenstellen. Denn anders als bei Entscheidungen für oder gegen eine Bergtour oder über die Versorgung eines Infarktpatienten, die immer ähnlich gelagert sind, fehlen im Alltag bisweilen die Kriterien. Wir wissen ziemlich genau, was wir nicht wollen, aber nicht so recht, was wir eigentlich wollen. Darum gilt es, sich klar zu machen, was wir von einer guten Wahl mindestens verlangen und woran wir sie erkennen. Dies klingt selbstverständlich, doch fast immer lassen wir diesen Schritt aus.

Einen Ferienort auszuwählen, weil im Bekanntenkreis gerade alle dorthin zu reisen scheinen, ist ein Beispiel für ein wenig sinnvolles Kriterium – das Trendreiseziel dürfte überlaufen sein, und vermutlich steigen die Preise in Hotels und Restaurants raketengleich. Ebenso wenig zielführend erscheint es, sich nach der Schönheit der

Fotos im Reiseprospekt zu richten, auf denen die Umgehungsstraße oder die laute Diskothek nebenan gewiss nicht abgebildet ist.

Der erste Schritt bei einer Wahl ist also, geeignete Prüfsteine auszuwählen. Den Kardiologen in der Klinik und den Alpinisten haben Fachleute diese Arbeit abgenommen; in der Regel aber müssen wir diese Hausaufgabe selbst erledigen. Der zweite Schritt ist, sich zu fragen, ob wir anhand dieser Kriterien wirklich entscheiden können: Haben wir alle Informationen, die wir brauchen? Falls nicht, können wir sie mit vernünftigem Aufwand beschaffen? Ist das nicht möglich, haben wir ein schlechtes Kriterium ausgewählt und müssen noch einmal einen Schritt zurückgehen. Wie freundlich die Menschen am Urlaubsort Fremden begegnen, kann den Genuss einer Reise durchaus beeinflussen; objektive und vergleichbare Informationen zu diesem Punkt einzuholen dürfte jedoch schwierig sein. Wer eine Last-Minute-Reise antreten will, sollte seine Wahl also nicht vom Charakter des Hotelpersonals abhängig machen.

Der Schwund an den Universitäten

Entschlüsse nach Rezept funktionieren umso besser, je schärfer ein Problem umrissen ist. Allerdings hat die Entscheidung, ob eine Reise auf die Bahamas oder vielleicht doch lieber nach Kreta führen soll, selten weit reichende Folgen. Hingegen sind viele Lebensfragen notorisch schwammig, gerade wenn sie von großer Tragweite sind. Wie soll unsere berufliche Zukunft aussehen? Ist der augenblickliche Partner auf Dauer der richtige? Oft wissen wir nicht einmal genau, wonach wir eigentlich suchen.

Und doch hilft bewusstes Vorgehen auch in solchen Belangen weiter, selbst wenn sich nicht jede Wahl auf ein so einfaches Schema herunterbrechen lässt wie die Suche nach einer geeigneten Wohnung. An viele Weichenstellungen gehen wir nämlich allzu unbekümmert heran und bereuen unsere Sorglosigkeit später.

Ein Beispiel für die überflüssigen Irrwege, auf die wir immer wieder geraten, sind die Einschreibungen an deutschen Universitäten.

Deren «Schwundbilanzen», so der amtliche Ausdruck, lesen sich erschreckend: Von 100 Studienanfängern erreichen im Durchschnitt nicht mehr als 70 einen Abschluss – irgendeinen Abschluss wohlgemerkt.[13] Studienwechsler sind in dieser Quote nicht berücksichtigt: Das Studium, für das sie sich ursprünglich entschieden hatten, beenden nur 55 von 100 Anfängern. Fast jeder Zweite gibt also unterwegs auf, meist aus freien Stücken. In manchen Fächern, vor allem den Geistes- und Kulturwissenschaften, beträgt die Schwundquote sogar mehr als drei Viertel. Auf diese Weise verschwenden die jungen Leute nicht nur Lebensjahre, während deren sie sich lustlos an den Hochschulen herumdrücken – jeder von ihnen kostet den Staat zudem einen fünfstelligen Eurobetrag jährlich. Bei 60 000 Abbrechern im Jahr geht der Schaden in die Milliarden.

Was läuft schief? Fragt man die Abgänger, was sie an der Universität hätte halten können, ist die am häufigsten genannte Antwort: «Nichts.» Dabei zeigt der Vergleich zwischen verschiedenen Fächern und auch Hochschulen, dass die teuren Ehrenrunden nicht sein müssen. Im stark verschulten Fach Medizin beispielsweise gibt kaum jemand auf. Und in anderen Disziplinen ist generell der Anteil derer, die das Handtuch werfen, an Fachhochschulen weit niedriger als an Universitäten. Könnte es daran liegen, dass Studenten der Medizin, aber auch Fachhochschüler von vornherein besser wissen, worauf sie sich einlassen? Vom Arztberuf hat fast jeder eine Vorstellung. Und Fachhochschulstudenten kommen überdurchschnittlich häufig nicht direkt von der Schulbank, sondern haben in einem Betrieb Praxiserfahrung gesammelt.

Hier liegt der Schlüssel zu dem Problem. Die meisten Abiturienten kommen mit unglaublich nebulösen Vorstellungen an die Universität: «Zwei Drittel verfügen bei der Einschreibung über kaum oder ungenügend Informationen», stellen die Autoren einer Studie im Auftrag des Bundesbildungsministeriums fest.[14] Weder haben sich die Studienanfänger ihre Interessen klar gemacht noch geprüft, ob ein bestimmter Berufsweg diese erfüllt. Damit haben sie gleich beide Schritte ausgelassen, die eine sinnvolle Entscheidung voraussetzt.

Wie jede wichtige Wahl im Leben treffen wir auch die über Studium oder Beruf unter Unsicherheit: Wir können nicht genau absehen, wie sich eine bestimmte Sparte entwickelt, auch nicht, wie wir selbst auf die Anforderungen und Möglichkeiten unseres Fachs reagieren. Doch heutige Studenten nutzen nicht annähernd ihre Möglichkeiten, sich wenigstens so viel Klarheit zu verschaffen wie möglich. Über die Zukunft einer Disziplin gibt es Einschätzungen, die man abrufen kann. Studienordnungen und Stundenpläne stehen im Internet. Und wer erfahren will, ob einem die Realität eines Berufs oder des Studiums behagt, kann ein Praktikum machen oder sich ein paar Wochen in den Hörsaal setzen. In einer solchen Phase des Ausprobierens haben Bauchgefühle ihre Berechtigung: Freude oder Widerwille können die Vernunft nicht ersetzen, sind aber wichtige Anzeichen dafür, wie gut eine Entscheidung zu uns passt. Schließlich geben Emotionen oft schneller als das bewusste Denken Hinweise darauf, was wir wollen und was wir fürchten.[15]

Doch statt solche Recherchen zu betreiben, ließen sich die befragten Studenten meist von einigen wenigen Gesichtspunkten leiten, allesamt typische Beispiele für unbedacht gewählte Kriterien: Der Beruf der Eltern oder das Studium von Freunden, ein beeindruckender Fachlehrer, ein Lieblingsfach in der Schule oder eine verlockende Karriereprognose in irgendeiner Zeitschrift gaben den Ausschlag – Zufälle.[16] Die Quittung für diese Bequemlichkeit bekamen sie Semester später: «Innere Distanz zum Studium» ist der am häufigsten genannte Grund für einen Abbruch.

Mit kleinen Schritten zum Erfolg

Kennen Sie das Computerspiel «SimCity»? Es gehört zu den beliebtesten überhaupt. Sie müssen als Bürgermeister eine simulierte Stadt regieren und mit allen möglichen Widrigkeiten fertig werden – vom Zusammenbruch der Wasserversorgung über die drohende Abwanderung der Industrie bis zu gewalttätigen Demonstrationen. Die Schwierigkeit besteht darin, dass Sie niemals alle Folgen einer Entscheidung bedenken können. So viel Information, wie dazu nötig wäre, können Sie im Voraus nicht annähernd gewinnen, denn wie ein größeres Unternehmen ist auch eine Stadt ein höchst verflochtenes Gebilde. Wer zum Beispiel die Steuersätze erhöht, füllt zwar zunächst sein Stadtsäckel. Gleichzeitig aber riskiert er, dass unzufriedene Bürger abwandern und diejenigen, die nicht wegziehen können, weniger Geld ausgeben, worunter die Wirtschaft leidet. So kann eine Steuererhöhung dazu führen, dass der Kämmerer nach einer Weile nicht mit mehr, sondern mit weniger Geld dasteht als zuvor.

Der Bamberger Psychologe Dietrich Dörner hat seine Versuchspersonen im Labor zu mehreren Runden einer vereinfachten Version von SimCity gebeten. Lohhausen hieß die imaginäre deutsche Kleinstadt und steckte wirtschaftlich in der Klemme. Dörners Mitarbeiter beobachteten, mit welchen Strategien die Hobby-Bürgermeister der Misere beizukommen versuchten. Aus den Protokollen konnte Dörner Stoff genug für zwei Bücher über die Fallen des Denkens ziehen[17]: Von der Begeisterung für wertlose Genauigkeit über die Verwechslung von Zusammentreffen und Zusammenhang bis zur Illusion der Kontrolle sind alle Irrtümer im Umgang mit dem Zufall dabei, die wir schon kennen gelernt haben.

Mehr noch beeindruckte der Starrsinn mancher Probanden. Hatten diese einmal eine Entscheidung getroffen, hielten sie daran fest nach der Devise «komme, was wolle» – sogar dann, wenn die Umstände sie längst anders belehrten. Offenbar hegten sie einen Widerwillen dagegen, ihre unvermeidlichen Irrtümer einzugestehen und sich damit abzufinden, dass sie nicht unfehlbar waren. Lieber wurstelten sie weiter und flüchteten sich, wenn die Dinge allzu schlecht liefen, in Selbstverteidigungsstrategien wie Zynismus. Dörner berichtet von einer politisch links stehenden Versuchsperson, die in der städtischen Uhrenfabrik Arbeiterselbstverwaltung einführen wollte und zu diesem Zweck das gesamte Management feuerte. In der Folge liefen die Geschäfte schlecht, was die Probandin aber nicht ihrer Entscheidung zuschrieb, sondern mit Sabotage der Arbeiter erklärte. Um diesem Übel abzuhelfen, schlug sie allen Ernstes vor, jeden ertappten Saboteur sofort zu erschießen. Sie erschrak selbst über die Brutalität, mit der sie ihre Hilflosigkeit vergessen machen wollte.

Es gab gute Bürgermeister und schlechte. Die einen ruinierten Lohhausen binnen kürzester Zeit und wirtschafteten die Stadt erneut herunter, wenn sie eine zweite und dritte Chance bekamen. Andere hingegen brachten Lohhausen immer wieder zum Blühen und stellten ihre Regierungskünste auch bei ähnlichen Spielen unter Beweis. Worauf gründeten ihre Erfolge? Intelligenz, Bildung, Alter und Geschlecht der Versuchspersonen konnten ihr Abschneiden nicht erklären, fand Dörner.

Viel entscheidender war die Strategie, mit der sich die Probanden dem Unberechenbaren näherten: In je kleineren Schritten sie bei ihrer Aufgabe vorgingen, desto erfolgreicher waren sie. Gute Bürgermeister fragten im Verlauf des Versuchs mehr Informationen über ihre Stadt und die Folgen ihres Handelns ab als schlechte; sie waren zudem eher bereit, aus dem Gehörten zu lernen. So fällten die geschickten Teilnehmer für jedes Ziel, das sie verfolgten, mehr Entscheidungen als die Versager; dabei waren die einzelnen Entscheidungen jeweils von geringerer Tragweite. Indem sie kleine Schritte gingen, konnten die Erfolgreichen auf Unerwartetes optimal reagieren.

Besser als der große Wurf

In der Technik heißt diese ständige Anpassung an die Umgebung Rückkopplung. Wir sind diesem Prinzip schon öfter begegnet. Sehr häufig löst Rückkopplung unvorhersehbares Verhalten aus, denn sie kann dazu führen, dass sich eine Wirkung selbst verstärkt. Man spricht dann von positiver Rückkopplung. Ein Beispiel für solch einen Schneeballeffekt ist eine Hysterie an der Börse: Anleger kaufen ein Papier nur deswegen, weil andere es auch kaufen, und der Preis steigt immer weiter, bis die Blase platzt.

Doch auch der umgekehrte Fall kann eintreten: Negative Rückkopplungen stabilisieren ein System. Ein Ereignis führt dann nicht zu seiner eigenen Verstärkung, sondern löst Effekte aus, die ihm entgegenwirken – so, wie ein Autofahrer das Lenkrad nach links dreht, sobald der Wagen zu weit nach rechts zieht. Auf diese Weise funktioniert etwa ein Heizkörperthermostat: Sobald es zu warm wird, schaltet er die Heizung aus und erst dann wieder ein, wenn die Temperatur unter eine bestimmte Schwelle gesunken ist. Negative Rückkopplung wirkt also der Unberechenbarkeit entgegen. Sie schlägt den Zufall mit seinen eigenen Waffen.

Darauf beruht das Prinzip der kleinen Schritte, das den guten Bürgermeistern Lohhausens zum Erfolg verhalf. Wenn mit negativer Rückkopplung möglichst schnell gegengesteuert wird, sobald das System aus der Bahn gerät, haben unliebsame Zufälle geringe Folgen. Allerdings lässt es sich in einer unsicheren Lage meist nicht voraussehen, ob eine Handlung den gewünschten Effekt negativer Rückkopplung hat oder die brenzlige Situation womöglich noch weiter anheizt. Genau deshalb gilt es, viele kleine Entscheidungen zu treffen und deren Wirkung genau zu verfolgen, sodass man im ungünstigen Fall sofort einschreiten kann.

Dies ist oft der einzige Weg, komplexe Situationen zu bewältigen. Wenn die nötige Information für weit reichende Planung zu Anfang weder vorliegt noch zu beschaffen ist, können wir sie uns nur unterwegs durch Versuch und Irrtum aneignen. Indem man Entscheidungen von geringer Tragweite trifft, dies aber häufig, begrenzt man die möglichen unerwünschten Folgen bei jeder Wahl. Damit folgt das Prinzip von kleinen Schritten und negativer Rückkopplung den Empfehlungen der Spieltheorie: Handle so, dass du den größten Schaden, den du erleiden könntest, möglichst gering hältst. Wer nach dieser Devise vorgeht, kann sich beim Vorstoß auf unbekanntes Terrain Fehltritte leisten.

Davon ausgehend haben der Psychologe Dörner und seine Kollegen ein regelrechtes Komplexitätstraining entwickelt, bei dem Anästhesisten, Piloten und Manager den Umgang mit dem Unvorhersehbaren lernen. In Computersimulationen nach dem Modell von Lohhausen üben die Teilnehmer, das richtige Maß an Information einzuholen und Entscheidungen schrittweise zu treffen.

Viele Teilnehmer berichteten nach den Seminaren, nun auch im Alltag besser gegen das Ungewisse gewappnet zu sein. Tatsächlich lässt sich das Verfahren der kleinen Schritte auf sehr viele Probleme übertragen. Wenn sich etwa ein frustrierter Angestellter als PR-Berater selbständig machen will, deshalb seinen Job kündigt und hofft, alles Weitere werde sich schon finden, ist ihm der Rückweg verbaut. Verständlicherweise schreckt er vor einer solchen Entscheidung zurück, denn der mögliche Verlust ist hoch. Die bessere, doch häufig übersehene Alternative ist, sich langfristig neu zu orientieren. Der Mitarbeiter etwa kann sich weiterbilden, Kontakte in der neuen Branche knüpfen, auf eine Teilzeitstelle umsatteln und nebenher seine Selbständigkeit vorbereiten – alles mit dem Ziel, dem unbefriedigenden Job bald ganz den Rücken zu kehren. Sich zu diesen Veränderungen zu entschließen macht weniger Angst, weil jede von ihnen umkehrbar ist. Und doch führt dieser Weg, wenn er durchgehalten wird, viel eher zum Ziel als der große Sprung ins kalte Wasser.

Wir haben den Nutzen der kleinen Schritte schon im Zusammenhang mit der Evolution kennen gelernt: Nur so konnte die Natur ihre unvorstellbar komplizierten Organismen erschaffen. Auch eine gesunde Volkswirtschaft funktioniert nach diesem Prinzip. Der österreichische Nobelpreisträger Friedrich August Hayek argumentiert, dass in dem schrittweisen Vortasten der eigentliche Grund dafür liege, weshalb Marktwirtschaften der Planwirtschaft überlegen seien: Während im Markt jeder Anbieter und jeder Käufer unabhängig voneinander und nur von Geschäft zu Geschäft entscheidet, ist eine gelenkte Ökonomie auf langfristige Voraussicht angewiesen, die nahezu zwangsläufig Fehler enthält.[18]

Mit dem erfolgreichen, aber bescheidenen Vorgehen der kleinen Schritte sind wir erschreckend wenig vertraut. Meist hoffen wir, durch Nachdenken und vielleicht auch gute Gespräche eine endgültige Lösung zu finden, die wir dann nur noch umsetzen müssen. Doch für die meisten Probleme ist diese Erwartung unrealistisch. Wer sein Leben ändern will oder muss, für den sind kleine Schritte fast immer der einzige Weg. Der schicksalhafte Wendepunkt, der schließlich zum Happyend führt, ist ein Trick von Regisseuren und

Romanschreibern; und der Befreiungsschlag, der dem Leben eine neue Richtung gibt, bleibt fast immer Phantasie, weil er in der Wirklichkeit zu riskant wäre.

Dennoch hören wir nicht auf, von den großen Würfen, den Geniestreichen zu träumen. Seinen Ausdruck findet diese Sehnsucht nicht zuletzt in den Leitartikeln, die Politiker für ihr ständiges Vor und Zurück tadeln und den großen Neubeginn anmahnen – als ob man eine hoch entwickelte Industrienation handstreichartig reformieren könnte. Wer solche Erwartungen schürt, festigt ungewollt das Beharren: In einer Gesellschaft, die so komplex ist wie unsere und in der die Folgen fast jeder Entscheidung unberechenbar sind, bieten kleine Schritte und ständiges Nachregeln die einzige Möglichkeit zur Neuorientierung. «Was hindert mich daran, jeden Tag klüger zu werden?», erwiderte Konrad Adenauer, als ihm ein Redner im Bundestag seine veränderlichen Ansichten vorwarf.

Auf viele Pferde setzen

Nicht jedes Problem lässt sich in kleinen Schritten lösen. Manchmal kommt es zum Schwur: Eine Entscheidung steht an, die von großer Tragweite und nicht ohne weiteres rückgängig zu machen ist. Oft müssen wir eine solche Wahl treffen, obwohl wir über die Auswirkungen eigentlich nicht genug wissen. Der Angestellte auf dem Absprung etwa bekommt eines Tages ein Angebot und soll sich über Nacht für oder gegen die neue Stelle entschließen.

Was tun? Üblicherweise erfragen wir vor einer solchen Entscheidung so viel Information, wie wir können, malen uns auf dieser Grundlage einen Lauf der Dinge aus, den wir für den wahrscheinlichsten halten, und entscheiden so, dass wir bei diesem Szenario am besten dastehen. Doch wie wir gesehen haben, überschätzen wir fast immer den Wert solcher Prognosen: Was geschieht, wenn der Chef, der unseren Helden mit neuer Verantwortung betrauen will, seinerseits abgeworben wird? Und könnte die neue Firma nicht Konkurs gehen?

Der bessere Weg ist, so zu wählen, dass wir unter möglichst vielen Umständen gewinnen. Das bedeutet allerdings, sich nicht an ein Szenario zu klammern, sondern in Alternativen zu denken. Diese Fähigkeit läuft zwar unserer Intuition zuwider, sie lässt sich aber trainieren. Der Angestellte könnte beispielsweise mit der neuen Firma ein Gehalt aushandeln, das sich zum Teil nach dem Unternehmenserfolg richtet, und im Gegenzug für wirtschaftlich schwächere Perioden Sonderurlaub vereinbaren, den er für eine lange angestrebte Weiterqualifikation nutzt. So gewinnt er in jedem Fall – entweder die Prämie oder einen Abschluss, der seine Chancen bei anderen Arbeitgebern verbessert.

Der kluge Angestellte hat aus einer Unwägbarkeit mit potenziell schwerwiegenden Folgen (bei einem Niedergang der Firma keine Arbeit mehr zu finden) mehrere kleinere Risiken gemacht, die sich noch dazu gegenseitig aufwiegen: Geht es dem Unternehmen gut, muss er auf die Weiterbildung verzichten und bekommt dafür das Geld, andernfalls geht er zwar mit weniger Gehalt nach Hause, steigert aber seinen Wert auf dem Arbeitsmarkt. Nicht alle Eier in einen Korb zu legen, also zu diversifizieren, ist eine der wirkungsvollsten Strategien, sich vor bösen Überraschungen zu schützen.

Gerade die Wirtschaft steckt voll gegenläufiger Bewegungen, die man zur Risikominderung ausnutzen kann; zum Beispiel steigen meistens die Aktien, wenn die Rentenpapiere fallen – und umgekehrt. Auf dieser Erkenntnis beruht die von dem amerikanischen Wirtschaftswissenschaftler Henry Markowitz entwickelte Portfoliotheorie, nach der seriöse Vermögensberater heute handeln.[19] Sie maßen es sich nicht an, die Zukunft zu kennen, sondern versuchen das Geld ihrer Kunden so aufzuteilen, dass es möglichst unter allen Umständen Gewinn abwirft – ähnlich wie von Neumanns Spieltheorie anstrebt, unabhängig vom Handeln des Gegners die optimale Lösung zu erzielen. Rückblickend haben Investitionen nach diesem Prinzip über fast alle Zeiträume hinweg größere Renditen bei geringerem Risiko erwirtschaftet als das Gros der herkömmlichen Anlagen.[20]

Das Motto eines Investors, der zum eigenen Vorteil den Zufall und seine Macht anerkennt, statt ihn vergeblich zu bekämpfen, hat Shakespeare schon vor 400 Jahren seinem Antonio, dem Kaufmann von Venedig, in den Mund gelegt:

> Mein Vorschuss ist nicht *einem* Schiff vertraut,
> Noch *einem* Ort; noch hängt mein ganz Vermögen
> Am Glücke dieses gegenwärt'gen Jahrs:
> Deswegen macht mein Handel mich nicht traurig.[21]

Antonio scheiterte übrigens daran, dass er die Diversifikation nicht weit genug trieb. In einem großen Orkan gingen alle seine Schiffe unter, und der Kaufmann fiel dem hinterhältigen Pfandleiher Shylock zum Opfer. Hätte Antonio sein Geld dagegen nicht nur in die Seefahrt, sondern auch in Werften gesteckt, wäre der Neubau der ebenfalls zerstörten Flotte anderer Reeder für ihn ein Geschäft gewesen.

Auf solche Weise lassen sich viele Risiken zerstückeln und werden dadurch tragbar. Beim Prinzip der kleinen Schritte sind die möglichen Verluste begrenzt, weil die Risiken nacheinander in geringer Dosierung auftreten und wir zwischenzeitlich dazulernen können. Bei der Diversifikation hingegen setzt man auf viele Pferde gleichzeitig. Dadurch kann jedes einzelne nur eine relativ unbedeutende Summe verlieren, und dem Verlust des einen steht der Gewinn des anderen gegenüber. Auf diese Weise lässt sich durch Umverteilen der Risiken das Kunststück vollbringen, Sicherheit geschenkt zu bekommen. Wer so handelt, muss einzig damit leben, nicht im Voraus zu wissen, welche seiner Pferde lahm und welche siegreich sein werden.

Lob des Orakels

Mit den Methoden der kleinen Schritte und der Diversifikation verliert es an Bedeutung, wenn wir zu wenig Information für eine Entscheidung haben. Ist das Ausmaß des möglichen Schadens von Anfang an begrenzt, kann man sogar eine Münze werfen.

Gerade dort, wo die größte Unsicherheit herrscht, ist es vernünftig, sich dem Zufall anzuvertrauen. Mathematisch lässt sich beweisen, dass darin sogar oft die bestmögliche Strategie besteht. Denn wer Fortuna entscheiden lässt, ist zumindest vor *einem* Fehler gefeit: Alle Vorurteile sind außer Kraft gesetzt.

Darum setzen Wissenschaftler heute für viele besonders schwierige Probleme die so genannten Monte-Carlo-Verfahren ein. Wie in der Casino-Metropole am Mittelmeer, nach der das Vorgehen benannt ist, entscheidet dabei der Zufall. Ob bei der Simulation von Sternhaufen im Kosmos oder ob Ökonomen die Entwicklung einer Volkswirtschaft abschätzen wollen – der Grundgedanke ist immer derselbe: Wer seine Theorien auf Vermutungen gründet, über deren Richtigkeit er nichts weiß, hat spätere Fehler in den Ergebnissen schon programmiert. Wer sich hingegen sein Unwissen eingesteht und zufällige Ursachen voraussetzt, begeht derartige Fehlschlüsse nicht. Vielmehr weiß dieser Forscher genau, was er tut, und das Bild, das er von der Wirklichkeit zeichnet, wird durch den angenommenen Einfluss des Zufalls nicht falsch, sondern nur unscharf.

Bei Monte-Carlo-Berechnungen wird ein System in Millionen winzige Einheiten unterteilt. In jeder dieser Zellen bestimmt viele Male hintereinander ein Zufallsgenerator das Geschehen. Es kommen also sowohl das Prinzip der kleinen Schritte als auch die Strategie der Diversifikation zur Anwendung. All dies spielt sich normalerweise auf einem Computer ab; der Zufallsgenerator ist ein spezielles Programm, welches das Unvorhersehbare simuliert. Die Umwege, die man so auf der Suche nach Erkenntnis geht, kosten zwar etwas Zeit, führen aber fast immer zu einem brauchbaren Ergebnis.

Aus diesem Grund haben auch Schachcomputer Zufallsgeneratoren, die wahllos eine Auswahl unter mehreren Zügen treffen, die dem Programm gleich gut erscheinen. Der Physiker Frank Tipler glaubt sogar, dass in unserem Gehirn ebenfalls ein Zufallsgenerator vorgesehen sein müsse, damit wir in ansonsten unentscheidbaren Fragen handlungsfähig bleiben. Allerdings haben Neurobiologen bislang wenig Hinweise für eine solche Schaltung gefunden.[22] Genau diese Funktion aber haben unerhebliche Begebenheiten, die uns in eine bestimmte Richtung lenken: Weil im selben Augenblick, in dem wir uns die Konsequenzen einer Handlung ausgemalt haben, gerade die Sonne durch die Wolken bricht, greifen wir zum Telefonhörer und machen eine Zusage, die wir lange erwogen haben. Oft kommen wir ohne solche kleinen Zufälle nicht aus.

Im Alltag fällt es uns schwer zuzugeben, dass wir etwas nicht überschauen können – und erst recht, uns in dieser Situation der Fortuna anzuvertrauen. Schließlich wollen wir die Steuerung unseres Lebens nicht an ein paar Würfel oder eine Münze abtreten. Wir übersehen allerdings, dass wir ohnehin oft keine Kontrolle über das Geschehen haben. Wenn unsere Kenntnis der Wirklichkeit große Lücken aufweist und wir dennoch entscheiden, wissen wir buchstäblich nicht, was wir tun. Diese unangenehme Einsicht erspart uns das Gehirn zwar meistens, indem es uns die Illusion von Sicherheit gibt, aber ein unterschwelliges Unbehagen fühlen wir doch.

Unsere Vorfahren haben einen listigen Ausweg aus dem Dilemma gefunden: Vor schwierigen Entscheidungen befragten sie das Orakel. Dort raunte eine Priesterin, die von der Sache nichts wusste und oft von Drogen berauscht war, dunkle Worte. Ein solcher Rat ist so zufällig wie der Wurf einer Münze – beruhigt aber das Gewissen ungleich mehr, denn schließlich soll die Pythia Zugang zu höheren Mächten haben. Den Vogelflug deuten, Lose ziehen, Kaffeesatz lesen, Tarotkarten legen: All diese Techniken haben ihre Berechtigung, weil sie letztlich darauf hinauslaufen, den Zufall entscheiden zu lassen.

Vor allem ersparen sie uns die Reue, falls sich der eingeschlagene Weg doch als ungünstig erweist. Auch wenn wir zu sagen pflegen, dass man «hinterher immer klüger ist», quälen wir uns oft genug damit, unser heutiges Wissen in die Vergangenheit zu projizieren. Wir bilden uns ein, eine spätere Erfahrung hätte uns schon zum Zeitpunkt der Entscheidung gegenwärtig sein können. Das ist natürlich absurd, denn wäre es so gewesen, hätten wir ja anders entschieden. Vor solchen Selbstvorwürfen ist gefeit, wer die Verantwortung an ein Orakel abtritt – oder sich auch ohne diesen Trick damit abfindet, dass wir in aller Regel keine optimale Entscheidung in unübersichtlicher Lage treffen können.

KAPITEL 16 UNSICHERHEIT ALS CHANCE
Ein Plädoyer für Gelassenheit

«Wer den Zufall aus seinem Leben verbannt,
nimmt sich das Beste, was es gibt.»
Gregory Berns,
amerikanischer Hirnforscher

Wer träumt nicht manchmal davon, allwissend zu sein? Fraglich ist nur, ob wir das wirklich genießen könnten. Der argentinische Schriftsteller Jorge Luis Borges erzählt vom Schicksal eines Mannes, der von einem Bekannten erfährt, dass sich im Keller eines Abbruchhauses in Buenos Aires ein «Aleph» befindet – ein zwetschgengroßes Ding, in dem sich das ganze Universum spiegelt. Wer in das Aleph hineinblickt und seine «unerträgliche Leuchtkraft» aushält, werde in völliger Klarheit alles, was in der Welt geschieht, geschah und jemals geschehen wird, auf einen Schlag erkennen. Nach dieser Begegnung gäbe es für ihn keine Zufälle mehr.

Der Bekannte geleitet den Helden eine düstere Treppe hinunter und fordert ihn auf, sich auf den Rücken zu legen. Eine Falltür schließt sich, der Erzähler ist in der Dunkelheit allein. Plötzlich sieht er eine regenbogenfarbene Kugel und darin, wie durch ein Wunder, alle Vorgänge im Kosmos zugleich: die Brandung der Ozeane und den Überlebenskampf der Tiefseefische; Sonnenaufgang und Sonnenuntergang; die Schlachten aller Kriege; das Mienenspiel von Abermillionen Menschen in den Städten und den Stoffwechsel in deren Organen. Und er begegnet seiner verstorbenen Geliebten.

Doch als er wieder in das Licht der Straße tritt, merkt er, dass sein Bekannter es nicht gut mit ihm meinte. «Nicht in einem Jahrhundert wirst du mir diese Offenbarung heimzahlen können», höhnt dieser. Und so scheint es zu sein. Borges' Held erlebt, welche Qual es bedeutet, allwissend zu sein. Alle Gesichter kommen ihm bekannt vor; er ahnt, dass sein Leben fortan nur noch Wiederholung sein wird – ein Dasein ohne jede Überraschung. Schlaflose Nächte plagen ihn, in denen er all das Gesehene zu verarbeiten trachtet. Voll Erleichterung bemerkt er schließlich eines Morgens, dass ihm über Nacht die einzig mögliche Erlösung zuteil wurde: zu vergessen.

Borges war ein Meister der phantastischen Literatur, der in seinen Texten die Illusionen unserer Kultur erforschte. Eine der ältesten davon ist der Wunsch, allwissend zu sein. Hellsehen, Orakel, Zauberei: Die Versuche, sich in Verbindung mit höheren Mächten zu setzen, um sich einen Wissensvorsprung zu verschaffen, sind vermutlich so alt wie das menschliche Denken selbst. Hinter all diesen Anläufen gegen die Grenzen des eigenen Verstands stehen zwei Motive. Je nach Temperament einer Person hat das eine oder das andere Übergewicht: Einerseits wollen wir erfahren, wer wir sind und was uns bevorsteht. Menschen sind neugierig, sie möchten sich selbst und ihre Umwelt verstehen. Und andererseits streben wir Kontrolle über unser eigenes Leben an. Der Aufstand gegen das Nichtwissen ist zuallererst eine Revolte gegen den Zufall.

Die Sintflut des Wissens

Die Menschheit ist in die paradoxe Lage geraten, dass sie so viel Wissen angesammelt hat wie niemals zuvor – und doch hatte jeder Einzelne noch nie so wenig Anteil an diesem Schatz wie heute. Noch in der Renaissance gab es Universalforscher, die in allen Fächern mitreden konnten oder sogar wie ein Leonardo da Vinci von der Malerei bis zur Erfindung des Helikopters in ganz unterschiedlichen Sparten geniale Beiträge machten. Im 21. Jahrhundert wäre das undenkbar. Ein Gelehrter ist froh, wenn er einigermaßen den Anschluss an die Entwicklung seines Spezialfachs behält. Und dieses ist für Laien oft unvorstellbar eng. Ein Molekularbiologe konzentriert sich auf ein bestimmtes Protein in der Zelle, ein Sprachwissenschaftler auf die Lautverschiebungen osttibetischer Dialekte.

Noch nie waren die Menschen vom Allwissen so weit entfernt. Denn, um in Borges' Bild zu bleiben: Das Aleph, jene Kristallkugel mit allem, was wir wissen könnten, aber nicht wissen, ist unendlich viel voller geworden. Das verdanken wir den Techniken, mit Information umzugehen, und ihrer sprunghaften Entwicklung. Als die ersten Menschen sprechen lernten, hatte jeder von ihnen Zugriff auf weit mehr Daten als vorher, denn er konnte sich nun mit den anderen Mitgliedern seines Stammes austauschen.[1] Der nächste Schritt war die Erfindung der Schrift: Nun ließ sich Wissen unabhängig vom Erzähler konservieren. In der größten Bibliothek der Antike in Alexandria sollen mehr als eine halbe Million Schriftrollen aufbewahrt gewesen sein.[2] Den dritten gewaltigen Fortschritt bescherte Gutenberg der Menschheit, dessen Druckerpresse Texte praktisch ohne Aufwand vervielfältigte. Eine moderne Staatsbibliothek speichert einige Millionen Mal so viele gedruckte Erkenntnisse wie einst die Sammlung von Alexandria. Doch was Computer leisten, lässt selbst die größten Büchereien der Welt winzig erscheinen: Mit der Suchmaschine Google hat jeder von seinem Schreibtisch aus sofort Zugriff auf mehr als vier Milliarden Internetseiten, und bei einem einzigen Experiment in der Teilchenphysik fallen alle fünf Minuten so viele Daten an, wie die Bibliothek von Alexandria enthielt![3]

Diese Zahlen lehren Bescheidenheit. In einer einfachen Gesellschaft war einem Erwachsenen annähernd alles Wissen seines Stammes bekannt. Jeder verfügte über beinahe so viel Information, wie überhaupt zugänglich war – auch wenn sich Schamanen und Geheimbünde von jeher um exklusives Wissen bemühten. In einer Gemeinschaft, in der fast alles offen liegt, spielen Zufälle für die Beziehungen zwischen den Menschen keine große Rolle. Überraschende Begegnungen und unbekannte Züge anderer gab es kaum.

Heute wäre die Hoffnung eines Menschen auch nur auf einen nennenswerten Teil des Gesamtwissens vermessen. Etwas *nicht* zu wissen ist normal; etwas zu wissen die Ausnahme. Dadurch ist der Lauf eines Lebens kaum mehr vorhersehbar. Denn das meiste, was unseren Weg einmal bestimmen wird, geschieht im Verborgenen – weniger, weil andere vor uns Geheimnisse hüten wie die Schamanen eines Stammesvolks, sondern weil die Verflechtungen zwischen den Menschen so vielfältig und so kompliziert geworden sind, dass wir unmöglich alle für uns bedeutsamen Informationen sammeln können.

Wie Schriftsteller den Zufall entdeckten

Diese Veränderungen spiegeln sich in der Literatur wider.[4] Für die Dichter der Klassik war der Zufall noch kaum von Bedeutung. Zwar hatte die Französische Revolution die politische Ordnung erschüttert, und in Europa wüteten die Kriege Napoleons. Doch das Umfeld jedes Einzelnen blieb überschaubar. Darum gab die Unsicherheit über das eigene Leben für Goethe und seine Zeitgenossen keinen interessanten Stoff ab.[5] Die Helden jener Epoche können ihre Entwicklung frei bestimmen; geschildert wird ihr mehr oder minder gelungener Lebensentwurf. Werther gibt sich der unerfüllten Liebe hin, Faust strebt nach Erkenntnis, beide müssen mit den unausweichlichen Folgen fertig werden.

Mit der industriellen Revolution im 19. Jahrhundert nehmen unvorhersehbare Begebenheiten im Leben der Menschen und damit auch in der Literatur mehr Raum ein: Effi Briest wird aus der bürgerlichen Gesellschaft verstoßen, weil ihr Mann zufällig Briefe von ihrem längst abgelegten Liebhaber entdeckt; ebenso hätte die Affäre unbemerkt bleiben können. Und in Stendhals großem Zeitbild «Rot und Schwarz» schlittert der junge Held Julien Sorel durch das nachrevolutionäre Frankreich; er ist Spielball der gesellschaftlichen Kräfte seiner Zeit, die er nicht recht begreift.

Im 20. Jahrhundert schließlich werden Zufall und Unwissenheit in Romanen zu einer treibenden Kraft. So lesen wir, wie Kafkas Hauptfigur K. der Prozess gemacht wird, ohne dass er wüsste, warum; oder wie Camus' Fremder am Strand von Algier aus einer unerklärbaren Laune heraus einen Araber tötet. In labyrinthischen Geschichten wie denen des amerikanischen Schriftstellers Thomas Pynchon, die in den vergangenen dreißig Jahren entstanden, scheint schließlich sogar der Erzähler den Überblick zu verlieren. Es bleibt offen, ob die Helden tatsächlich einem verwickelten Plan böser Mächte ausgesetzt sind oder ob sie sich das nur einbilden, um in den Wendungen ihres Lebens überhaupt einen Sinn zu erkennen.

Die Sehnsucht nach Ordnung

Zufall und Unsicherheit sind Kinder der Freiheit. Sie sind ein Preis, den wir für die Bequemlichkeit unseres Alltags, den Schutz vor Seuchen und Hunger und vor allem für die vielen Möglichkeiten bezahlen, unser Leben zu gestalten. All dies können wir nur in einer hoch entwickelten Gesellschaft bekommen; notgedrungen lässt sich das Zusammenleben darin immer weniger vorhersehen und steuern.

Selbst wenn es einen Weg zurück in eine Gesellschaft gäbe, in der die Menschen mit weniger selbst gemachten Zufällen zurechtkommen mussten: Wollten wir dafür wirklich auf Telefon, Zentralheizung und Narkose beim Zahnarzt verzichten? Dennoch ist unsere Sehnsucht nach einem übersichtlichen Leben stärker denn je. Zufall macht Angst.

Das Bedürfnis, die Welt zu verstehen und Herr der Lage zu sein, brachte nicht nur die großen Erfindungen hervor, die unser Dasein angenehm machen. Es steht auch hinter all den kleinen Versuchen, wider besseres Wissen dem Unvorhersehbaren ein Schnippchen zu schlagen: Geschäftsleute tragen Talismane in den Taschen ihrer Zweireiher, die ihnen sichere Reisen und Verhandlungserfolg garantieren sollen; Politiker befragen Hellseherinnen; selbst nüchterne Zeitgenossen vermeiden Gesten, die als Unheil bringend gelten – oder würden Sie einem Bekannten vorzeitig zu einem freudigen Ereignis gratulieren?

Wo das alles nicht hilft, möchten wir zumindest glauben, die überraschenden Wendungen des Lebens folgten in Wahrheit einem wohl überlegten Geschick. Ordnung beruhigt. Auch wenn wir selbst keinen Einfluss darauf haben, könnte es ja immerhin sein, dass eine übergeordnete Instanz, eine Vorsehung über uns wacht. «Es ist erstaunlich, wie viele Bürger moderner Demokratien keine Bedenken gegen das Leben in einer astralen Diktatur haben, die jede Handlung und jeden Gedanken für sie plant», wunderte sich der englische Physiker John Barrow.[6]

Gewissheit hemmt das Denken

Bei aller verständlichen Abneigung gegen Unsicherheit unterschätzen wir die Chancen, die sie bietet. Denn wir brauchen den Zufall, um neue Wege zu gehen. Aus zu großer Gewissheit erwachsen selten Ideen. Davon erzählt ein japanisches Zen-Gleichnis. Als der Schüler zum ersten Mal das Haus des erleuchteten Meisters besucht, bittet dieser zum Tee, wie der Brauch es will. Er füllt die Tasse seines Besuchers bis zum Rand, gießt aber dann immer weiter nach, sodass der Tee über den Tisch rinnt. Der Schüler protestiert: «Die Tasse ist voll. Es passt nichts mehr hinein.» Erst da setzt der Meister die Kanne ab, sieht seinen Schüler an und sagt: «So wie die Tasse bist du angefüllt mit Gedanken. Wie kannst du lernen, wenn du deine Tasse nicht zuerst leerst?»

Wer Erkenntnis gewinnen will, muss zunächst Unsicherheit ertragen. Das Gehirn ist darauf programmiert zu vereinfachen. Weil wir unsere Aufmerksamkeit nur auf wenige Informationen gleichzeitig richten können, versucht die Datenverarbeitung im Kopf, alles, was uns begegnet, möglichst rasch als bekanntes Muster zu deuten. Das ist sinnvoll, denn wir wären sehr schnell lebensunfähig, würden wir uns jedes Mal Gedanken machen, was sich alles hinter unseren Wahrnehmungen verbergen könnte. Darum greifen wir gewöhnlich auf Vorwissen zurück: Ein leuchtender Kreis ist eine Lampe, die man ein- und ausschalten kann; dunkle Flächen an der Wand, die sich bewegen, sind Schatten. Versagt dieser Mechanismus, etwa nach Einnahme von Drogen wie LSD, finden wir uns selbst in der eigenen Wohnung kaum mehr zurecht: Die Deckenlampe erscheint plötzlich als UFO, die Umrisse an der Wand als bedrohliche Gestalten.

So nötig schnelle Erklärungen im Alltag sind, so hemmend können sie wirken, wenn wir nach neuen Lösungen für ein Problem suchen. Von den vertrauten Antworten kann sich das Gehirn nur schwer lösen. Darum ist die romantische Vorstellung, ein Genie entwickle große Ideen einzig aus seinen überlegenen grauen Zellen heraus, schlicht falsch: Auch der Geist eines Leonardo da Vinci, eines Newton oder eines Einstein brauchte Anstöße von außen, um in Neuland aufbrechen zu können.

Worin bestand ihre außergewöhnliche Leistung? Leonardo, Newton und Einstein wussten nicht mehr als manch andere ihrer Zeitgenossen. Aber sie waren unwillig, sich mit deren vorschnellen Antworten zufrieden zu geben. Stattdessen stellten sie Fragen. Sie nahmen Befunde ernst, die nicht in das gewohnte Bild passten, während alle anderen sich darüber hinwegmogelten. Sie waren bereit, außerhalb der Stereotype zu denken. Tatsächlich konnte das kanadisch-amerikanische Psychologenpaar Jordan Peterson und Shelley Carson experimentell zeigen, dass gerade intelligente Menschen umso kreativer und offener für neue Erfahrungen sind, je weniger ihr Gehirn scheinbar unwichtige Informationen bei der Datenverarbeitung unterdrückt.[7]

Dass es etwa in der Strahlungsphysik gewisse Widersprüche gab (die elektromagnetischen Wellen betreffend, die von schwarzen Körpern ausgehen), war um das Jahr 1900 längst bekannt. Erst Einstein aber verfolgte diese Spur so weit, dass er darauf die revolutionäre Quantentheorie begründen konnte. «Das schönste Erlebnis ist die Begegnung mit dem Geheimnisvollen», sagte er einmal. «Sie ist der Ursprung jeder wahren Kunst und Wissenschaft.»

Bezeichnend ist auch die Geschichte, wie Newton die Schwerkraft entdeckt haben soll: Dass ihm der entscheidende Gedanke kam, als ihm zufällig ein Apfel auf den Kopf fiel, mag so gewesen sein oder nicht – fest steht, dass sich der englische Physiker von unerklärlichen Beobachtungen anregen ließ.

Leonardo da Vinci, der als das letzte Universalgenie Europas gilt, hat Zufälle als Inspiration für sein Schaffen regelrecht gesucht. Der Schöpfer der Mona Lisa erwähnt eine «neue Methode, um den Geist zu den verschiedensten Erfindungen anzuregen»: «Wenn du in ein Gemäuer hineinschaust, das mit vielfachen Flecken beschmutzt ist, (…) so wirst du dort Ähnlichkeiten mit diversen Landschaften finden, die mit Bergen geschmückt sind, Flüsse, Felsen, Bäume – Ebenen, große Täler und Hügel in wechselvoller Art; auch wirst du dort allerlei Schlachten sehen und lebhafte Gebärden von Figuren, sonderbare Gesichter und eine endlose Vielzahl von Dingen, die du auf eine willkommene und gute Form zurückbringen kannst.»[8]

Neue Ideen durch Irritation

Heute haben sich nicht nur Strömungen der modernen Kunst diesen Rat zu Eigen gemacht – ganze Industrien wie die Werbung, die von Einfällen leben, nutzen den Zufall systematisch. Der englische Kognitionspsychologe Edward de Bono etwa, der Konzerne lehrt, wie man gezielt Ideen produziert, hat sich Leonardos Methode zum Vorbild genommen. Er rät seinen Kunden, eine Lotterie aus Begriffen zu veranstalten: Experten, die um Geistesblitze ringen, sollen Zettel mit Wörtern aus einem Hut ziehen. Zunächst ergibt sich aus diesen Kombinationen, auf die zuvor niemand verfallen wäre, meist überhaupt kein Sinn. Doch dies sei, erklärt de Bono, gerade der Witz der Sache, denn die Herausforderung bringe die Gedanken in Bewegung.[9] Der Zufall könne etwa das Begriffspaar «Karosserie» und «Cornflakes» hervorbringen – und damit den Anstoß zu einer Marketingidee geben: Besteht der Erfolg des neuartigen Kleinwagens Smart nicht unter anderem darin, dass man ihn wie eine Schachtel Müsli aus dem Regal mitnehmen kann?

Schon das alte chinesische Orakel des I-Ging bediente sich der zufälligen Provokation: Wer nach Rat sucht, soll aus einem Bündel von 49 Schafgarbenstängeln wiederholt einige ziehen; die Resultate werden nach einem vorgegebenen Schema in eines von insgesamt

64 Linienmustern übersetzt. Diesem Bild ist wiederum ein kurzer Text aus dem I-Ging, dem Buch der Wandlungen, zugeordnet, den der Fragende als Ausgangspunkt für seine Überlegungen nimmt. Wie bei Leonardos Flecken an der Wand und der Lotterie von Begriffen kommt es auch hier darauf an, dass der Wissbegierige von der Anregung überrascht wird. Hätte er Einfluss auf den Denkanstoß, könnte er ihn entsprechend seinen Erwartungen wählen und fiele schnell in sein gewohntes Überlegen zurück.

Meist ist ein kompliziertes Orakel, welcher Art auch immer, gar nicht nötig, um die inspirierende Kraft des Zufalls zu nutzen. Unerwartete Reize finden sich überall: Bleiben bei einem meiner Bekannten, einem Graphiker, die Einfälle aus, schlägt er wahllos eine der Illustrierten auf, die stets griffbereit auf seinem Schreibtisch liegen. Die Texte und Bilder, die ihm zufällig ins Auge fallen, geben ihm Impulse für seine Arbeit. Ähnliche Wirkung kann ein Spaziergang durch ein Viertel Ihrer Stadt haben, in dem Sie sich nicht heimisch fühlen; erst recht ein Zusammentreffen mit Menschen, die anders denken als Sie. Künstler und Schriftsteller haben von jeher die Begegnung mit dem Unvertrauten gesucht, indem sie sich auf lange Reisen begaben. Goethe in Italien, Chopin auf Mallorca, Paul Klee in Tunis – sie alle nutzten die Überraschungen der fremden Umgebung, um einen neuen Stil zu entwickeln.

Kribbelnde Erwartung

«Diese ängstliche Erregung ist unerträglich. Ich hoffe nur, dass sie ewig dauert», schrieb der Erzähler Oscar Wilde, selbst ein großer Reisender. So ambivalent erleben wir Ungewissheit: Einerseits bedeutet sie Stress, zugleich aber können Überraschungen erregen und Freude bereiten. Das erklärt nicht nur, warum so viele Menschen mit Begeisterung die Anstrengungen und Unwägbarkeiten von Reisen auf sich nehmen, sondern auch, warum wir Lottoscheine ausfüllen und das Casino besuchen. Glücksspiele mit der Dummheit der Menschen zu erklären greift zu kurz: Die meisten Spieler wissen genau, wie schlecht ihre Chancen stehen. Die Wahrscheinlichkeit, beim Lotto «6 aus 49» den Jackpot zu knacken, beträgt bekanntlich 1 zu 140 Millionen. Dennoch verwetten die Deutschen Woche für Woche mehr als 100 Millionen Euro darauf. Der Reiz, Fortuna womöglich ein Schnippchen zu schlagen und unverhofft reich zu werden, besiegt jede bessere Einsicht. Wie sehr das Spiel mit dem Zufall uns bannen kann, weiß jeder, der einmal Spieler am Roulettetisch beobachtet hat: Für sie hat die Welt aufgehört zu existieren – von einer winzigen Kugel abgesehen.

«Ein Dollar, den wir auf der Straße finden, freut uns mehr als einer, den wir verdient haben», bemerkte der Schriftsteller Mark Twain mit Recht. Unerwartete Ereignisse führen dazu, dass im Kopf Dopamin freigesetzt wird, das zugleich die Aufmerksamkeit steuert, die grauen Zellen zum Lernen bereitmacht und uns Lustgefühle verschafft. Entscheidend ist, dass bestimmte Neuronen dieses Hormon schon *vor* dem angenehmen Ereignis ausschütten – am stärksten dann, wenn wir uns nicht sicher sein können, ob ein Wunsch sich erfüllen wird oder nicht.[10] Vielleicht ist Vorfreude deswegen oft am schönsten, wenn sie noch Ungewissheit enthält, wie beim Spiel oder in der Liebe.

Dieses Prickeln konnten Hirnforscher sogar sichtbar machen, indem sie Menschen um Geld wetten ließen oder ihnen überraschend Leckereien bescherten, während der Kopf der Versuchspersonen im Computertomographen durchleuchtet wurde. Die Wissenschaftler beobachteten dabei Reaktionen, die sie bereits aus anderen Experimenten kannten: Die Aktivität der grauen Zellen in ungewisser Erwartung ähnelte der von Verliebten – und von Kokainsüchtigen.[11]

Die Natur hat uns programmiert, unerwartete Chancen zu nutzen. Überraschungen und ungewisse Verheißungen versetzen das Gehirn deshalb in einen erregten Zustand, den wir als lustvoll empfinden. Wir sollen die viel versprechende Situation mit Aufmerksamkeit verfolgen und uns alle Umstände einprägen, falls sich die Hoffnung erfüllt. Zufälle machen uns wach und einfallsreich – sie können so aufputschend wirken wie Sex oder Drogen.

Experimente statt Effizienz

Deshalb lohnt es sich, sein Leben so einzurichten, dass der Zufall mehr Raum darin erhält. Was uns neben der Scheu vor dem Unbekannten häufig davon abhält, ist die Jagd nach dem vordergründigen Nutzen: Wir wollen weder Zeit noch Energie an Menschen und Dinge verschwenden, von denen wir uns wenig erwarten. Sich nicht zu verzetteln ist sinnvoll. Doch wer sein Streben nach Effizienz zu weit treibt, vergeudet viele Chancen. Leicht übersehen wir, dass wir nur den Wert des bereits Bekannten einschätzen können. Wer eine Erfahrung, die er nie gemacht hat, oder einen Menschen, den er kaum kennt, für uninteressant hält, mag Recht haben – oder auch nicht. Jedenfalls hat er nicht aufgrund von Wissen, sondern aufgrund eines Vorurteils auf die Begegnung mit dem Fremden verzichtet.

Sowohl im privaten Alltag als auch in der Organisation etwa eines Unternehmens ist es daher ratsam, einen Teil der Zeit und der Ressourcen für Experimente freizuhalten – und bewusst auf kurzfristigen Nutzen zu verzichten. Wem der Spaß am Spiel mit dem Unbekannten nicht als Anreiz genügt, kann dies als eine Investition betrachten, die langfristig Wissen und damit Gewinn abwerfen wird.

Weil unser Gehirn ein großer Vereinfacher ist, unterschätzen wir grundsätzlich das Maß an Verknüpfungen in der Welt – und damit die Möglichkeiten, die sich aus jeder Handlung ergeben. Wenn eine Opernfreundin sich mit Fußballfans zum ersten Mal ins Stadion aufmacht, mag sie dem Spiel wenig abgewinnen können, und das Geschrei auf der Tribüne widert sie vielleicht sogar an. Sie könnte aber unter den Sportbegeisterten jemanden kennen lernen, der ihr die lang gesuchte neue Wohnung vermittelt – oder aber sie mag Lust bekommen, selbst Sport zu treiben. Mit diesen Veränderungen in ihrem Leben konnte sie nicht rechnen, als sie sich zum Stadionbesuch überreden ließ. Doch unsere Wagnerianerin hat dem Zufall eine Chance gegeben.

Eine kleine Welt

Auf einem Flug von New York nach Miami kommen Sie mit Ihrem Sitznachbarn ins Gespräch. Er spricht nicht nur Ihre Mundart, sondern stellt sich als der ausgewanderte Bruder eines Schulkollegen heraus, den Sie seit Ewigkeiten aus den Augen verloren haben. Mehr noch, er arbeitet in Ihrer Branche. Und so erfahren Sie von ihm, dass die Konkurrenz in Ihrem Heimatort eine Stelle besetzen will, die wie gemacht ist für Sie.

Diese Geschichte ist gar nicht unglaublich. Wir alle haben sie schon so oder so ähnlich erlebt – und insgeheim gezweifelt, ob alles mit rechten Dingen zugeht. Wie oft verdanken wir glückliche Fügungen im Leben unseren Bekannten? Über sie finden wir eine neue Wohnung, Arbeit, einen Lebenspartner, manchmal selbst dann, wenn wir gerade gar nicht auf der Suche sind.

Aber wieso erreicht uns so oft die passende Nachricht zur rechten Zeit? Wer nicht daran glauben mag, dass es höhere Mächte manchmal doch gut mit uns meinen, muss nur einmal seine Freunde zählen. Jeder von uns ist mit ein paar hundert Menschen bekannt; die durchschnittliche Zahl der näheren und entfernteren Bekannten jeder Person, die Soziologen meist nennen, ist 300. Doch die wahren Engel, die unserem Leben mitunter eine neue Wendung geben, sind die Freunde unserer Freunde: Wenn Sie auf einer Party jemanden ansprechen, haben Sie über diese Person Zugang zu deren Bekanntenkreis. Erzählt die Partybesucherin Neuigkeiten, die sie aus zweiter Hand weiß, ist das Netzwerk schon viel größer, denn jeder, mit dem sie Umgang pflegt, kennt seinerseits um die 300 Personen. Allerdings werden von diesen einige auch mit anderen Ihrer Freunde Umgang pflegen; gehen wir also vorsichtig von 100 neuen Kontakten aus, die Ihnen Ihre Gesprächspartnerin vermitteln könnte. Und auf diese Leute kommt es an – das zeigt eine inzwischen klassische Studie des amerikanischen Soziologen Mark Granovetter darüber, wie Menschen Arbeit finden[12]: Insgesamt sind etwas mehr als 55 Prozent aller Arbeitnehmer über private Verbindungen an ihre Stelle gelangt; dabei hat in mehr als 80 Prozent der Fälle eine Person vermittelt, die der Stelleninhaber nur «gelegentlich» oder «selten» sah. Und ein Drittel aller Bewerber, bei hoch dotierten Stellen noch mehr, kam über Mundpropaganda zu einem neuen Job, ohne zuvor überhaupt an einen Wechsel gedacht zu haben.[13]

Schließlich umfasst das Netzwerk, über das Sie indirekt zugreifen können, sehr viel mehr Menschen als der Kreis Ihrer guten Bekannten. Nach unserer obigen Schätzung erfahren Sie von 300 × 100 = 30 000 Menschen Nachrichten aus zweiter Hand. Es müsste schon mit dem Teufel zugehen, drehte sich die eine oder andere davon nicht um eine für Sie passende Wohnung, Arbeit oder Gefährtin.

Wenn Ihnen das zu optimistisch erscheint, mag Sie ein Experiment überzeugen, das die New Yorker Columbia-Universität angestellt hat. 60 000 anonyme Internetbenutzer bekamen die Aufgabe, eine E-Mail zu kopieren und dann so an ihre Bekannten weiterzuleiten, dass jeweils eine Nachricht irgendwann einen bestimmten Professor einer Ostküsten-Universität, einen Archivar in Estland, einen indischen Technologieberater, einen australischen Polizisten und einen Tierarzt in Norwegen erreichte. Die Namen der gewünschten Empfänger wurden mitgeteilt, nicht aber die E-Mail-Adressen, sodass die Teilnehmer einzig auf die Kontakte ihrer Bekannten hoffen konnten. Die Wissenschaftler protokollierten, durch wie viele Hände die Nachrichten gingen – und kamen zu einem erstaunlichen Ergebnis: Fast immer war die Mail schon nach sechs oder weniger Stationen bei ihrem Empfänger auf einem anderen Kontinent angelangt.[14]

Wenn wir also bei einer zufälligen Plauderei mit einem Unbekannten, etwa in der Warteschlange an einem amerikanischen Flughafen, entdecken, dass man gemeinsame Freunde hat, ist dies nicht weiter verwunderlich. Denn über nur sechs Menschen ist jeder Mensch mit jedem anderen auf der Erde bekannt.

So klein ist die Welt. Das Gesellschaftstier Homo sapiens verbreitet alles blitzschnell – ob Infektionen oder nützliche Nachrichten. Darum wäre es unrealistisch, nicht ab und an mit kleinen Wundern zu rechnen. Sie sind der Normalfall.[15]

Was einen Glückspilz ausmacht

Einen Zufall in einen Glücksfall zu verwandeln erfordert Aufmerksamkeit. Denn Glück zu haben heißt nicht, von höheren Mächten begünstigt zu sein, sondern Gelegenheiten zu erkennen. Dazu ist es oft nötig, die Perspektive zu wechseln.

Kennen Sie das Kinderspiel, bei dem gewinnt, wer als Erster einen Ort, einen Fluss oder einen Staat auf einer Landkarte findet? Um es seinen Mitspielern schwer zu machen, wählt man natürlich einen möglichst klein gedruckten Namen. Nach der Ruetz werden die meisten Menschen auf einer Karte des Alpenraums lange suchen – es sei denn, jemand stammt aus Tirol und weiß, dass dieser Fluss dort in den Inn fließt. Doch es gibt eine noch bessere, beinahe unschlagbare Strategie: wenn alle nach dem Versteckten fahnden, das Offensichtliche zu wählen. So gut wie niemand kommt auf die Idee, dass der Name etwa einer ganzen Region auch in großen Lettern quer über die Karte buchstabiert sein kann.

Wie blind wir durch die Welt gehen, hat der englische Psychologe Richard Wiseman im Experiment bestätigt: Er gab Versuchspersonen eine Zeitung mit der Bitte, die Fotos darin zu zählen. Dafür brauchten die meisten Teilnehmer ungefähr zwei Minuten, einige länger, weil sie noch einmal nachzählten, um ja keinen Fehler zu machen. Doch kein einziger Proband sah die daumenhohe Überschrift, die Wiseman auf der zweiten Seite platziert hatte: «HÖREN SIE AUF ZU ZÄHLEN. ES SIND 43 FOTOS IN DIESER ZEITUNG!»

Mehr noch: Die Teilnehmer ließen sich auch leicht verdientes Geld entgehen. Weiter hinten im Blatt hatte Wiseman nämlich eine zweite, noch größere Überschrift untergebracht: «HÖREN SIE AUF ZU ZÄHLEN. SAGEN SIE DEM VERSUCHSLEITER, DASS SIE DIESEN SATZ GELESEN HABEN, UND KASSIEREN SIE DAFÜR 100 PFUND!» Die riesigen Lettern dieser Botschaft füllten mehr als eine halbe Seite; ins Bewusstsein der eifrigen Probanden drangen sie dennoch nicht vor. Sie hatten ihre Aufmerksamkeit einzig auf die Fotos gerichtet.[16]

Oft sind wir dermaßen auf ein bestimmtes Ziel fixiert, dass wir alles andere aus den Augen verlieren. Zufälle zu nutzen heißt, links und rechts seines Weges zu schauen.

Gelegenheiten erkennen

Die schönsten Gelegenheiten sind wertlos, wenn wir sie nicht erkennen – wie die Physiker William Crookes, Nikola Tesla und Arthur Goodspeed, die, jeder für sich und ohne voneinander zu wissen, Jahre vor Wilhelm Conrad Röntgen mit Röntgenstrahlung experimentierten. Doch keiner der drei begriff, welche Entdeckung ihm gelungen war; dass sie Gegenstände durchleuchtet sahen, hielten sie für einen Fehler ihrer Fotoplatten. So war es Röntgen, der mit einem Bild der Handknochen seiner Frau berühmt wurde und für «eine neue Art von Strahlen» im Jahr 1901 den ersten Physiknobelpreis bekam.

Dass die anderen Forscher ihre Chance verpassten, ist wiederum eine Folge der Ökonomie im Kopf. Damit es möglichst wenig Daten verarbeiten muss, blendet das Gehirn Informationen aus, die für unsere augenblicklichen Absichten unwichtig scheinen. So können wir selbst das übersehen, was auf der Hand liegt. Zugunsten dessen, was wir schon zu wissen meinen, unterschätzen wir die Bedeutung des Unerwarteten. Wir neigen dazu, Beobachtungen, die uns auf eine neue Spur führen könnten, fälschlich durch Bekanntes zu erklären. Weil sie solchen Vorurteilen weniger leicht zum Opfer fallen, waren es so oft Außenseiter oder Neulinge, die in der Forschung wichtige Entdeckungen machten.

Selbstverständlich sind Kenntnisse und Ziele keineswegs belanglos. Im Gegenteil: Gelegenheiten kommen nicht aus dem Nichts. Sie entstehen dadurch, dass vor dem Hintergrund dessen, was wir angebahnt haben, etwas Unvermutetes auftaucht.

Der Königsweg, schöpferisch mit dem Unberechenbaren umzugehen, besteht also darin, sein systematisches Denken und Handeln so weit wie möglich zu treiben – sich aber der Grenzen dieses Vorgehens bewusst zu sein. Zufälle können dann zu Hilfe kommen, indem sie neue Verbindungen zwischen den uns vorliegenden Informationen aufzeigen und so die Lücken füllen. Planvolles Vorgehen und Offenheit für das Unerwartete schließen sich nicht aus, sie ergänzen einander. Lenin betätigte sich drei Jahrzehnte im russischen Untergrund, dann nutzte er die Wirren nach dem Ende des Ersten Weltkriegs, um endlich sein Ziel zu erreichen. «Wer dreißig Jahre an die Revolution denkt, von ihr träumt, mit ihr schläft, dem gelingt eines Tages die Revolution», hat er einmal gesagt.

Der Zufall lehrt Achtsamkeit

Wir stellen uns die Zeit als einen Pfeil vor, der nach vorne weist. Ebenso geradlinig wünschen wir uns unser Leben, das Wachstum eines Unternehmens und sogar den Fortschritt der Gesellschaft. Im Grunde glauben wir, es komme nur darauf an, sorgfältig zu planen, um zu erreichen, was immer wir wollen. Nur folgerichtig ergehen wir uns in Vorwürfen gegen uns selbst und andere, wenn die Dinge einmal nicht so laufen, wie sie sollen.

Die Idee von der geradeaus marschierenden Zeit ist tief in unserer Zivilisation verwurzelt. Schließlich predigen die Philosophen des Abendlandes seit 2500 Jahren zielstrebiges Denken. Und doch ist es keineswegs selbstverständlich, die Zeit als Gerade zu sehen. Asiatische Kulturen zum Beispiel stellen sie sich als Kreis vor: Die Welt folge einem Zyklus der ewigen Wiederkehr; alles, was war, werde dereinst von neuem erstehen. Ferne Zukunft und graue Vergangenheit fallen zusammen.

Auch die Wissenschaft hängt der Vorstellung einer nur linearen Zeit nicht mehr an. Den Abschied vom Zeitpfeil vollzogen die Physiker des 20. Jahrhunderts, als sie erkannten, dass die Natur gleichsam auf dem Fundament des Zufalls gebaut ist. Seiner Wirkung haben wir es zu verdanken, dass wir überhaupt so etwas wie einen Zeitfluss erleben. Aber schon früher und nicht minder tief greifend hatte Charles Darwin die Sicht der Menschen auf gestern und morgen verändert: Auch in der Evolution des Lebens ist die Zeit kein Pfeil, der unbeirrt seinem Ziel entgegenstrebt. Viel eher trifft das Bild eines Baumes zu, der sich immer feiner verästelt.

Die Natur tastet sich in zufälligen Schritten nach vorne, manchmal auch zurück. Auf diese Weise bringt sie mehr und mehr Varianten hervor. Anders als es sich die Schöpfungsmythen vieler Völker ausmalten, hat das Leben kein Ziel, dafür ständig neue Verzweigungen. Und jeder Ast führt in eine andere Zukunft. Erscheint es da nicht ein wenig vermessen zu erwarten, dass ausgerechnet unser eigenes Dasein ohne Umweg und nach Plan verlaufen soll?

Es fällt uns nicht leicht, uns mit verschlungenen Lebenswegen anzufreunden. Weil dieses Denken den Gewohnheiten unserer Kultur zuwiderläuft, sind die Empörung, die Darwin zu seiner Zeit auslöste, und das Erschrecken der Teilchenphysiker über ihre eigenen Erkenntnisse nur zu verständlich. Wir hängen an dem Glauben, dass sich die Zeit – und damit unser eigenes Leben – wie ein kanalisierter Fluss alle Schleifen erspart. Nicht selten versuchen wir sogar, der Realität diese Vorstellung aufzuzwingen. Für diese Verbissenheit bezahlen wir teuer. Das Problem ist allerdings nicht, dass wir Absichten hegen und sie auch verfolgen; anders gäbe es keinen Fortschritt. Die wohl überlegten Vorhaben erweisen sich aber als Falle, wenn wir an ihnen festhalten, während die Tatsachen längst ein anderes Vorgehen nahe legen. Pläne können blind für die Wirklichkeit machen.

Wer solche Irrwege vermeiden will, muss sich die Ungewissheit eingestehen. Sich nicht genau darüber im Klaren zu sein, was einem bevorsteht, kann durchaus lustvollen Nervenkitzel bereiten, wie wir gesehen haben. Oft aber erzeugt Unsicherheit Stress, und um diesen zu vermeiden, bauen wir Illusionen der Sicherheit auf: Wir wähnen uns wissender, als wir sind.

Während wir unsere Kenntnis der Welt überschätzen, unterschätzen wir zugleich unser Talent, aus Überraschungen Nutzen zu ziehen. Das ist erstaunlich; schließlich zeichnet sich der Mensch gegenüber allen anderen Geschöpfen durch seine besondere Fähigkeit aus, aus einer unsicheren Umgebung das Beste zu machen. In vorhersehbaren Situationen sind uns Tiere oft überlegen: Ein Aal etwa findet über Tausende Kilometer Entfernung den Weg zurück zu seinem Geburtsort im Ozean. Unsere einmalige Stärke hingegen liegt darin, das Neue zu bewältigen, es zu suchen und sogar zu erschaffen. Eben dazu hat die Evolution das Großhirn des Menschen erfunden, das der Körper mit weitaus mehr Energie versorgt als jedes andere Organ. Mit hundert Billionen grauen Zellen im Kopf eines jeden von uns – mehr, als es Sterne in der Milchstraße gibt – ist es das komplexeste Gebilde, das die Natur je hervorgebracht hat.

Deshalb haben wir allen Grund zu Selbstvertrauen angesichts einer Welt, die sich ändert. Wir können es uns leisten, gelassen zu sein. Unser wichtigstes Werkzeug für den Umgang mit dem Ungewissen ist die Aufmerksamkeit. Je früher und je genauer wir Veränderungen bewusst wahrnehmen, desto besser können wir Risiken einschätzen und Chancen erkennen. Einseitige Konzentration auf Pläne steht dem entgegen, weil sie zu viel Aufmerksamkeit bindet. Leben ist schließlich, John Lennon hat es einmal gesagt, «was geschieht, während wir andere Pläne machen».

So bringen uns Zufälle dazu, die Luftschlösser in unseren Köpfen zu verlassen und in die Wirklichkeit aufzubrechen. Darum ist es nicht nur ein Abenteuer, dem Unvorhersehbaren im Leben mehr Raum zu verschaffen – es verändert zugleich uns selbst. Die Wahrnehmung wird schärfer, wir erlangen ein anderes Zeitgefühl: Der Zufall lehrt uns Achtsamkeit. Hierin liegt der größte Gewinn, den er uns beschert. Überraschungen machen uns empfänglich für die Gegenwart – und ist das Jetzt nicht alles, was wir haben? Sich dem Zufall öffnen heißt lebendig sein.

ANHANG

DANKSAGUNG

Ein Buch mit so vielen Facetten kann nicht die Arbeit eines Einzelnen sein. Ich stehe tief in der Schuld der Wissenschaftler und Experten, die viele der dargestellten Ideen entwickelt und untersucht haben – und die Geduld hatten, sie mir in oft langen Gesprächen zu vermitteln. Dafür danke ich Brian Arthur, Paul Baltes, Eberhard Bauer, Gregory Berns, John Casti, Gregory Chaitin, Jürgen Ehlers, James Doyne Farmer, Ernst Fehr, Gerd Gigerenzer, Paul Glimcher, Peter Grassberger, Onur Güntürkün, Edward Hagen, Torsten Hens, Alex Kacelnik, Reiner Kemmler, Walter Kroy, Michael Lardschneider, Cpt. Harry Neb, Werner Plihal, Paul Rainey, Herbert Spohn, Karl Svozil, Jiri Wackermann, Stephen Wolfram und Anton Zeilinger. Sie haben mir zahllose Anregungen gegeben und mich mehr als einmal auf die richtige Spur gebracht.

Mein ganz besonderer Dank gilt Michael Bordt SJ von der Münchner Hochschule für Philosophie, dem Neuropsychologen Peter Brugger von der Universität Zürich, der Psychologin Gesine Hofinger, die am Berliner Wissenschaftskolleg geforscht hat, und meinen Lehrern Josef Honerkamp und Herbert Wagner von den Physikalischen Instituten der Universitäten Freiburg und München. Sie haben mich nicht nur mit ihren Fachgebieten vertraut gemacht, sondern sich auch der Mühe unterzogen, das Manuskript ganz oder in Teilen auf Richtigkeit zu prüfen. Viele Irrwege und Ungenauigkeiten konnte ich dadurch vermeiden; Fehler, die geblieben sein mögen, gehen allein zu meinen Lasten.

Meine Rechercheure Elke Binder und Stefan Nickels haben mit großer Ausdauer die nötige Literatur aufgespürt und besorgt. Alan Posener, seit Jahrzehnten dem Zufall auf der Spur, überließ mir seine einmalige Sammlung merkwürdiger Begebenheiten. Monika Klein hat mit bewundernswerter Genauigkeit Korrektur gelesen und den Anhang in Ordnung gebracht.

Meine Freunde Katrin Androschin, Ulrike Bartholomäus, Stefan Bauer, Hildegard Diehl-Bode, Volker Foertsch, Eckhart von Hirschhausen, Bas Kast, Christoph Leischwitz, Elektra und Efstratios Rigos und Wolfgang Schneider haben das Manuskript oder Kapitel daraus zum Teil mehrmals vorab gelesen. Ihnen verdanke ich viele Anstöße, die das Buch interessanter und verständlicher gemacht haben. Ihr oft geäußerter Wunsch, immer mehr erfahren zu wollen, hat mich bei der Arbeit sehr ermutigt.

Mein Lektor Uwe Naumann hat auch dieses Projekt mit allen Kräften gefördert – und mich in die Welt der Casinos eingeführt. Und Matthias Landwehr, mein Agent, hat vom ersten Gespräch an an das Buch über den Zufall geglaubt.

Alexandra Rigos, meine geliebte Frau und Kollegin, hat mit mir das Konzept ausgearbeitet, unzählige Ideen beigesteuert und mit mir den ganzen Text überarbeitet – bis zwei Tage vor Geburt unserer Tochter.

ANMERKUNGEN

Einleitung

1 Zum Gebrauch des Worts «Zufall» siehe Kapitel 1, Anmerkung 6
2 deutsch: Monod 1971
3 Gammaitoni et al. 1998

Kapitel 1
Ein Gott mit zwei Gesichtern

1 Interview des Autors mit dem Ehepaar Bagshaw am 9. Januar 2004
2 «Taxi trip reunites father and son». BBC Radio am 9. August 2001. Über den Vorgang berichtete als Erste die Reporterin Barbara Davidson von der Lokalzeitung *The Argus*: «A fare to remember» am 9. August 2001.
3 *Hamburger Abendblatt*, 5. Februar 2003
4 «The Crash of Flight 587: The Victims». In: *New York Times*, 13. November 2001
5 «Tragedy of New Yorkers hit twice». BBC World Service, 13. November 2001
6 Dieselbe Definition, nur komplizierter ausgedrückt, bieten übrigens Philosophie-Lexika wie das Metzler'sche: «Zufälle sind jene Ereignisse, die sich weder als gesetzliche Folge eines objektiven Kausalzusammenhangs noch als intendiertes Folgeereignis subjektiv-rationaler Planung erklären lassen» (Prechtl und Burghardt 1999). Streng sprachanalytisch betrachtet, ist es zumindest unglücklich, von «dem Zufall» als einem eigenen Subjekt zu sprechen. Denn genau genommen ist der Zufall kein handelndes Subjekt, sondern das Attribut, auf eine bestimmte Weise unerklärlich zu sein, welches wir Ereignissen zuschreiben. Um einer anschaulichen und lebendigen Sprache willen werden wir diesem philologisch strengen Gebrauch allerdings nicht immer folgen. Mit «einem Zufall» ist also in diesem Buch stets «ein zufälliges Ereignis» gemeint, und «der Zufall» bezeichnet «zufällige Ereignisse».
7 Nach Schulte 1973
8 Klein (S.) 2002
9 Gamow 1985
10 Zahlen nach einer Umfrage des Word Economic Forum, Genf. Siehe z. B. «Die Reichsten sind am unsichersten». In: *Süddeutsche Zeitung*, 8. Januar 2004

Kapitel 2
Die Gesetze des Zufalls

1 Chaitin 2001. Es gibt allerdings leicht abweichende Definitionen der algebraischen Zufälligkeit. Während Gregory Chaitin ein Muster zufällig nennt, für das es keine kürzere Be-

schreibung gibt, wählt der Physiker Stephen Wolfram (2002) eine etwas abweichende Definition: Für ihn ist ein Ereignis oder ein Muster zufällig, für das wir keine kürzere Beschreibung finden können. Das mag der Fall sein, wenn eine Regel, die das Ereignis steuert, so oft iteriert wurde, dass ihre Spuren «verwischt» sind.

2 Chaitin 2001

3 Miller 1956

4 Broadbent 1975, MacGregor 1987, LeCompte 1999

5 Leibniz 1958

6 Zitiert nach Bernstein 1997

7 Cardano verwendete normalerweise den Wurf eines Würfels als Beispiel. Ich habe seine Argumentation auf das einfachere Spiel mit der Münze übertragen, um die Kerngedanken klarer hervortreten zu lassen.

8 Nach dem Jahresbericht der Arbeitsgemeinschaft Deutscher Rinderzüchter wurden in Deutschland im Jahr 2002 5,1 Millionen Kühe gehalten. Man rechnet mit einer Geburtenrate von ungefähr 0,85 Kälbern pro Jahr und Kuh. Demnach werden jährlich 4,1 Millionen Kälber geboren. Die Rate aller Missbildungen liegt bei zwei mit Anomalien behafteten Kälbern auf tausend geborene Nachkommen (Müller-Schlösser 1994, Herzog 1982). Dass jedes zwanzigtausendste missgebildete Kalb mit zwei Köpfen auf die Welt kommt, ist eine vorsichtige Schätzung. Die Missbildungsrate für zweiköpfige Kälber wäre demnach eines auf zehn Millionen geborene Tiere.

9 Das Phänomen der «kleinen Welt», das dazu führen muss, dass sich weit voneinander entfernte Menschen manchmal wieder begegnen, ist Gegenstand intensiver Forschung. Einen aktuellen Überblick geben Watts 2003 und Buchanan 202; siehe auch Kapitel 16 des vorliegenden Buches. Für unsere Zwecke hier genügt eine kleine Modellrechnung: Wie beim Kinderspiel «Blinde Kuh» sind N Menschen in einem Raum, einem werden die Augen verbunden. Seine Aufgabe ist es, eine bestimmte der übrigen (N – 1) Personen zu finden. Die Wahrscheinlichkeit, dass ihm dies gelingt, ist

$$q = \frac{1}{(N-1)},$$

die Wahrscheinlichkeit, dass sie die gesuchte Person nicht findet, beträgt (1 – q). Nun geben wir der nächsten blinden Kuh eine Chance. Für diese Versuchsperson wird vorher eine andere Zielperson bestimmt; dabei gelten dieselben Wahrscheinlichkeiten q und (1 – q) für Erfolg und Misserfolg. Da die beiden Versuche voneinander unabhängig sind, ist die Wahrscheinlichkeit, dass keine der beiden blinden Kühe die gesuchte Person findet,

$$p_2 = (1 - q)^2.$$

Wenn etwas allgemeiner alle N Personen im Raum nacheinander die blinde Kuh spielen und dabei nicht nur einmal, sondern m-mal ihr Glück versuchen dürfen, ist (aufgrund der Unabhängigkeit aller Ergebnisse voneinander) die Wahrscheinlichkeit, dass nie eine blinde Kuh «Treffer» meldet:

$$p_N = (1 - q)^{mN}.$$

Für N = 10 Personen und m = 3 Versuche pro Person bekommen wir zum Beispiel

$$p_{10} = 0{,}029.$$

Mit einer Wahrscheinlichkeit von mehr als 97 % wird also mindestens eine blinde Kuh ihre Zielperson finden. Um mit größeren Personenzahlen zu hantieren, empfiehlt es sich, die Wahrscheinlichkeit logarithmisch zu schreiben:

$$\ln p_N = m\,N \ln (1 - q)$$
$$= - mNq - \frac{mNq^2}{2} - \ldots$$

Dabei haben wir die Reihenentwicklung für den natürlichen Logarithmus verwendet; da q mit wachsender Personenzahl N sehr klein wird, können wir bereits das quadratische Glied vernachlässigen. Außerdem nähert sich dann Nq immer mehr der Eins, sodass

$$\ln p \sim - m \quad \text{oder } p \sim e^{-m}$$

gilt. Bei größerer Personenzahl hängt also nur noch die Wahrscheinlichkeit q, dass eine bestimmte blinde Kuh ihre Zielperson findet, von der Zahl der Mitspieler ab. Sie sinkt von q = 1 : 9 bei 10 Mitspielern auf q = 1 : 99 bei 100 und q = 1 : 999 999 bei einer Million Teilnehmern. Die Wahrscheinlichkeit p dagegen, dass keine von sehr vielen blinden Kühen Erfolg hat, hängt gar nicht mehr von deren Anzahl, sondern nur von der Häufigkeit ab, mit der jede einzelne ihr Glück versucht. Bereits bei 3 Versuchen pro Person ergibt sich eine Trefferwahrscheinlichkeit für mindestens einen Beteiligten von mehr als 90 %, bei 5 Versuchen eine Chance von mehr als 99 % und bei 8 Versuchen von mehr als 99,9 %. Bereits bei einer relativ geringen Zahl von Versuchen ist es also so gut wie sicher, dass mindestens eine blinde Kuh ihre Zielperson findet.

Als Modell für die Wiederbegegnung von Menschen, die einander aus den Augen verloren haben, ist diese Rechnung sogar eher pessimistisch. Jeder von uns hat im Lauf seines Lebens den Kontakt nicht zu einem, sondern zu Dutzenden Menschen verloren und würde ein zufälliges Treffen mit einer solchen Person als höchst bemerkenswertes Ereignis empfinden. Jeder sucht also nicht wie in unserer Modellrechnung nach einer Zielperson, sondern nach vielen gleichzeitig. Entsprechend steigt die Wahrscheinlichkeit eines Treffers. Auch ist die Zahl der Versuche, die wir Tag für Tag unternehmen, viel größer als in unserer Annahme; sie entspricht der Anzahl ungewohnter Gesichter, die uns begegnen. Und schließlich ist die Durchmischung von Menschen im wirklichen Leben nicht annähernd so perfekt wie im Denkmodell des Blinde-Kuh-Spiels. Ein Angehöriger, den wir aus den Augen verloren haben, hält sich nämlich sehr viel eher in derselben Region oder zumindest im selben Erdteil wie wir auf als unter den übrigen Milliarden Menschen auf der Welt, die ebenfalls ständig nach einer von mehreren Zielpersonen Ausschau halten. Entsprechend dürfte die Trefferwahrscheinlichkeit q für jeden Mitspieler höher sein als der von uns angesetzte Kehrwert der Zahl aller übrigen Mitspieler N – 1, von deren Sucherfolg wir erfahren.

Kapitel 3
Kosmisches Casino

1 Im amerikanischen Roulette gibt es die Zahlen 1 bis 36, die Null und die Doppelnull.

2 Weil es beim amerikanischen Roulette 38 Zahlen gibt und der Einsatz bei Null und Doppelnull an die Bank geht, verdient die Bank im Schnitt $^2/_{38}$ oder 5,2 Prozent pro Runde. Dem entspricht der mittlere Verlust der Spieler.

3 Inzwischen hat sich ein Hersteller gefunden, der einen Roulettecomputer nach Farmers Machart im Internet vertreibt: http://www.newtonroulette.com/.

4 Alle Informationen stammen aus einem Interview des Autors mit Doyne Farmer am 19. Juni 2003 und aus Bass 1985.

5 Zum Beispiel John Desaguliers: The Newtonian System of the World, the Best Model of Government (1728). Siehe auch Barrow 1998.

6 Laplace 1814

7 Sigmund 1995

8 Scheid 1996

9 Der Einfachheit halber denken wir uns den Lauf der Kugel reibungsfrei, sie rollt also immer mit gleicher Geschwindigkeit auf dem Board.

10 In der Physik heißen solche Phänomene nach den dabei auftretenden Gleichungen auch nichtlineare Dynamik. Die Grundlagen ihrer Erforschung wurden von dem französischen Mathematiker Henri Poincaré und anderen bereits an der Schwelle zum 20. Jahrhundert gelegt. Mit der zunehmenden Verbreitung der Computer als Werkzeug der Wissenschaft erlebte die Untersuchung der nichtlinearen Dynamik unter dem Schlagwort «Chaosforschung» seit den 1970er Jahren eine große Renaissance, in der mit verbesserten Methoden der Mathematik und den Möglichkeiten der Computersimulation viele neue Erkenntnisse gewonnen wurden.

11 Die Geschwindigkeit, mit der die Bahnen zweier um eine kleine anfängliche Unsicherheit verschobener Bahnen auseinander laufen, lässt sich im so genannten Liapunov-Exponenten messen. Eine gute Einführung gibt Ruelle 1994.

12 Auch hypothetische «Quantencomputer», welche die Gesetze der im nächsten Kapitel beschriebenen Quantenmechanik ausnutzen und dadurch sehr viel höhere Rechengeschwindigkeiten erreichen würden, könnten das Problem nicht lösen. Siehe Penrose 1989.

13 Die Schwierigkeit der praktischen Unberechenbarkeit stellt sich bereits in einer wichtigen Klasse von Fragestellungen, bei denen der Rechenaufwand für das Überprüfen der Gültigkeit einer Lösung noch nicht einmal exponentiell, sondern nur polynomial mit dem Umfang des Problems und der gewünschten Genauigkeit ansteigt. Zu diesen so genannten NP-Problemen (NP steht für «nichtdeterministische polynomiale Zeit») gehört beispielsweise die Aufgabe, die Route eines Reisenden so zu planen, dass er eine gegebene Anzahl M von Städten auf kürzestem Weg besucht. Wenn man schon eine Route gefunden hat, lässt sich mathematisch beweisen, dass nur M^k Rechenschritte nötig sind, um zu kontrollieren, ob dies die bestmögliche Lösung ist (k ist irgendeine natürliche Zahl). Damit ist eine solche Nachprüfung praktisch zu bewältigen. Aber M^k Schritte reichen nicht aus, um eine kürzeste Route zu finden. Ein in der Molekularbiologie besonders wichtiges NP-Problem ist die Aufgabe, vorherzusagen, wie sich ein Protein mit gegebener Aminosäuresequenz formt. Siehe hierzu auch den letzten Abschnitt von Kapitel 6 dieses Buches. Einen guten Überblick über NP-Probleme gibt Barrow 1998.

14 Des Physikers Michele Besso; der Brief datiert vom 21. März 1955. Speziali 1972
15 Blackmore 1995, Porter 1986
16 Einem Kollegen gegenüber klagte er einmal, absolut niemand verstünde seine besten Theorien. Siehe Broda 1955.
17 Lorenz 1963
18 Robert 2001
19 Stark und Hardy 2003

Kapitel 4
Jenseits der Grenzen des Wissens

1 Tit 1, 12–13
2 Genau gesagt, muss die Logik die Konstruktion einer Arithmetik zulassen, also die natürlichen Zahlen 1, 2, 3 …, damit der Gödel'sche Satz gilt. Das ist für jede Logik von praktischer Bedeutung der Fall.
3 Negative Rückkopplung steuert einem Effekt entgegen und stabilisiert das System. Ein Beispiel ist ein Heizkörperthermostat: Sobald die Temperatur zu sehr steigt, wird die Heizung abgeschaltet und erst wieder in Betrieb genommen, wenn die Temperatur unter eine bestimmte Schwelle sinkt. Im Gegensatz dazu führt positive Rückkopplung zu Vorgängen, die sich selbst verstärken. Dies geschieht etwa bei einer Blase an der Börse, wenn die Anleger nur deswegen Aktien kaufen, weil andere kaufen und der Preis steigt. Mehr darüber im folgenden Kapitel. Im Fall der Teilchenphysik ist die Lage, wie wir sehen werden, noch etwas komplizierter.
4 Shiller 2000
5 Die allgemeine Haltwahrscheinlichkeit ist definiert als die Chance, dass ein Programm in endlicher Zeit endet, gemittelt über alle Programme und alle denkbaren Datensätze. Eigenheiten des Computers, des Betriebssystems und so weiter spielen dabei keine Rolle, da man zeigen kann, dass alle Systeme untereinander logisch äquivalent sind und auf einer so genannten universalen Turingmaschine abgebildet werden können.
6 Chaitin 2001, Penrose 1989
7 Gregory Chaitin, persönliches Gespräch mit dem Autor
8 Der Spin der Atomkerne ist für den Magnetismus verantwortlich. Wenn wir eine Weile mit einem Magneten an einem Nagel reiben, haben wir das Eisen magnetisiert, denn wir haben die Achsen seiner Atome in eine bestimmte Richtung gebracht – wie man Haare kämmt.
9 Für Experten: Der Spin eines Elektrons wird in Vielfachen des Planck'schen Wirkungsquantums $\hbar$ gemessen $(2n - 1)\hbar/2$, $n = 1, 2, \ldots$). Der Anschaulichkeit halber ist also hier $\hbar$ als Einheit des Drehimpulses verwendet.
10 Man kann mathematisch beweisen, dass zwischen beiden Problemen ein enger Zusammenhang besteht; siehe Svozil 1993.
11 Anton Zeilinger hat vorgeschlagen, nicht Ort und Impuls, sondern die Information selbst als Grundgröße der Physik des Allerkleinsten zu nehmen. Ein Atom trägt demnach nur ein bestimmtes Quantum an Information, die es in verschiedener Weise preisgeben kann. Sobald die Information erschöpft ist, werden weitere Experimente nur noch zufällige Ergebnisse liefern. Brukner und Zeilinger 1999, Zeilinger 2003
12 Mathematisch wird dieser Ausdruck von den Ungleichungen beschrieben, die der irische Physiker John Bell 1964 bewies. Siehe Bell 1987.
13 Nairz et al. 2003
14 Edelmann 1992, Penrose 1989

15 Barrow 1998
16 Popper 2001
17 Wolfram 2002

Kapitel 5
Die Kunst des Gedankenlesens

1 In einem psychologischen Versuch spielten Wissenschaftler Unbeteiligten die ersten 15 Sekunden von Vorstellungsgesprächen auf Video vor. Dann sollten die Versuchspersonen raten, wie die Sache wohl ausgehen würde. Siehe Myers 2003.
2 Dawes 1994
3 Myers 2003
4 Myers 2003
5 Word et al. 1974
6 Noelle-Neumann 1989
7 Noelle-Neumann 1991, 1980
8 Bofinger und Schmidt 2003a
9 Spiwoks 2004 a, Spiwoks 2003
10 Spiwoks 2004 b
11 Bofinger und Schmidt 2003b
12 Sundali und Atkins 1994
13 Metcalf und Malkiel 1994
14 Gerber et al. 2002
15 Shefrin 2000
16 Das erlebten die Anleger, die in den 1980er Jahren auf kleinere Firmen setzten, während sich die meisten anderen nur für Konzerne interessierten. Da die Kleinen zugleich billiger waren und nicht minder rentabel arbeiteten als die Großen, stiegen sie stärker im Kurs. So ließen sich mit diesen Aktien ein paar Jahre lang traumhafte Renditen erzielen, bis alle sie entdeckten. Heute ist es einerlei, auf Firmen welcher Größe man setzt.
17 Arthur 1999; Arthur et al. 1997
18 John Casti, persönliche Mitteilung an den Autor
19 Taleb 2002
20 Für die USA beispielsweise prophezeite sie ein Bruttonationalprodukt von 1,3 bis 4,5 Billionen Dollar im Jahr 2000, bezogen auf den Geldwert im Jahr 1965. Dies entspricht 7,1 bis 23 Billionen Dollar im Jahr 2000. Tatsächlich betrug das amerikanische Bruttonationalprodukt rund 9 Billionen Dollar im Jahr 1998.
21 Hayek 1996, Hayek 1979, Hayek 1945
22 Conradt und Roper 2003
23 Prins 1996
24 Conradt und Roper 2003

Kapitel 6
Schöpfung ohne Plan

1 Corbet 1999
2 Gorb et al. 2000, Brookes 1997
3 Hoyle 1983
4 Lamarck 1809
5 Einen guten Überblick gibt Eibl-Eibesfeld 1960.
6 Kammerer 1919
7 Die biologischen Fachbegriffe sind Genotyp (für die genetische Information) und Phänotyp (für den Organismus, der von den Genen gesteuert wird).
8 Es gibt eine Ausnahme: die so genannte reverse Transkription, durch die Information vom Botenstoff RNS in die DNS gelangen kann. Die RNS (Ribonukleinsäure) ähnelt chemisch der DNS und trägt ebenfalls Erbinformation. Retroviren wie der Aids-Virus machen von der reversen Transkiption Gebrauch, um Körperzellen nach Bedürfnissen umzuprogrammieren. Dieser Vorgang kann aber nicht von den Eiweißen der Zelle ausgehen.
9 Die genaue Zahl ist unbekannt, da man annimmt, dass es in den Tropen eine riesige Anzahl noch nicht entdeckter Insektenarten gibt.
10 Bären wie der Koala und der Panda haben ebenfalls einen Finger, der den

anderen gegenübergestellt werden kann, doch dessen Glieder sind weit weniger beweglich als unsere Daumen und erlauben daher längst nicht so feine Manipulationen.

11 Um gerecht zu sein: Die Fliege gehört unter den Insekten immer noch zu den besten Fliegern. Käfer, Motten und andere, die sich ebenfalls aus dem gemeinsamen Vorfahren entwickelten, sind ihr weit unterlegen.

12 Riedl 1975

13 Jacob 1983

14 Maynard Smith 1993, Dawkins 1999

15 Neue Genanalysen legen nahe, dass Elefanten außerdem mit den Flusspferden verwandt sind. Daraus hat sich in den letzten Jahren die noch unbewiesene Theorie entwickelt, dass sich der Rüssel noch früher entwickelt haben könnte – nämlich bei einem gemeinsamen, im Wasser lebenden Vorfahren beider Tiere. Die allmählich immer länger wachsende Nase hätte demnach als eine Art Schnorchel gedient, der es den Tieren ermöglichte, unter Wasser zu atmen, ohne auftauchen zu müssen. Der Rüssel habe sich dann erhalten, als die Vorfahren der heutigen Elefanten an Land gingen. Diese Theorie erklärt allerdings nicht, warum es heute keine Flusspferde mit Schnorchel mehr gibt. (Ed Hagen, Humboldt-Universität Berlin, persönliche Mitteilung an den Autor)

16 Der Name Hox-Gene erklärt sich aus einem immer wiederkehrenden chemischen Erkennungsmuster, der Homöobox, mit dem diese Gene versehen sind.

17 Wie immer der letzte gemeinsame Vorfahr von Fliege und Mensch beschaffen war – dieser frühere Mehrzeller kann weder Blutkreislauf noch einen Sehsinn besessen haben, denn diese erschienen erst viel später in der Evolution, lange nachdem sich die Abstammungslinien von Insekten und Wirbeltieren getrennt hatten. Doch in den Genen des geheimnisvollen Ahnen waren die Anlagen, die später zur Entwicklung von Augen und Herz führten, schon vorgezeichnet. Nach einem ähnlichen Prinzip werden auch einzelne Organe gebildet. Dafür gibt es so genannte Master-Gene – Schalter, welche das Wachstum eines Auges, einer Niere oder einer Lunge anregen. Dass die Master-Gene ebenfalls zwischen verschiedenen Tierarten übertragbar sind, hat der Basler Entwicklungsbiologe Walter Gehring in mehreren Schritten eindrucksvoll bewiesen. Zuerst züchtete er Fruchtfliegen mit 14 Augen an abseitigen Stellen: auf den Flügeln und an den Beinen, sogar an den Spitzen ihrer Fühler. Gehring hatte die Wirkung eines Master-Gens verstärkt, das in den Larven die Entwicklung der Augen steuert. Dann ging der Schweizer Forscher einen Schritt weiter: Er entnahm Mäusechromosomen das entsprechende Augen-Gen und schleuste es in Fruchtfliegenlarven ein. Wieder waren die ausgewachsenen Fliegenkörper mit rubinrot glitzernden Insektenaugen übersät. Die Umtauschaktion im Erbgut funktionierte auch, als Gehring seinen Fruchtfliegen das Augen-Gen eines Tintenfisches einbaute. Ähnliche Versuche funktionierten auch mit einem Gen, das in Mäusen wie in Fliegen das Herz wachsen lässt.

18 Cohn et al. 1999. Nur ein kleiner Wandel in der Hox-Steuerung mag es dann, rund 200 Millionen Jahre später, manchen Fischen erlaubt haben, die Ozeane zu verlassen, auf festen

Grund zu kriechen und ihre Flossen abzuschaffen. Denn alles, was ein Wirbeltier für die Fortbewegung an Land braucht – Vorderbeine, Hinterbeine und Hüften –, bildet sich unter der Regie eines einzigen Hox-Gens: des Fuß-Flossen-Gens Hoxd-13. Das hat der Entwicklungsbiologe Denis Duboule von der Universität Genf herausgefunden, indem er verglich, wie seinen Mäuseembryos die Füße und wie an Zebrabärblingen, daumengroßen, blauweiß gestreiften Fischen, Flossen wachsen. Beiden Tieren wächst an der Stelle der späteren Extremitäten zunächst ein Stummel vom Rumpf gerade nach außen. Doch während der werdende Fisch es damit bewenden lässt (und den Spross nur noch mit etwas Flossenhaut schmückt), legen die wachsenden Beinknöchelchen von Landwirbeltieren am Ende eine Kurve ein: Der Fußballen entsteht, aus dem die Zehen sich fächern.

Bei den Fischen ist das Gen Hoxd-13 zu diesem Zeitpunkt schon abgeschaltet. Bliebe es auch bei ihnen etwas länger aktiv, wüchse vielleicht auch ihnen eine Art Fußballen. Möglicherweise änderte sich genau diese Abfolge, als aus Fischen die ersten Landtiere hervorgingen.

19 Dies stimmt für die großen Linien der kulturellen Entwicklung, für bestimmte technische Neuerungen der letzten Jahrzehnte allerdings nur bedingt. Bei einem großen Computerprogramm wie zum Beispiel dem Betriebssystem Windows bleibt der größte Teil der vorhandenen Information dem Benutzer verborgen. Dieser so genannte Quellcode, der in einer für Menschen lesbaren Symbolsprache den Ablauf des Programms ausdrückt, wird als Betriebsgeheimnis des Herstellers sorgsam gehütet und dürfte so umfangreich sein, dass vermutlich auch keiner der damit betrauten Entwickler mehr das gesamte Programm überblickt. In Anlehnung an die Sprache der Biologen könnte man daher durchaus von einem Genotyp dieser Technik sprechen; die Menüs und Graphiken auf dem Bildschirm, die als einzige dem Benutzer offenbar wären, entsprächen dann einem biologischen Phänotyp. Vielleicht nähert sich die Entwicklung der Technik umso mehr den Mechanismen der Evolution an, je komplizierter sie wird.

20 Gould 2000

21 Hayek 1996

22 Koestler 1964

23 Latour 1995

24 Zitiert nach Clusius 1961

25 Zahllose Beispiele mehr gibt Schneider 2002.

26 Siehe Kapitel 3, Anmerkung 13.

27 Klein 1993

28 Rechenberg 1994

29 Einen ausführlichen Überblick gibt http://evonet.dcs.napier.ac.uk

30 Keefe und Szostak 2001, Steipe 1999

Kapitel 7
Die Welt als Tombola

1 Erstaunlicherweise hängt diese Zahl kaum von der Größe der Bevölkerung ab. Siehe Schuster und Sigmund 1989.

2 Dyson 1979

3 Janson 2003

4 Rainey 1998, Rainey 2003

5 Wie schnell die Evolution einer Art eine andere bedrohen kann, haben amerikanische Biologen an Rädertierchen untersucht, die Grünalgen fressen. Wenn die Algen intensiv gejagt werden, setzt sich nach wenigen Wochen durch zufällige Mutation eine kleine Variante durch, die weniger nahrhaft ist. Nun haben die Rädertierchen zu wenig Futter, ihre Zahl schwindet. Sobald die Räuber dezimiert sind, gedeihen wieder größere Algen, und das Spiel beginnt von neuem (siehe Yoshida et al. 2003). In diesem Versuch ist der Verlauf regelmäßig; bei anderen Arten hingegen – finnischen Wühlmäusen zum Beispiel – ist das Leben und Sterben in der Bevölkerung offenbar völlig chaotisch, wenn sich ein Räuber durch Mutationen fortentwickelt (siehe Turchin 2003).

6 Anderson und May 1991

7 Liebowitz und Margolis 1990

8 David 1985, David 1986. Wie die Umschaltung funktioniert, beschreibt für die verschiedenen Rechner www.mwbrooks.com/dvorak/support.html

9 Niemand benutzt mehr Beta-Videokasetten, obwohl dieser Standard den flimmernden VHS von Anfang an weit übertraf. Aber zu viele Käufer befürchteten, dass sie irgendwann keinen Nachschub an neuen Filmen für ihren Recorder mehr bekommen würden, weil sich Beta vielleicht nicht halten könnte. So kam es dann auch. Andere Beispiele sind der Kampf zwischen Apple und Microsoft, die Entwicklung städtischer Ballungszentren (zu beidem siehe Arthur 1990) und die allmähliche Verbreitung der Dampfschifffahrt (Gierer 1998).

10 Dahinter steht oft ein Effekt, den Ökonomen zunehmenden Grenzertrag nennen: Eine Lösung ist umso vorteilhafter, je weiter sie verbreitet ist. Ein Handy etwa bringt umso größeren Nutzen, je mehr andere Teilnehmer ebenfalls eines haben. In solchen Fällen ist der Anreiz für jeden Einzelnen groß, an einer weit verbreiteten Lösung festzuhalten, auch wenn sie nicht optimal ist. Siehe z. B. Arthur 1990.

11 Beispielsweise gibt es 64 Triplets aus Nukleinsäuren in der DNS, die willkürlich für nur 20 Aminosäuren codieren, aus denen die Eiweiße zusammengesetzt sind. Klein 2000, Eschenmoser 1999, Monod 1971, Crick 1968

12 Die Sprengkraft wird entsprechend 100 Millionen Megatonnen TNT geschätzt, das gesamte Arsenal aller Atommächte entspricht 10 000 Megatonnen TNT. Siehe Morrison 1995.

13 Ergebnisse des Symposiums «Mesozoische und Känozoische Bioevents: Verbindung mit Impakts und anderen Ursachen», Museum für Naturkunde Berlin, 21.–23. November 2002. Siehe auch Ulmer 2003 und darin zitierte Literatur.

14 Keller et al. 2004

15 Gould 1991, Stehli und Webb 1985

16 Sagan 1978

17 Rainey 2003

Kapitel 8
Täuschen und Tarnen

1 Interview mit Vizeadmiral Joe Williams, geführt am 31. August 1996. Aufgezeichnet im National Security Archive http://www.gwu.edu/~nsarchiv/

2 Driver und Humphries 1988

3 Zitiert nach Driver und Humphries 1988

4 von Neumann 1928, von Neumann 1940

5 Haywood 1954

6 Calvino 1979

7 Poundstone 1992

8 Zitiert nach Poundstone 1985

9 Axelrod 1984

10 Nowak und Sigmund 1992
11 Wedekind und Milinski 1996
12 Glimcher 2003, Miller 1997
13 Evans 1998

Kapitel 9
Kindheit, Liebe, Partnerschaft

1 Zitiert nach Bechtel und Stains 1997
2 Terman 1925
3 Terman und Oden 1959
4 Tomlinson-Keasey und Gomel 1997
5 Bloch 1969
6 Er arbeitete sich von beiden Seiten des Zahlenstrahls gleichzeitig vor, indem er zunächst die 1 mit der 100, dann die 2 mit der 99, dann die 3 mit der 98 usw. zusammenzählte; diese Teilsumme ist stets 101 und wird 51-mal aufaddiert. So fand Gauß für die Summe der ersten N natürlichen Zahlen die Formel N (N + 1) / 2
7 Bouchard 1994, Bouchard et al. 1990
8 Zum Beispiel kann der Effekt der Gene dadurch überschätzt werden, dass die Adoptivfamilien erstens in ihren Lebensumständen einander ähneln und zweitens von den Jugendämtern sorgfältig ausgesucht worden sind, um den Kindern eine förderliche Umgebung zu bieten. In diesem Fall wachsen die Zwillinge unter ähnlichen Umständen auf, was einen Teil der Gemeinsamkeiten erklären kann, die sonst auf die Gene zurückgeführt werden. Vgl. Scarr und McCartney 1983. Siehe auch Baltes 1998, Plomin 1990.
9 McGue et al. 1993. Scarr und McCartney 1983, Scarr und Weinberg 1978
10 Lykken 1999, Bouchard et al. 1990
11 The Secret Life of Twins. Sendung der BBC London am 14. Juli 1999
12 Maccoby und Martin 1983
13 Harris 2000, Baron 1992
14 Rigos 1998
15 Rigos 1998
16 Tavris 1998. Die Literatur zu diesem Thema ist zahlreich. Einen umfassenden Überblick gibt das sehr lesenswerte Buch «Ist Erziehung sinnlos?» von Judith Harris (2000). Siehe außerdem Harris 1995.
17 Leicht verständliche Informationen über das so genannte Positive Parenting Program geben die Internetseiten
www.triplep.de und
http://www.geo.de/GEOmedizin_psychologie/2002_04_GEO_kunst_des_helfens_erziehungstips/index.html
sowie Kucklick 2002
18 Gibran 2001
19 Lykken 1999, Lykken 1993
20 Tennov 1979, Kast 2004
21 Tennov 1979, Übersetzungen von mir
22 Tennov 1979
23 Reed & Reed 1965
24 Hill et al. 1976. Eine ähnliche Untersuchung an Ehepaaren über einen Zeitraum von vier Jahren bestätigt den Befund, siehe: Bentler & Newcomb 1978.
25 Weisfeld et al. 1992
26 Buston und Emlen 2003

Kapitel 10
Wahnsinn mit Methode

1 George Miller Beard (1839–1883) gehörte zu den Pionieren der modernen Neurologie. Im letzten Jahrzehnt seines Lebens widmete er sich der Erforschung von angeblich übernatürlichen Phänomenen, die er als unbewusste Täuschungen des menschlichen Gehirns erklärte.
2 Schütze 1990, Burnham 1973
3 Strindberg 1936
4 Hiob 40, 9

5 Es gibt nur eine vollständige Faksimileausgabe. Schütze 1990
6 Philip 1966
7 Keynes 1972, Halpern 2000
8 Ob bestimmte sprachliche Grundregeln angeboren sind, ist umstritten, seit Noam Chomsky seine Theorien von einem erblichen «Sprachinstinkt» aufstellte. Inzwischen aber neigt die Mehrheit der Wissenschaftler der Auffassung zu, dass ein solcher Sprachinstinkt, wenn es ihn denn geben sollte, keinesfalls den ganzen menschlichen Spracherwerb erklären kann. Ohne Regeln und Bedeutungen, die wir von der Umwelt lernen, geht es nicht. In der Fachdiskussion heißt dieser Prozess der Suche nach Koinzidenzen und Übereinstimmungen «statistisches Lernen». Für einen Überblick siehe Seidenberg et al. 2002.
9 Saffran et al. 1996
10 Bischoff-Grethe et al. 2000
11 Gregory Berns, persönliche Mitteilung an den Autor
12 Fiorillo 2003, Schultz 2002, Schultz 2000, Schultz et al. 1997
13 Daneben ist Dopamin auch für die Muskelsteuerung unerlässlich. Einen guten Überblick über das Thema geben Schultz 2002, Wickelgren 1997.
14 Wickelgren 1997, Schultz et al. 1997
15 Reynolds et al. 2001
16 Breiter et al. 2001, Knutson et al. 2001
17 Reichenbach 1949
18 Bar-Hillel und Wagenaar 1993
19 Gilovich et al. 1985
20 Griffiths und Tenenbaum 2001
21 Für zwei Jahre berechnet sich diese Wahrscheinlichkeit als 0,5 × 0,5 = 0,25 oder 25 Prozent, für drei Jahre ist sie 0,5 × 0,5 × 0,5 = 0,125 oder 12,5 Prozent.
22 Tversky und Kahneman 1982
23 Es gibt allerdings Situationen, in denen für eine eingehende Analyse tatsächlich keine Zeit ist – wie im Cockpit eines Düsenjets oder im Operationssaal. Um hier Entscheidungen zu treffen, haben Psychologen eigene Strategien entwickelt, die sowohl auf die knappe Zeit als auch auf die eingeprägten Gewohnheiten des Gehirns Rücksicht nehmen. Der Umgang mit solchen «Heuristiken» lässt sich trainieren, siehe Kapitel 15.
24 2. Mose 36–38
25 Rao 1995
26 Ebrahim et al. 2003

Kapitel 11
Schafe und Böcke

1 Emnid-Umfrage im Auftrag der Zeitschrift *Laura* (2003). Insgesamt wurden 1034 Männer und Frauen zwischen 20 und 60 Jahren befragt.
2 Matt. 2:31–33
3 Blackmore und Troscianko 1985
4 Am Roulettetisch gilt dasselbe: Wenn man den Spielern die Möglichkeit gibt, das Rad selbst in Bewegung zu setzen, verwetten sie deutlich mehr, als wenn sie nur zusehen können, wie der Croupier es andreht. Siehe Strickland et al. 1966, Langer 1975, Ladouceur und Mayrand 1987, Brugger 1992.
5 Klein 2002
6 Mohr 1998
7 Rosenhan 1973
8 Die Chance für einen zufällig prophetischen Traum sei 1:10 000 oder 0,0001 pro Nacht. Folglich ist die Wahrscheinlichkeit, in der betreffenden Nacht keinen prophetischen Traum zu haben, 1 – 0,0001 = 0,9999. 20 Jahre haben 365 × 20 + 5 = 7305 Nächte, darin sind die Nächte aus 5 Schaltjahren enthalten. Der Einfachheit halber nehmen wir an, dass Träume aufeinander folgender

Nächte unabhängig voneinander sind. Die Wahrscheinlichkeit, in all diesen Nächten nie einen prophetischen Traum zu haben, ist die Potenz $0{,}9999^{7305} = 0{,}481$ oder 48,1 %. Mit einer Wahrscheinlichkeit von 100 % – 48,1 % = 51,9 % wird also mindestens einer der Träume prophetisch sein.

9 Brugger 1995, Brugger 1992

10 So fand man in beiden Hemisphären unterschiedliche Dichten von Rezeptoren für den Botenstoff Glutamat, welcher für das Lernen eine wichtige Rolle spielt. Siehe Kawakami et al. 2003

11 Gazzaniga 1998

12 Brugger 1992

13 Gazzaniga 1998

14 Wolford 2000

15 Zitiert nach Rescher 2001

16 Das zeigen auch Aktivitätsmessungen per Computertomographie an gesunden Menschen. Siehe Bottini et al. 1994.

17 Gemessen wird die Reaktionszeit, in der eine Versuchsperson auf einen Stimulus reagiert. Vorher gab es maskiert einen mehr oder minder benachbarten Reiz. Die Reaktionszeit hängt dann davon ab, wie eng die beiden Begriffe im Assoziationsgefüge des Hirns miteinander verbunden sind. Offenbar ist die Sprachverarbeitung in Netzen von Bedeutungsfeldern organisiert, und wenn ein Begriff fällt, werden die damit verbundenen Begriffe mit aktiviert. Diese Netze greifen nun in der rechten Hemisphäre weiter aus als in der linken. Siehe Chiarello 1995 und Chiarello et al. 1990.

18 Dies äußert sich unter anderem darin, dass Signale von der linken Hemisphäre schneller die rechte erreichen, und umgekehrt. Siehe Pizzagalli et al. 2000.

19 Brugger 2001, Leonhard und Brugger 1998

20 Klein 2002

21 Dimond 1976

22 Klein 2002

23 Siehe auch Drake und Ulrich 1992.

24 Mohr, Bracha und Brugger 2003, Taylor, Zäch und Brugger 2002

25 Normalerweise verschränken Rechtshänder ihre Arme so, wie sie auch die Hände falten: Der linke liegt auf dem rechten Arm, der linke auf dem rechten Daumen. Je stärker Menschen an das Schicksal glauben, umso mehr weichen sie im Durchschnitt von diesem Muster ab: Wenn ihr linker Arm über dem rechten liegt, falten sie den linken Daumen unter den rechten, oder umgekehrt. Siehe Mohr et al. 2003.

26 Yamamoto und Freed 1982, Glick et al. 1976

27 Philips 2002

28 P. Brugger, persönliche Mitteilung an den Autor

29 Paulos 2000

30 Umfassende Information und Literaturhinweise gibt in englischer Sprache die Webseite http://www.ncptsd.org/facts/disasters/fs_survivors_disaster.html

31 Verständlich aufbereitete und aktuelle Information dazu bietet das Deutsche Krebsforschungszentrum im Internet unter www.dkfz.de/Patienteninfo/index.html und www.krebsinformation.de

32 Brugger 1992

33 Bettelheim 1980

34 Rilke 1931

Kapitel 12
Ein Sinn für das Risiko

1 Hölldobler und Wilson 1995, Hölldobler und Wilson 1990

2 Nach welchen statistischen Prinzipien

dies funktioniert, wird seit neuestem intensiv erforscht. Siehe z. B. Körding und Wolpert 2004, Grunwald et al. 2004.

3 Damasio 1995

4 Bechara et al. 1997

5 Platt und Glimcher 1999

6 Genauer: im interparietalen lateralen Areal der Großhirnrinde

7 Paul Glimcher, persönliche Mitteilung an den Autor
Einen anderen Typ statistisch arbeitender Neuronen entdeckte der kalifornische Neurowissenschaftler William Newsome. Er ließ Affen einen Bildschirm betrachten, über den sich Punkte bewegten. Wenn die Tiere in die Richtung blickten, in die die meisten Punkte zogen, bekamen sie einen Schluck Saft. Erst war die Aufgabe leicht, doch mit der Zeit wirbelten die Flecken immer wilder durcheinander. Währenddessen zeichnete Newsome die elektrische Aktivität von Zellen in einem Gebiet der Großhirnrinde auf, das auf das Wahrnehmen von Bewegung spezialisiert ist. Nach einer Weile konnte er einzig aufgrund der gerade gemessenen Ströme vorhersagen, wohin der Affe im nächsten Moment blicken würde. Die Neuronen feuerten umso heftiger, je mehr Punkte sich in dieselbe Richtung bewegten und je leichter sich die Affen folglich mit ihrem Entschluss taten. Wenn die Tiere nur ein Zufallsmuster sahen und raten mussten, war die Aktivität der Hirnzellen am geringsten. An der Tätigkeit dieser Neuronen lässt sich also direkt ablesen, mit welcher Wahrscheinlichkeit die richtige Entscheidung fällt. Offenbar dienen sie nicht nur dazu, eine statistische Entscheidung zu treffen – sie sind zugleich Detektoren für Zufall, Ordnung und Wahrscheinlichkeit. Siehe Shadlen und Newsome 1996.

8 Ein anderes gut untersuchtes Beispiel ist das Basektballspiel nach amerikanischen Regeln. Danach bekommt eine Mannschaft für einen erfolgreichen Fernschuss auf den Korb drei Punkte, für andere Treffer nur zwei; erfahrene Spieler riskieren Weitwürfe im Verhältnis zu Angriffen aus der Nähe genauso oft, wie es dem Produkt aus niedrigerer Trefferchance und höherem Punktegewinn entspricht. Siehe Bourret und Vollmer 2003.

9 Driver und Humphries 1998

10 Herrnstein 1970, Herrnstein 1961

11 Glimcher 2003

12 Bei ähnlichen Fragen lag die Zustimmung für die sichere Variante bei mehr als 90 Prozent aller Befragten! Für eine gute Übersicht siehe McKean 1985.

13 Das Verhalten unterscheidet sich von dem im zuvor geschilderten Versuch mit den Affen und dem Saft, weil die Situation eine andere ist. Beim Experiment mit den Affen können die Tiere Erwartungswerte schätzen und verschiedene Möglichkeiten ausprobieren, wobei sie sich genauso häufig für die einzelnen Alternativen entscheiden, wie es den Erwartungswerten entspricht. Beim Gedankenexperiment mit der Fee hingegen kann die Versuchsperson nur eine einzige Wahl treffen.

14 Kacelnik und Bateson 1996, Gibbon und Church 1984

15 Reboreda und Kacelnik 1991

16 Das besagt eine Grundregel der Psychophysik; die Leipziger Anatomen Ernst Weber und Gustav Fechner haben diese Zusammenhänge schon in der Mitte des 19. Jahrhunderts erkannt.

17 Genau gesagt bildet die Wahrnehmung keine algebraischen, sondern geometrische Mittelwerte. Der algebraische Mittelwert zweier Größen a und b ist definiert als $\frac{(a+b)}{2}$. Der geometrische Mittelwert dagegen ist die Quadratwurzel des Produkts der beiden Größen, in unserem Fall also $\sqrt{(ab)}$. Außer bei sehr kleinen Ausgangswerten liegt das geometrische immer unter dem algebraischen Mittel.

18 Dieser Effekt wird beispielsweise im Marketing weidlich ausgenutzt. Ein Nachlass auf einen höheren Preis erscheint uns immer günstiger als ein Aufschlag auf einen niedrigeren. So haben es die Lobbyisten der amerikanischen Kreditkartenunternehmen geschafft, die Geschäfte dazu zu bringen, von Kunden, die mit dem Plastikgeld bezahlen, nicht einen Aufpreis für die horrende Kommission zu verlangen, sondern stattdessen diesen Aufschlag regulär auf alle Preise zu schlagen und demjenigen einen Nachlass zu gewähren, der bar zahlt. Zu Recht kalkulierten Visa und Co. damit, dass die Kunden viel eher auf den Rabatt der Barzahlung verzichten, als, von einem niedrigeren Preis ausgehend, die Kreditkartenkommission zusätzlich berappen zu müssen – auch wenn sie am Ende natürlich gleich viel Geld loswerden. Siehe Thaler 1980.

19 Klein 2002

20 Kahneman und Tversky 1984

21 Bernstein 1997

22 Einen Überblick gibt Bernstein 1997.

23 Kacelnik, persönliche Mitteilung an den Autor

24 Gigerenzer 2002. Man kann sich dies in der folgenden Graphik klar machen:

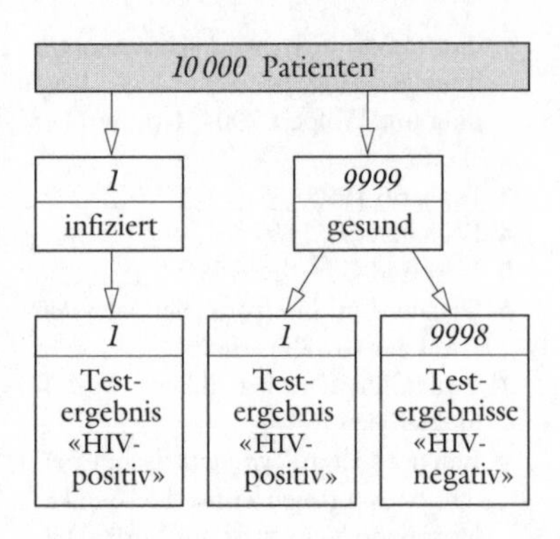

Kapitel 13
Der Fluch der Sicherheit

1 Nach Viscusi und Magat 1987. Siehe auch Piatelli-Palmarini 1994.

2 Dieses Fehlurteil scheint allgegenwärtig: Andere Studien haben gezeigt, dass eine Handlung eines Angeklagten, die die Wahrscheinlichkeit eines Unfalls von 0 von 1000 auf 1 von 1000 erhöht, als viel rücksichtsloser angesehen wird als die Tat eines anderen Angeklagten, die die Wahrscheinlichkeit eines Unfalls von 5 von 1000 auf 6 von 1000 steigert. Gleiches gilt sogar für eine Handlung, die die Wahrscheinlichkeit von 5 von 1000 auf 10 von 1000 erhöht. Bestraft wird der Angeklagte also dafür, dass er das Gefühl der absoluten Sicherheit zerstört hat. Den Opfern allerdings ist das egal. Siehe Paulos 2000.

3 Goldman et al. 1973

4 Stewart und Winser 1942

5 Sapolsky 1992

6 Sapolsky 1998

7 Cavigelli und McClintock 2003

8 Die Wirkung der Stresshormone macht diesen Zusammenhang überaus wahrscheinlich. Allerdings lässt es sich nicht völlig ausschließen, dass die Ängstlichkeit überdurchschnittlich häufig mit einer weiteren gesundheitsschädlichen Anlage einhergeht, also nicht selbst für den vorzeitigen Tod verantwortlich ist.

9 Ott 1998

10 Breyer 1993

11 Klein 2002

12 Ott 1998

13 *Neue Zürcher Zeitung*, 12. Juli 2003

14 Krugman 1999

15 Bartholomew 1998

16 Quelle: Institut für Ernährungswissenschaften der Friedrich-Schiller-Universität Jena

17 Zahlen der deutschen Hauptstelle für Suchtgefahren. Siehe deren Jahrbuch Sucht 2001 und darin zitierte Literatur.

18 Auch Richtlinien der Europäischen Union erlauben jedem Mitgliedsstaat ausdrücklich, solche Bilder auf Zigarettenpackungen zur Vorschrift zu machen. Die deutsche Regierung macht davon keinen Gebrauch. Aktuelle Informationen über die kanadische Kampagne bietet http://www.hc-sc.gc.ca/hecs-sesc/tobacco/research/ctums/index.html

19 Bernstein 1997

Kapitel 14
Der Zufall als Zerstörer

1 Holzhaider 2002

2 Chiles 2001

3 Morgenstern 1978

4 Learmount 2001

5 Die Rechnung beruht auf dem Prinzip der statistischen Unabhängigkeit und ist *nicht* trivial. Siehe Matthews 1997, Matthews 1996.

6 E-Mail von Microsoft Deutschland und Gespräch mit Fr. Nadler

7 Building a better bug-trap. In: *The Economist*, 19. Juni 2003

8 A lemon law for software? In: *The Economist*, 14. März 2002

9 Michael Lardschneider, Münchner Rückversicherung: persönliche Mitteilung an den Autor. Der Astronom Martin Rees, der als Mitglied der Londoner Royal Society die Gefahren der Zukunft untersucht hat, erwartet innerhalb der nächsten zwanzig Jahre sogar eine durch wissenschaftlichen Fortschritt ausgelöste Katastrophe, die eine Million Menschen das Leben kosten werde. Ein banaler Softwarefehler, schreibt er, könnte die Ursache sein.

10 Mehr über das Projekt und Pressestimmen auf http://www.mozillafoundation.org/

11 Chiles 2001

12 Brendler und Filser 2004

13 Folkman und Kalluri 2004

14 Nach diesem Prinzip ist schon heute das Internet organisiert. Den Hinweis auf verteilte Rechnerarchitekturen verdanke ich Walter Kroy. Einen weitergehenden Vorschlag macht Bentley 2004.

15 Randow 1992. Genauso wäre es denkbar, in Computern auf der Erde voneinander unabhängige Teilsysteme arbeiten zu lassen. Dies würde die Zuverlässigkeit wesentlich verbessern. Ob allerdings die Benutzer dann glücklicher wären, steht in den Sternen. Sicherheit geht immer auf Kosten der verfügbaren Leistung. Kletterer steigen am Seil halb so schnell bergan wie ohne, weil immer ein Partner stehen bleiben muss, um den anderen zu sichern. Genauso wäre es mit dem Geschwindigkeitsrausch von hoch auflösender Graphik aus dem Gigahertzprozessor erst einmal vorbei, bestünde künftig jeder Computer aus Scharen von Minirechnern. Ein großer Teil der Rechenleistung würde dann darauf verwendet, das Zusammenspiel der einzelnen

Komponenten zu regeln. Diese Computer der Zukunft wären vor allem mit sich selbst beschäftigt.

16 Amalberti 2000

17 Gerbert 1981

18 Reiner Kemmler, Deutsche Lufthansa, persönliche Mitteilung an den Autor

19 Schaub 2001

20 Schwarz 2004

21 Morschitzky 2002, LeDoux 1998

22 Persönliche Mitteilung an den Autor von Reinhold Maier, Verkehrstechnisches Institut der Deutschen Versicherer, Köln

23 Reiner Kemmler, Deutsche Lufthansa, persönliche Mitteilung an den Autor

24 Amalberti 2000

Kapitel 15
Flirt mit dem Zufall

1 Beyth-Marom et al. 1991

2 Klein (G.) 2002

3 Johannes Buridan war in der ersten Hälfte des 14. Jahrhunderts Rektor der Pariser Sorbonne. Diese Geschichte findet sich allerdings nicht in den von ihm erhaltenen Schriften. Sie drückt aber Buridans Meinung aus, dass Freiheit in der Wahl zwischen zwei Möglichkeiten bestehe. Buridan gebrauchte das Bild vom Esel zur Veranschaulichung.

4 Gigerenzer et al. 1999

5 Interview des Autors mit Reiner Kemmler und Cpt. Harry Nef der Deutschen Lufhansa am 12. Dezember 2002

6 Gigerenzer et al. 1999

7 Green und Mehr 1997

8 Pozen et al. 1984

9 Im so genannten Segment ST

10 Green und Mehr 1997

11 Munter 2001

12 Munter 2001

13 Alle Daten in diesem Abschnitt stammen aus Studien, die das Hochschul-Informations-System Hannover im Auftrag des Bundesministeriums für Bildung erhoben hat. Siehe Heublein et al. 2002, Heublein und Sommer 2002, Lewin et al. 1995.

14 Heublein und Sommer 2002

15 Bei Entscheidungen, deren Folgen man nicht unmittelbar ausprobieren kann, indem man sich in die entsprechende Situation versetzt, hilft mitunter ein Vorschlag des Ignatius von Loyola. Der Gründer des Jesuitenordens empfahl, sich die Zukunft nach der Entscheidung möglichst konkret in der Phantasie auszumalen. Dies funktioniert aber nur, wenn man sich Zeit lässt und mindestens ein paar Tage in einer Vorstellung verweilt, denn Stimmungen sind träge.

16 Über die Kriterien für die Studienwahl im europäischen Ausland (Spanien) siehe etwa Albero-Carbonell 1995 und die darin zitierte Literatur.

17 Dörner 1989, Dörner 1983

18 Hayek 1996

19 Einen guten Überblick gibt Malkiel 2000. Allerdings enthält auch die Markowitz-Theorie Annahmen über die Zukunft, welche nicht eintreten müssen. Denn historische Zusammenhänge (Korrelationen) etwa müssen sich nicht für alle Zeit fortsetzen. Doch eine falsch eingeschätzte Korrelation hat in aller Regel sehr viel geringere Folgen, als wenn Prognosen über die Kurse selbst angestellt werden und sich nicht bewahrheiten.

20 Ein einfacher Weg, das Prinzip der Diversifikation umzusetzen, ist der Kauf der vor allem in den USA enorm populären Indexfonds. Beispielsweise erwirtschafteten amerikanische Aktienfonds vom Juli 1988 bis 1998 im Durchschnitt einen Gewinn von 313

Prozent, während Indexfonds auf Grundlage des Standard & Poor 500 Index (die 500 bedeutendsten US-Unternehmen enthaltend) um 449 Prozent zugelegt hatten.

21 Erster Akt, erste Szene

22 Barrow 1998, Tipler 1994

Kapitel 16
Unsicherheit als Chance

1 Der amerikanische Physiker Douglas Robertson schätzt, dass sich durch die Erfindung von Sprache und Schrift die jedem Individuum zugängliche Information jeweils vertausendfacht hat. Siehe Robertson 1998.

2 Parsons 1952

3 Butler und Quarrie 1996

4 Und in der Musik und in der bildenden Kunst. In der Renaissance noch werden Herrscherhäuser und mythologische Ereignisse dargestellt; in der Moderne werden zufällige Alltagsbegebenheiten oder Zufälle in der Natur wie Lichtstimmungen zum Thema. In der zweiten Hälfte des 20. Jahrhunderts schließlich wird der Zufall selbst zum Bildgegenstand: bei Jackson Pollock beispielsweise.

5 Seiner Zeit voraus war Daniel Defoe, der in seinem 1719 erschienenen Roman «Robinson Crusoe» Spekulationen über die Überlebenswahrscheinlichkeit seines Helden anstellt: So habe Robinsons Chance nach dem Schiffbruch 1:100 000 betragen, später angesichts der Kannibalen 1:10 000 und gegen Schluss der Erzählung immerhin 1:50.

6 Barrow 1998

7 Peterson und Carson 2000

8 Zitiert nach Holeczek und Mendgen 1992

9 de Bono 1996

10 Fiorillo et al. 2003

11 Breiter et al. 2001, Berns et al. 2001

12 Granovetter 1995. In Deutschland werden lediglich 35 Prozent aller freien Stellen veröffentlicht, ermittelte das der Bundesanstalt für Arbeit angegliederte Institut für Arbeitsmarktforschung (IAB) im Jahr 2003. Bei Positionen, die ein Studium voraussetzen, sei der Anteil ausgeschriebener Stellen sogar noch geringer.

13 Granovetter 1995

14 Siehe Doods et al. 2003, Granovetter 2003. Mit diesen «six degrees of separation» wurde eine alte Vermutung des amerikanischen Sozialpsychologen Stanley Milgram erstmals im großen Stil experimentell bestätigt. Er führte das Experiment im Jahr 1967 mit zufällig ausgewählten Bürgern der Vereinigten Staaten durch, die einander einen Brief zukommen lassen mussten – und kam zu demselben Ergebnis. Die geringe Zahl an Zwischenstationen zwischen zwei beliebigen Menschen scheint also weder von dem gewählten Kommunikationsmedium noch von der Bevölkerung abzuhängen, in der Sender und Empfänger leben. Tatsächlich ist gut vorstellbar (allerdings bislang nicht bewiesen), dass über nur minimal mehr Zwischenstationen selbst Menschen in den entlegensten Teilen der Erde miteinander in Verbindung treten können: Die Annahme, dass heute jeder Bewohner eines Hochtals im Himalaya oder eines Dorfes in Papua-Neuguinea mindestens eine Person kennt, die das Medium Internet oder zumindest Telefon und Postverkehr nutzt, ist sicher nicht abwegig.

15 Das Phänomen der «kleinen Welt» ist Gegenstand intensiver Forschung. Einen aktuellen Überblick geben Watts 2003 und Buchanan 2002.

16 Wiseman 2003

LITERATURVERZEICHNIS

Albero-Carbonell, S., et al.: Do secondary school teachers affect career choice? Konferenzbeitrag auf der Third European Conference on Research in Chemical Education. Lublin 25.–29. September 1995

Alesina, A., und Spolaore, S.: The Size of Nations. Cambridge, Massachusetts 2003

Amalberti, R.: Dans les entreprises, le risque zéro n'existe pas. In: Le Monde, 15. August 2000

Anderson, R. M., und May, R. M.: Infectious Diseases of Humans. Oxford 1991

Arrow, K.: I know a Hawk from a Handsaw. In: Szenberg, M. (Hg.): Eminent Economists: Their Life and Philosophies. Cambridge und New York 1992

Arthur, B.: Positive feedbacks in the economy. In: Scientific American 262, S. 92–99, 1990

Arthur, B., Durlauf, S., und Lane, A. (Hg.): The Economy as an Evolving Complex System II. Reading, Massachusetts 1997

Arthur, B.: Complexity and the economy. In: Science 284, S. 107–109, 1999

Asch, S. E.: Forming impression of personality. In: Journal of Abnormal Social Psychology 41, S. 258–290, 1946

Axelrod, R.: The Evolution of Cooperation. New York 1984

Baltes, P.: Testing the limits of the ontogenetic sources of talent and excellence. In: Behavioral and Brain Sciences 21, S. 407–408, 1998

Bar-Hillel, M., und Wagenaar, W.: The Perception of Randomness. In: Keren, G., und Lewis, C. (Hg): A Handbook for Data Analysis in the Behavioral Sciences. New Jersey 1993

Baron, N. S.: Growing Up With Language: How Children Learn to Talk. Reading, Massachusetts 1992

Barrow, J.: Impossibility. Oxford 1998

Bartholomew, R.: The medicalization of exotic deviance: A sociological perspective on epidemic koro. In: Transcultural Psychiatry 35, S. 5–38, 1998

Bass, T.: The Eudemonic Pie. Boston 1985

Bechara, A., et al.: Deciding advantageously before knowing the advantageous strategy. In: Science 275, S. 1293–1295, 1997

Bechtel, S., und Stains, L.: The Good Luck Book. New York 1997

Belkin, L.: The Odds of That. In: New York Times Magazine, 11. August 2002

Bell, J. S.: Speakable and Unspeakable in Quantum Mechanics. Cambridge 1987

Benjamin, J., Li, L., Patterson, C., Greenberg, B. D., Murphy, D. L., und Hamer, D. H.: Population and familial association between the D4 dopamine receptor gene and measures of novelty seeking. In: Nature Genet. 12, S. 81–84, 1996

Bentley, P.: The garden where software grows. In: New Scientist 6, März 2003, S. 28–31

Berns G., et al.: Predictability modulates human brain response to reward. In: The Journal of Neuroscience 21, S. 2793–2798, 2001

Bernstein, P.: Wider die Götter. München 1997

Bettelheim, B.: Kinder brauchen Märchen. München 1980

Beyth-Marom, R., et al.: Teaching decision making to adolescents: A critical review. In: Baron J., und Brown R. (Hg.): Teaching Decision Making to Adolescents. Mahwah, New Jersey 1991

Bischoff-Grethe, A., et al.: Conscious and unconscious processing of nonverbal predictability in Wernicke's Area. In: The Journal of Neuroscience 20, S. 1975–1981, 2000

Blackmore, J.: Ludwig Boltzmann. Dordrecht 1995

Blackmore, S., und Troscianko, T.: Belief in the paranormal: Probability judgements, illusory control, and the chance baseline shift. In: British Journal of Psychology 76, S. 459–468, 1985

Bloch, E.: Spuren. Frankfurt a. M. 1969

Bofinger, P., und Schmidt, R.: Should one rely on professional exchange rate forecasts? An empirical analysis of professional forecasts for the Euro-USD rate. Würzburg Economic Papers No. 38, Würzburg 2003

Borges, J.: Das Aleph. München 1992

Born, M.: Ist die klassische Mechanik tatsächlich deterministisch? In: Physikalische Blätter 11, S. 49–54, 1955

Botsch, W.: Untersuchungen zur Strahlenexposition von Einwohnern kontaminierter Ortschaften der nördlichen Ukraine. Hannover 2000

Bottini, G., et al.: The role of the right hemisphere in the interpretation of figurative aspects of language. A positron emission tomography activation study. In: Brain 117, S. 1241–1253, 1994

Bouchard, T., Lykken, D., McGue, M., Segal, N. L., und Tellegen, A.: Sources of human psychological differences: The Minnesota Study of Twins Reared Apart. In: Science 250, S. 223–228, 1990

Bouchard, T.: Genes, environment, and personality. In: Science 264, S. 1700–1701, 1994

Bourret, J., und Vollmer, T.: Basketball and the matching law. In: Behavioral Technology Today 3, S. 2–6, 2003

Braun, C. von: Immer schneller? – Immer mehr? – Immer neu? – Immer besser? In: Pierer, H. von, und Oetinger, B. von (Hg.): Wie kommt das Neue in die Welt? München 1997

Breiter H., et al.: Functional imaging of neural responses to expectancy and experience of montrary gains and losses. In: Neuron 30, S. 616–639, 2001

Brendler, M., und Filser, H.: Phantasie im Unglück. In: Süddeutsche Zeitung, 26. Februar 2004

Breyer, S.: Breaking the Vicious Circle: Toward Effective Risk Regulation. Cambridge, Massachusetts 1993

Broadbent, D. E.: The magic number seven after fifteen years. In: Kennedy, A., und Wilkes, A. (Hg.): Studies in Long-Term Memory. New York 1975

Broda, E.: Ludwig Boltzmann: Mensch, Physiker, Philosoph. Wien 1955

Brookes, M.: On a wing and a vortex. In: New Scientist 156, S. 24–27, 1997

Brugger P., et al.: The roots of meaningful coincidence. In: The Lancet 345, S. 306, 1995
Brugger, P.: Subjektiver Zufall: Implikationen für Neuropsychologie und Parapsychologie. Inauguraldissertation vorgelegt der Philosophischen Fakultät II der Universität Zürich. Zürich 1992
Brugger, P.: From haunted brain to haunted science: A cognitive neuroscience view of paranormal and pseudoscientific thought. In: Houran, J., und Lange, R. (Hg.): Hauntings and Poltergeists: Multidisciplinary Perspectives. Jefferson, North Carolina 2001
Brugger, P., Beatrice, T., und Taylor, K.: Who is afraid of anthrax: Hemispheric differences in personal optimism. Beitrag auf dem 3rd Forum of European Neurosciences. Paris 13.–17. Juli 2002
Brukner, C., und Zeilinger, A.: Operationally invariant information in quantum measurements. In: Physical Review Letters 83, S. 3354–3357, 1999
Buchanan, M.: Small World: Uncovering Nature's Hidden Networks. London 2002
Buder, J., und Quarrie, D.: Data acquisition and analysis in extremely high data rate experiments. In: Physics Today 49, S. 50–56, 1996
Buerschaper, C., et al.: Problemlösefähigkeiten in der Anästhesie. Forum Qualitative Sozialforschung/Forum Qualitative Social Research 4, 2003
Burnham, D.: Restitutional functions of symbol and myth in Strindberg's Inferno. In: Psychiatry 36, S. 229–243, 1973
Buston, P., und Emlen, S.: Cognitive processes underlying human mate choice: The relationship between self-perception and mate preference in Western society. In: Proceedings of the National Academy of Sciences 100, S. 8805–8810, 2003
Butler, J., und Quarrie, D.: Data acquisition and analysis in extremely high data rate experiments. In: Physics Today, Oktober 1996, S. 50

Calvino, I.: Wenn ein Reisender in einer Winternacht. München 1979
Cavigelli, S., und McClintock, M.: Fear of novelty in infant rats predicts adult corticosterone dynamics and an early death. In: Proceedings of the National Academy of Sciences 100, S. 16131–16136, 2003
Chairello, C., et al.: Semantic and assocative priming in the cerebral hemispheres. In: Brain and Language 38, S. 75–104, 1990
Chaitin, G.: Exploring Randomness. London 2001
Chiarello, C.: Does the corpus callosum play a role in the activation and suppression of ambiguous word meanings? In: Kitterle, F. (Hg.): Hemispheric Communication Mechanisms and Models. Hillsdale, New York 1995
Chiles, J.: Inviting Disaster. New York 2001
Clusius, K.: Die Rolle des Zufalls bei wissenschaftlichen Entdeckungen. München 1961
Cohn, M., et al.: Developmental basis of limblessness and axial patterning in snakes. In: Nature 399, S. 474–479, 1999
Conradt, L., und Roper, T.: Group decision-making in animals. In: Nature 421, S. 155–158, 2003
Corbet, S.: Dragonflies. Behavior and Ecology of Odonata. Ithaca 1999
Coveney, P., und Highfield, R.: Anti-Chaos. Reinbek 1992
Crick, F.: The origin of the genetic code. In: Journal of Molecular Biology 38, S. 367–379, 1968
Crow, T. J.: Schizophrenia as a failure of hemispheric dominance for language.

In: Trends in Neuroscience 20, S. 339–343, 1997

Damasio, A.: Descartes' Irrtum. München 1995
David, P. A.: Clio and the economics of QWERTY. In: American Economical Review 75, S. 332, 1985
David, P. A.: Understanding the economics of QWERTY: The necessity of history. In: Parker, W. N. (Hg.): Economic History and the Modern Economist. Oxford 1986
Dawes, R.: House of Cards: Psychology and Psychotherapy Built on Myth. New York 1994
Dawkins, R.: Gipfel des Unwahrscheinlichen. Reinbek 1999
Dawson, J.: Logical Dilemmas. Wellesley, Massachusetts 1997
DeBono, E.: Serious Creativity. Stuttgart 1996
Dember, W. N., und Richman, C. L. (Hg.): Spontaneous Alternation Behavior. New York 1989
Descartes, R.: Discours de la méthode. Paris 1637
Dickinson, M.: Solving the mystery of insect flight. In: Scientific American, Juni 2001, S. 34–41
Dimond, S., et al.: Differing emotional responses from right and left hemispheres. In: Nature 261, S. 690–692, 1976
Doods, P., et al.: An experimental study of search in global social networks. In: Science 301, S. 827–829, 2003
Dorfman, D., und McKenna, H.: Pattern preference as a function of pattern uncertainty. In: Canadian Journal of Psychology 20, S. 143–153, 1966
Dörner, D.: Die Logik des Mißlingens. Reinbek 1989
Dörner, D., et al. (Hg.): Lohhausen, Bern 1983
Douglas, R. J.: Spontaneous alternation behavior and the brain. In: Dember, W. N., und Richman, C. L. (Hg.): Spontaneous Alternation Behavior. New York 1989
Dowling, W.: Computer viruses: Diagonalization and fixed points. In: Notices of the American Mathematical Society 37, S. 858–860, 1990
Drake, R., und Ulrich, G.: Line bisecting as a predictor of personal optimism and deriability of risky behaviours. In: Acta Psychologica 79, S. 219–226, 1992
Driver, P., und Humphries, D.: Protean Behaviour. The Biology of Unpredictability. Oxford 1988
Dyson, F.: Disturbing the Universe. New York 1979

Ebrahim, S., et al.: Shaving, coronary heart disease, and stroke: The caerphilly study. In: American Journal of Epidemiology 157, S. 234–238, 2003
Edelman, G.: Bright Air, Brilliant Fire: On the Matter of the Mind. London 1992
Eibl-Eibesfeld, I.: Galapagos, die Arche Noah im Pazifik. München 1960
Eschenmoser, A.: Chemical etiology of nucleic acid structure. In: Science 284, S. 2118–2124, 1999
Evans, D.: The arbitrary ape. In: New Scientist 159, S. 32, 1998
Everitt, B.: Chance Rules: An Informal Guide to Probability, Risk and Statistics. London 1999

Farmer, J. D.: Market force, ecology and evolution. In: Industrial and Corporate Change 11(5), S. 895–953, 2002
Fellner, W.: An Introduction to Probability Theory and its Applications. New York 1950
Fiorillo, C., Tobler, P., und Schultz, W.: Discrete coding of reward probability and uncertainty by dopamine neurons. In: Science 299, S. 1898, 2003

Fodor, N.: The Search for the Beloved. New York 1949

Foldi, S., Cicone, M., und Gardner, H.: Pragmatic aspects of communication in brain damaged patients. In: Segalowitz, S. J. (Hg.): Language Functions and Brain Organization. New York 1983

Folkman, J., und Kalluri, R.: Cancer without disease. In: Nature 427, S. 787, 2004

Gammaitoni, L., et al.: Stochastic resonance. In: Review of Modern Physics 70, S. 223–283, 1998

Gamow, G.: Thirty Years that Shook Physics: The Story of Quantum Theory. New York 1985

Gardner, M.: Fads and Fallacies in the Name of Science. New York 1957

Gazzaniga, M.: The split brain revisited. In: Scientific American, Juli 1998, S. 35

Gerber, A., et al.: Rational Investor Sentiment. Institut für empirische Wirtschaftsforschung der Universität Zürich, Working Paper 126, 2002

Gerbert, K.: Flugpsychologie. In: Haase, H., und Molt, W. (Hg.): Handbuch der Angewandten Psychologie, Bd. 3. Landsberg 1981

Gibbon, J., und Church, R. M.: Sources of variance in an information processing theory of timing. In: Roiblat, H., et al. (Hg.): Animal Cognition. New York 1984

Gibran, K.: Der Prophet. Düsseldorf 2001

Gierer, A.: Innovationstheorie und die Evolution menschlicher Fähigkeiten: Beispiel Empathie. In: Wobus, A. (Hg.): Vom Einfachen zur Ganzheitlichkeit: Das Problem der Komplexität auf organismischer und soziokultureller Ebene. Gaterslebener Begegnung 1997. Deutsche Akademie der Naturforscher Leopoldina Halle/Saale, Bd. 77. Heidelberg und Leipzig 1998

Gigerenzer, G., et al.: Simple Heuristics That Make Us Smart. Oxford 1999

Gigerenzer, G.: Das Einmaleins der Skepsis. Berlin 2002

Gilovich, T., Vallone, R., und Tversky, A.: The hothand in basketball: On the misperception of random sequences. In: Cognitive Psychology 17, S. 295–314, 1985

Glick, S. D., Jerussi, T. P., und Fleisher, L. N.: Turning in circles: The neuropharmacology of rotation. In: Life Sciences 18, S. 889–896, 1976

Glimcher, P.: Decisions, Uncertainty and the Brain. Cambridge, Massachusetts 2003

Goldman, L., et al.: Bidirectional effects of reinforcement shifts on pituitary-adrenal activity. In: Physiology and Behaviour 10, S. 209–218, 1973

Gorb, S., et al.: Was Libellen zu Flugkünstlern macht. Spektrum der Wissenschaften 7, S. 12–13, 2000

Gould, S. J.: Ein Dinosaurier im Heuhaufen. Frankfurt a. M. 2000

Granovetter, M.: Getting a Job: A Study of Contacts and Careers. Chicago 1995

Granovetter, M.: Ignorance, knowledge, and outcomes in a small world. In: Science 301, S. 773–774, 2003

Green, L., und Mehr, D.: What alters physicians' decisions to admit to coronary care unit? In: Journal of Family Practice 45, S. 219–226, 1997

Griffiths, T., und Tenenbaum, J.: Randomness and Coincidences: Reconciling Intuition and Probability Theory. Beitrag auf der 23rd Annual Conference of the Cognitive Science Society, Edinburgh, 1. bis 4. August 2001

Grimm, J., und Grimm, W.: Deutsches Wörterbuch. München 1984

Grunwald, J., et al.: Classification of natural textures in echolocation. In: Proceedings of the National Academy of Sciences, Vorabveröffentlichung im Internet (doi: 10.1073_pnas.0308029101), 2004

Halpern, P.: The Pursuit of Destiny. Cambridge, Massachusetts 2000

Haraldsson, E.: Some determinants of belief in psychical phenomena. In: Journal of the American Society for Psychical Research 75, S. 297–309, 1981

Harris, J.: Where is the child's environment? A group socialization theory of development. In: Psychological Review 102, S. 458–489, 1995

Harris, J.: Ist Erziehung sinnlos? Reinbek 2000

Hayek, F. A.: The use of knowledge in society. In: American Economic Review 35, S. 519–530, 1945

Hayek, F. A.: Wissenschaft und Sozialismus. Tübingen 1979

Hayek, F. A.: Die verhängnisvolle Anmaßung: Die Irrtümer des Sozialismus. Tübingen 1996

Haywood, O. G.: Military decisions and game theory. In: Journal of Operations Research Society of America 2, S. 365–385, 1954

Herrnstein, R. J.: Relative and absolute strength of response as a function of frequency of reinforcement. In: Journal of Experimental Animal Behaviour 4, S. 267–272, 1961

Herrnstein, R. J.: On the law of effect. In: Journal of the Experimental Analysis of Behavior, 24, S. 107–116, 1970

Herzog, H.: Zur pathologischen Kontrolle von Besamungsbullen. In: Der Tierzüchter 34, S. 325–328, 1982

Heubelin, U., et al.: Studienabbruchstudie 2002. Hannover 2002

Heublein, U., und Sommer, D.: Studienanfänger 2000/2001: Fachinteresse und berufliche Möglichkeiten bestimmen die Studienfachwahl. Hannover 2002

Hill, C., und Rubin, Z.: Breakup before marriage: The end of 103 affairs. In: Journal of Social Issues 32, S. 147–168, 1976

Hofinger, G.: Human Performance in Medical Crisis. Vortrag auf dem Meeting der Society for European Simulation Applied to Medicine (SESAM). Santander 31. Mai bis 5. Juni 2002

Holeczek, B., und Mendgen, L. von (Hg.): Zufall als Prinzip. Spielwelt, Methode und System in der Kunst des 20. Jahrhunderts. Heidelberg 1992

Hölldobler, B., und Wilson, E. O.: Ameisen. Die Entdeckung einer faszinierenden Welt. Basel, Boston und Berlin 1995

Holzhaider, H.: Die Unschuld aus den Bergen. In: Süddeutsche Zeitung, 4. Juli 2002

Hopcke, R. H.: Zufälle gibt es nicht. München 1997

Hoyle, F.: The Intelligent Universe. London 1983

Jacob, F.: Das Spiel der Möglichkeiten. München 1983

Jacob, F.: Die Maus, die Fliege und der Mensch. Berlin 1998

Janson, T.: Eine kurze Geschichte der Sprachen. Heidelberg 2003

Jordan, P., und Carson, S.: Latent inhibition and openness to experience in a high-achieving student population. In: Personality and Individual Differences 28, S. 323–332, 2000

Kacelnik, A., und Bateson, M.: Risky theories. The effects of variance on foraging decisions. In: American Zoologist 36, S. 402–434, 1996

Kacelnik, A., und Bateson, M.: Risk-sensitivity: Crossroads for theories of decision-making. In: Trend in Cognitive Sciences 1, S. 304–309, 1997

Kahn, H., und Wiener, A.: Ihr werdet es erleben. Wien 1968

Kahneman, D., und Tversky, A.: Prospect theory: An analysis of decision under risk. In: Econometrica 47, S. 263–291, 1979

Kahneman, D., und Tversky, A.: Choices, values and frames. In: American Psychologist 93, S. 341–350, 1984

Kammerer, P.: Das Gesetz der Serie. Eine Lehre von den Wiederholungen im Lebens- und im Weltgeschehen. Stuttgart und Berlin 1919

Kanning, U.: Die Psychologie der Personenbeurteilung. Göttingen 1999

Karlsson, J. L.: Genetic association of giftedness and creativity with schizophrenia. In: Hereditas 66, S. 177–182, 1970

Kast, B.: Decisions, decisions. In: Nature 411, S. 126–128, 2001

Kast, B.: Liebe oder Wie sich die Leidenschaft erklärt. Frankfurt a. M. 2004

Kawakami, R., et al.: Asymmetrical allocation of NMDA receptor e2 subunits in hippocampal circuitry. In: Science 300, S. 990–994, 2003

Keefe, A. D., und Szostak, J. W.: Functional proteins from a random-sequence library. In: Nature 410, S. 715–718, 2001

Keller, G., et al.: Chicxulub impact predates the K-T boundary mass extinction. In: Proceedings of the National Academy of Sciences 101, S. 3753–3758, 2004

Kendall, M.: Chance. In: Wiener, P. P. (Hg.): Dictionary of the History of Ideas. New York 1968

Keynes, J. M.: A Treatise on Probability. London 1921

Keynes, J. M.: Newton, the Man. In: The Collected Writings of John Maynard Keynes: Volume X, Essays in Biography. Cambridge 1972

Kim, J., und Shalden, M. N.: Neural correlates of a decision in the dorsolateral prefrontal cortex of the macaque. In: Nature Neuroscience 2, S. 176–185, 1999

Klein, G.: The fiction of optimization. In: Gigerenzer, G., und Selten, R. (Hg): Bounded Rationality. Cambridge, Massachusetts 2002

Klein, S.: Evolution der Algorithmen. In: Frankfurter Allgemeine Zeitung, 24. November 1993

Klein, S.: Die Glücksformel oder Wie die guten Gefühle entstehen. Reinbek 2002

Kluger, A. N., Siegfried, Z., und Ebstein, R. P.: A meta-analysis of the association between DRD4 polymorphism and novelty seeking. In: Molec. Psychiat. 7, S. 712–717, 2002

Knutson, B., et al.: Anticipation of increasing monetary reward selectively recruits nucleus accumbens. In: Journal of Neuroscience 21, S. 1–5, 2001

Körding, K., und Wolpert, D.: Bayesian integration in sensorimotor learning. In: Nature 427, S. 244–247, 2004

Koestler, A.: The Act of Creation. London 1964

Kondo, T., et al.: Of fingers, toes and penises. In: Nature 390, S. 29, 1997

Krämer, W.: So lügt man mit Statistik. Frankfurt a. M. 1992

Krämer, W.: Denkste! Frankfurt a. M. 1996

Krugman, P.: Why Germany can't compete. In: Fortune 07/1999

Kucklick, C.: Keine Angst vor Kindern. In: GEO 04/2002

Ladouceur, R., und Mayrand, M.: The level of involvement and the timing of betting in Roulette. In: Journal of Psychology 121, S. 169–176, 1987

Lamarck, J. B.: Philosophie zoologique. Paris 1809

Langer, E. J.: The illusion of control. In:

Journal of Personality and Social Psychology 32, S. 311–328, 1975
Laplace, P. S.: Essay philosophique sur les probabilités. Paris 1814
Latour, B.: Pasteur, une science, un style, un siècle. Paris 1995
Learmount, D.: Fresh crash data offer hope for concorde recertification. In: Flight International, 16. Januar 2001
LeCompte, D.: Seven, plus or minus two, is too much to bear: Three (or fewer) is the real magic number. In: Proceedings of the Human Factors and Ergonomics Society 43rd Annual Meeting, S. 289–292, 1999
LeDoux, J.: Das Netz der Gefühle. München 1998
Leibniz, G. W.: Metaphysische Abhandlung. Hamburg 1958
Leonhard, D., und Brugger, P.: Creative, paranormal, and delutional thought: A consequence of right hemisphere semantic activaton? In: Neuropsychiatry, Neuropsychology, and Behavioral Neurology 11, S. 177–183, 1998
Levy, L.: Discrete Structures of Computer Science. New York 1980
Lewin, K., et al.: Studienabbruch: Gründe und anschließende Tätigkeiten. Ergebnisse einer bundesweiten Befragung im Studienjahr 1993/94. Hannover 1995
Liebowitz, S. J., und Margolis, S. E.: The fable of the keys. In: Journal of Law and Economics 33, S. 1–27, 1990
Lorenz, E.: Deterministic nonperiodic flow. In: Journal of Atmospheric Sciences 20, S. 130–141, 1963
Lucas, E.: Récréations mathématiques. Paris 1894
Lykken, D., und Tellegen, A.: Is human mating adventitious or the result of lawful choice? A twin study of mate selection. In: Journal of Personality and Social Psychology 65, S. 56–68, 1993
Lykken, D.: Happiness. New York 1999
MacGregor, J. N.: Short-term memory capacity: Limitation or optimization? In: Psychological Review 94(1), S. 107–108, 1987
Mackay, D.: The Clockwork Image. London 1974
Malkiel, B.: Börsenerfolg ist kein Zufall. München 2000
March, B., und Kacelnik, A.: Framing effects and risky decisions in starlings. In: Proceedings of the National Academy of Sciences 99, S. 3352–3355, 2002
Matthews, R.: Odd socks: A combinatoric example of Murphy's Law. In: Mathematics Today, März 1996, S. 39–41
Matthews, R.: The science of Murphy's Law. In: Scientific American, April 1997, S. 72–75
Maynard Smith, J.: The Theory of Evolution. Cambridge 1993
McGue, M., et al.: Behavioral genetics of cognitive ability. In: Plomin, R., und McClearn, G. (Hg.): Nature, Nurture and Psychology. Washington, DC 1993
McKean, K.: Decisions, decisions. In: Discover, Juni 1985, S. 22–31
Metcalf, G., und Malkiel, B.: The Wall Street Journal Contests: The experts, the darts, and the efficient market hypothesis. In: Applied Financial Economics 4, S. 371–374, 1994
Miller, G. A.: The magical number seven, plus or minus two: Some limits on our capacity for processing information. In: Psychological Review 63, S. 81–97, 1956
Miller, G.: Protean Primates: The evolution of adaptive unpredictability in competition and courtship. In: Whiten, A., und Byrne, R. (Hg.): Machiavellian Intelligence II. Cambridge 1998
Mirowski, P.: When games grow deadly serious: The military influence on the evolution of game theory. In: Craufurd, D. (Hg.): History of Political

Economy, Bd. 23. Durham, North Carolina 1991
Mohr, B.: Bestellungen beim Universum. Aachen 1998
Mohr, C., Bracha, S., Brugger, P.: Magical ideation modulates spatial behavior. In: Journal of Neuropsychiatry and Clinical Neuroscience 15, S. 168–174, 2003
Mohr, C., et al.: Hands, arms, and minds: Interactions between posture and thought. In: Journal of Clinical and Experimental Neuropsychology 25, S. 1000–1010, 2003
Monod, J.: Zufall und Notwendigkeit. München 1971
Morgenstern, C.: Galgenlieder, Palmström, Palma Kunkel, der Gingganz. Ditzingen 1978
Morrison, D.: Target: Earth! In: Astronomy 23, S. 34–42, 1995
Morschitzky, H.: Angststörungen. Wien 2002
Müller-Schlösser, F.: Nutzungsbeschränkende Erbanomalien beim Rind. In: Der Praktische Tierarzt 5, S. 401–412, 1994
Munter, W.: Vom Sicherheitsdenken zum Risikomanagement. Der Pardigmenwechsel in der praktischen Lawinenkunde. In: Neue Zürcher Zeitung, 13. Dezember 2001
Myers, D.: Intuition: Its Powers and Perils. New Haven und London 2003

Nairz, O., Arndt, M., und Zeilinger, A.: Quantum interference experiments with large molecules. In: American Journal of Physics 71, S. 319–325, 2003
Navratil, L.: Schizophrenie und Sprache. München 1966
Noelle-Neumann, E.: Die Schweigespirale. Öffentliche Meinung – unsere soziale Haut. München 1980
Noelle-Neumann, E.: Die Theorie der Schweigespirale als Instrument der Medienwirkungsforschung. In: Kaase, M., und Schulz, W. (Hg.): Massenkommunikation. Theorien, Methoden, Befunde. Opladen 1989
Noelle-Neumann, E.: The theory of public opinion. The concept of the spiral of silence. In: Communication Yearbook 14, S. 256–287, 1991
Nowak, M. A., und Sigmund, K.: Tit for tat in heterogeneous populations. In: Nature 355, S. 250–253, 1992

Olson, R. G.: Science Deified and Science Defied, Bd. 2. Berkeley 1995
Ott, K.: Ethik und Wahrscheinlichkeit: Zum Problem der Verantwortbarkeit von Risiken unter Bedingungen wissenschaftlicher Ungewißheit. In: Wobus, A. (Hg.): Vom Einfachen zur Ganzheitlichkeit. Gaterslebener Begegnung 1997. Heidelberg 1998

Parsons, E.: The Alexandrian Library. Amsterdam 1952
Paulos, J. A.: Es war 1 mal ...: Die verborgene mathematische Logik des Alltäglichen. Heidelberg 2000
Penrose, R.: The Emperor's New Mind: Concerning Computers, Minds, and the Laws of Physics. Oxford 1989
Perrow, C. Normale Katastrophen. Frankfurt a. M. 1987
Peterson, J., und Carson, S.: Latent inhibition and openness to experience in a high-achieving student population. In: Personality and Individual Differences 28, S. 323–332, 2000
Philip, J. A.: Pythagoras. Toronto 1966
Philips, H.: Spookiness is in the brain of the beholder. In: New Scientist, 27. Juli 2002, S. 17
Piatelli-Palmarini, M.: Inevitable Illusions. How Mistakes of Reason Rule Our Minds. New York 1994
Pizzagalli, D., et al.: Brain electric corre-

lates of strong belief in paranormal phenomena: Intracerebral EEG source and regional Omega complexity analyses. In: Psychiatry Research: Neuroimaging Section 100, S. 139–154, 2000
Platt, M., und Glimcher, P. W.: Neural correlates of decision variables in parietal cortex. In: Nature 400, S. 233–238, 1999
Plomin, R.: Nature and Nurture: An Introduction to Human Behavioral Genetics. Pacific Grove 1990
Popper, K.: Die offene Gesellschaft und ihre Feinde. Tübingen 1992
Popper, K.: Das offene Universum. Tübingen 2001
Porter, T.: Trust in Numbers. Princeton, New Jersey 1986
Poundstone, W.: The Recursive Universe. New York 1985
Poundstone, W.: Prisoner's Dilemma. New York 1992
Pozen, M., et al.: A predictive instrument to improve coronary-care-unit admission practices in acute ischemic heart disease. In: The New England Journal of Medicine 310, S. 1273–1278, 1984
Prechtl, P., und Burghardt, F. P. (Hg.): Metzler-Philosophie-Lexikon. Stuttgart und Weimar 1999
Prins, H.: Ecology and Behaviour of the African Buffalo. London 1996

Rainey P., und Travisano, M.: Adaptive radiation in a heterogeneous environment. In: Nature 394, S. 69–71, 1998
Rainey, P.: Is evolution predictable? In: New Scientist, 14. Juni 2003, S. 37–38
Ramachandran, V. S.: Blind spots. In: Scientific American 266, S. 85–91, 1992
Ramachandran, V. S.: Die blinde Frau, die sehen kann. Reinbek 2001
Randow, G. von: Das Ziegenproblem. Reinbek 1992
Rao, C. R.: Was ist Zufall? Statistik und Wahrheit. München 1995
Raup, D., und Sepkovski, J.: Mass extinction in the marine fossil record. In: Science 215, S. 1501–1503, 1982
Reboreda, J. C., und Kacelnik, A.: Risk sensitivity in starlings. In: Behavioural Ecology 2, S. 301–308, 1991
Rechenberg, I.: Evolutionsstrategie '94. Stuttgart 1994
Rees, M.: Our Final Century. London 2003
Rees, M.: The final countdown. In: New Scientist 3, S. 30–33, 2003
Reichenbach, H.: The Theory of Probability. Berkeley 1949
Rescher, N.: Luck. The Brilliant Randomness of Everyday Life. Pittsburgh 2001
Reynolds J., et al.: A cellular mechanism of reward-related learning. In: Nature 413, S. 67–70, 2001
Richman, C. L., Dember, W. N., und Kim, P.: Spontaneous alternation behavior in animals: A review. In: Current Psychological Research and Reviews 5, S. 358–391, 1986
Riedl, R.: Die Ordnung des Lebendigen. Hamburg und Berlin 1975
Rigos, A.: Eltern sind austauschbar. In: Der Spiegel 47/1998
Rilke, R. M.: Briefe und Tagebücher aus der Frühzeit 1899–1902. Leipzig 1931
Robert, R.: Das Ende des Schmetterlingseffekts. In: Spektrum der Wissenschaft 11, S. 66–75, 2001
Robertson, D.: The New Renaissance. Computers and the Next Level of Civilization. Oxford 1998
Romo, R., und Salinas, E.: Touch and go: Decision-making mechanisms in somatosensation. Annu. Rev. Neurosci. 24, S. 107–137, 2001
Rosenhan, D. L.: On being sane in insane places. In: Science 179, S. 250–258, 1973

Ruelle, D.: Zufall und Chaos. Heidelberg 1994

Saffran, J., et al.: Statistical learning by 8-month-old infants. In: Science 274, S. 1926–1928, 1996
Sagan, C.: Die Drachen von Eden. München und Zürich 1978
Sapolsky, R.: Cortisol concentrations and the social significance of rank instability among wild baboons. In: Psychoneuroenocrinology 17, S. 701–709, 1992
Sapolsky, R.: Warum Zebras keine Migräne kriegen. München 1998
Scarr, S., und McCartney, K.: How people make their own environments: A theory of genotype-environment effects. In: Child Development 54, S. 424–435, 1983
Scarr, S., und Weinberg, R.: The influence of ‹family background› on intellectual attainment. In: American Sociological Review 43, S. 674–692, 1978
Scheid, H.: Zufall: Kausalität und Chaos. Mannheim 1996
Schaub, H.: Fehler sind menschlich. In: Psychologie Heute 01/2001
Schneider, M.: Teflon, Post-it, Viagra: Große Entdeckungen durch kleine Zufälle. Weinheim 2002
Schuler, H.: Lehrbuch der Personalpsychologie. Göttingen 2001
Schulte, M. (Hg.): Das große Valentinbuch. München 1973
Schultz, W., Dayan, P., und Montague P.: A neural substrate of prediction and reward. In: Science 275, S. 1593–1599, 1997
Schultz, W.: Multiple reward signals in the brain. In: Nature Reviews Neuroscience 1, S. 199–207, 2000
Schultz, W.: Getting formal with dopamine and reward. In: Neuron 36, S. 241–263, 2002
Schuster, P., und Sigmund, K.: Fixation probabilities for advantageous mutants: In: Math. Biosciences 95, S. 37–51, 1989
Schütze, P.: August Strindberg. Reinbek 1990
Schwarz, F.: Wenn das Reptil ins Lenkrad greift. Reinbek 2004
Seidenberg, M., MacDonald, M., und Saffran, J.: Does grammar start where statistics stop? In: Science 298, S. 553–554, 2002
Shadlen, M. N., und Newsome, W. T.: Motion perception: Seeing and deciding. In: Proc. Nat. Acad. Sci. USA 1993, S. 628–633, 1996
Sharpton, V., et al.: New links between the Chicxulub impact structure and the Cretacious/Tertiary boundary. In: Nature 359, S. 819–821, 1992
Sharpton, V., et al.: Chicxulub multiring impact basin: Size and other characteristics derived from gravity analysis. In: Science 261, S. 1564–1567, 1993
Shefrin, H.: Börsenerfolg mit Behavioral Finance. Stuttgart 2000
Shiller, R.: Do stock prices move too much to be justified by subsequent changes in dividents? In: American Economic Review 71, S. 421–436, 1981
Shiller, R.: Irrational Exuberance. Princeton, New Jersey 2000
Sigmund, K.: Spielpläne. Zufall, Chaos und die Strategien der Evolution. Hamburg 1995
Skinner, B. F.: ‹Superstition› in the pigeon. In: Journal of Experimental Psychology 38, S. 168–172, 1947
Speziali, P. (Hg.): Albert Einstein, Michele Besso: Correspondence 1903–1955. Paris 1972
Spiwoks, M.: Die Währungs-, Anleihen- und Aktienmarktprognosen des Zentrums für Europäische Wirtschaftsforschung. Unveröffentlichtes Manuskript 2003
Spiwoks, M.: Verwendbarkeit der ZEW

Aktienindex Prognosen für aktive Portfoliomanagement-Strategien. In: Jahrbücher für Nationalökonomie und Statistik 224 Heft 1, 2004a

Spiwoks, M.: External Triggered Herding bei Rentenmarkt-Analysen. In: Finanzmarkt und Portfolio Management, Im Druck 2004b

Springer, S., und Deutsch, G.: Left Brain, Right Brain. New York 1985

Stark, J., und Hardy, K.: Chaos: Useful at last? In: Science 301, S. 1192–1193, 2003

Stehli, F. G., und Webb, S. D.: The Great American Biotic Interchange. New York 1985

Steipe, B.: Evolutionary approaches to protein engineering. In: Current Topics in Microbiology and Immunology: Combinatorial Chemistry in Biology 243, S. 56–81, 1999

Stewart, D., und Winser, D.: Incidence of perforated peptic ulcer: Effect of heavy air-raids. In: Lancet, S. 259–260, 1942

Strickland, L. H., Lewicki, R. J., und Katz, A. M.: Temporal orientation and perceived control as determinants of risktaking. In: Journal of Experimental and Social Psychology 2, S. 143–151, 1966

Strindberg, F.: Lieb, Leid und Zeit. Hamburg und Leipzig 1936

Sundali, J., und Atkins, A.: Expertise in investment analysis: Fact or fiction. In: Organizational Behavior and Human Decision Processes 59, S. 223–41, 1994

Svozil, K.: Randomness and Undecidability in Physics. Singapore 1993

Taleb, N.: Narren des Zufalls. Weinheim 2002

Tavris, C.: Peer Pressure. In: New York Times Book Review, 13. September 1998

Taylor, K., Zäch, P., und Brugger, P.: Why is magical ideation related to leftward deviation on an implicit line bisection task? In: Cortex 38, S. 247–252, 2002

Tennov, D.: Love and Limerence. New York 1979

Terman, L. M., und Oden, M. H.: The Gifted Group at Mid-life: 35 Years' Follow-up of the Superior Child. Stanford 1959

Terman, L. M.: Genetic Studies of Genius. Stanford 1925

Thaler, R.: Towards a positive theory of consumer choice. In: Journal of Economic Behavior and Organisation 1, S. 39–60, 1980

Tipler, F.: The Physics of Immortality. New York 1994

Tomlinson-Keasey, C., und Gomel, J.: Antecedent life events and consequences. In: Lachman, M. E., und Boone, J. (Hg.): Multiple Paths of Midlife Development. Chicago 1997

Turchin, P.: Evolution in population dynamics. In: Nature 424, S. 257–258, 2003

Tversky, A., und Kahneman, D.: Judgments of and by representativeness. In: Kahneman, D., Slovic, P., und Tversky, A. (Hg.): Judgment Under Uncertainty: Heuristics and Biases. Cambridge 1982

Ulmer, S.: Dutzende von Massensterben in der Erdgeschichte. In: Neue Zürcher Zeitung, 20. November 2003

Viscusi, K., und Magat, W.: Learning about Risk. Cambridge, Massachusetts 1987

von Neumann, J.: Zur Theorie der Gesellschaftsspiele. In: Mathematische Annalen 100, S. 295–320, 1928

von Neumann, J., und Morgenstern, O.: Theory of Games and Economic Behavior. Princeton, New Jersey 1944

Watts, D.: Small Worlds: The Dynamics of Networks between Order and Randomness. Princeton, New Jersey 2003

Weaver, W.: Lady Luck and the Theory of Probability. New York 1963

Wedekind, C., und Milinski, M.: Human cooperation in the simultaneous and the alternating Prisoner's Dilemma. In: Proceedings of the National Academy of Sciences 93, S. 2686–2689, 1996

Weinstein, S., und Graves, R.: Are creativity and schizotypy products of a right hemisphere bias? In: Brain and Cognition 49, S. 138–151, 2002

Weisfeld, G. E., et al.: Correlates of satisfaction in British marriages. In: Ethology and Sociobiology 13, S. 125–145, 1992

Wickelgren, I.: Getting the brain's attention. In: Science 278, S. 35–37, 1997

Winner, E., und Gardner, H.: The comprehension of metaphor in brain-damaged patients. In: Brain 100, S. 717–729, 1977

Wiseman, R.: So machen Sie Ihr Glück. München 2003

Wolford, G., et al.: The left hemisphere's role in hypothesis formation. In: The Journal of Neuroscience 20, S. 1–4, 2000

Wolfram, S. A.: New Kind of Science. Champaign, Illinois 2002

Wootton, R. J.: Das Design von Insektenflügeln. In: Spektrum der Wissenschaften 01/1991

Word, C., et al.: The nonverbal mediation of self-fulfilling prophecies in interracial interaction. In: Journal of Experimental Social Psychology 10, S. 109–120, 1974

Yamamoto, B. K., und Freed, C. R.: The trained circling rat: A model for inducing unilateral caudate dopamine metabolism. In: Nature 298, S. 467–468, 1982

Yoshida, T., et al.: Rapid evolution drives ecological dynamics in a predator-prey system. In: Nature 424, S. 303–306, 2003

Zeilinger, A.: Einsteins Schleier. München 2003

NAMENREGISTER

SACHREGISTER

Stefan Klein

Die Glücksformel
oder Wie die guten Gefühle entstehen

320 Seiten. Gebunden und als rororo 61513

«Dem Wissenschaftsjournalisten Stefan Klein ist mit seinem Buch ‹Die Glücksformel› ein kleines Meisterwerk gelungen. Spannend, informativ und leicht verständlich.» *Welt am Sonntag*

«Stefan Klein hat eine Synthese der Ergebnisflut aus den Glückslaboren gewagt. In seinem Buch ‹Die Glücksformel› fasst er kompakt zusammen, was sonst eine halbe Fachbereichs-Bibliothek füllen würde: das Wissen darüber, wie und warum die guten Gefühle überhaupt entstehen. Kein Ratgeber mit billigen Kniffen ist dabei herausgekommen, sondern ein Werkzeug zur Selbsterkenntnis.» *Stern*

Das Buch «Die Glücksformel» stand über ein Jahr lang auf der Bestsellerliste.
Es wurde bisher in mehr als zwanzig Sprachen übersetzt.

Rowohlt

Stefan Klein

Einfach glücklich
Die Glücksformel für jeden Tag

144 Seiten. rororo 61677

Glück kann man trainieren – nur haben wir bisher die falschen Übungen gemacht. Wie jeder von uns mehr Freude und Zufriedenheit in seinem Leben erreichen kann, zeigt uns Stefan Klein in diesem Buch.
Er fasst darin die wichtigsten Aussagen seines Bestsellers «Die Glücksformel» so zusammen, dass sich die neuen Erkenntnisse über die guten Gefühle im Alltag besonders leicht umsetzen lassen: Gewusst wie, ist es ganz einfach, sein Glück zu finden!

Pierre Basieux

Die Welt als Roulette
Denken in Erwartungen

288 Seiten. rororo 19707

Sie planen einen Casino-Coup – ohne krumme Tricks, versteht sich. Was sollten Sie beachten? Nichts, weil ohnehin alles nur Zufall ist? – Weit gefehlt. Es gibt beim Roulette Erkenntnisse über Abweichungen vom reinen Zufall, und einige von ihnen konnten zu wissenschaftlich fundierten Methoden mit positiven Gewinnerwartungen ausgebaut werden. Ziel ist die Zählung des Zufalls.

Hans-Peter Beck-Bornholdt
Hans-Hermann Dubben

Der Hund, der Eier legt
Erkennen von Fehlinformationen durch Querdenken

287 Seiten. rororo 61154

«Die witzig-locker präsentierten Beispiele sind eine Warnung, wissenschaftlichen Erkenntnissen blind zu vertrauen.» *F.A.Z.*

Nicht hereinfallen – Skepsis ist angesagt! Mit bissigem Humor berichten zwei Insider über Naivität und Dummheit in der modernen Wissenschaft und über deren Konsequenzen für unseren Alltag.

Dietrich Dörner

Die Logik des Misslingens

Strategisches Denken in komplexen Situationen

352 Seiten. rororo 61578

«Mit ‹Logik des Misslingens› ist ein Glücksfall gelungen.»

In komplexen Situationen macht unser Gehirn Fehler:
Wir beschäftigen uns mit dem Knoten und sehen das Netz nicht.
Doch man kann strategisches Denken lernen.
«Ohne öde spezialwissenschaftliche Diktion, dafür aber mit viel Verstand und Humor, führt uns Dietrich Dörner all die vielen kleinen, bequemen, ach so menschlichen Denkfehler vor.»
Rheinischer Merkur/Christ und Welt

László Mérö

Die Logik der Unvernunft

Spieltheorie und die Psychologie des Handelns

352 Seiten. rororo 60821

Vom Poker über die Planwirtschaft bis zu versteckten Lotterien. Mérö stellt die Grundlagen der Spieltheorie vor und widmet sich auf amüsante Weise dem Zusammenhang zwischen Logik und Psychologie im menschlichen Verhalten.